S

Américaine, originaire du Kentucky, Sue Grafton est diplômée de littérature anglaise. Elle a débuté sa carrière d'écrivain en 1967 en publiant un premier roman et a écrit des scénarios pour la télévision américaine, parmi lesquels deux
adaptations de romans d'Agatha Christie.

C'est en 1982, avec *A comme Alibi,* suivi trois ans plus tard
de *B comme Brûlé,* que Sue Grafton commence son étonnant
abécédaire du crime, et qu'elle crée le personnage de Kinsey
Millhone, détective privé que l'on retrouve dans les quinze
volumes déjà parus. Traduite dans le monde entier, Sue Grafton est considérée comme l'une des figures les plus origi-
nales du roman noir américain.

P COMME PÉRIL

SUE GRAFTON

P COMME PÉRIL

Traduit de l'américain
par Marie-France de Paloméra

ÉDITIONS DU SEUIL

Titre original :

« P » IS FOR PERIL

Éditeur original : Penguin Putnam Inc.

© Éditions du Seuil, novembre 2001, pour la traduction française
© 1998 by Sue Grafton

ISBN : 2-266-12319-X

Remerciements

L'auteur tient à remercier les personnes suivantes pour l'aide précieuse qu'elles lui ont apportée :

Stephen Humphrey ; le capitaine (en retraite) Ed Aasted et le sergent Brian Abbott, de la police de Santa Barbara ; Melinda Johnson ; Jamie Raney, avocate ; Sam Eaton, avocat ; Lynn McLaren, détective privée ; E. Robert Jones, chirurgien-dentiste ; Hildy Hoffman, du bureau du maire de Santa Barbara ; le Dr Robert Failing, anatomopathologiste (en retraite) ; Judy Crippen ; Tracy Brown ; Norm Arnold ; Sheila Harker, Lynn Lazaro, infirmière diplômée, et Joyce Tevenan, infirmière diplômée ; Leslie Minschke, RHIA ; Ron Shenkman, du cabinet Ron Shenkman & Associates ; Lorna Backus, du Service de l'état civil du comté de Santa Barbara ; John Hunt, de CompuVision ; Jamie Clark ; et Neville Blakemore.

Je tiens aussi à exprimer toute ma reconnaissance à Alan Cates, chef du Bureau de la répression des fraudes de Medi-Cal, de l'État de Californie.

CHAPITRE 1

La maison d'Old Reservoir Road semblait en voie d'achèvement. Je repérai l'endroit au moment où je pris le virage, reconnaissant la construction à la description que m'en avait faite Fiona Purcell. Sur ma droite, j'aperçus une portion du réservoir qui avait donné son nom à la route. Alimenté par des sources, le lac Brunswick occupe le fond d'une cuvette géologique, et pendant longtemps ce réservoir naturel a approvisionné la ville en eau potable. En 1953, on avait créé un bassin de retenue plus important, mais aujourd'hui le lac n'est guère plus qu'une éclaboussure bleue aux contours irréguliers sur les cartes de la région. Il est interdit de s'y baigner ou d'y faire du bateau, mais les oiseaux d'eau migrateurs viennent régulièrement se reposer sur ses eaux calmes avant de descendre plus au sud. Les collines environnantes manquent de grâce et s'enflent doucement jusqu'aux montagnes qui marquent, au nord, les confins de la ville de Santa Teresa.

Je garai ma Volkswagen sur les gravillons du

bas-côté et traversai la route à deux voies. Le lotissement se déployait sur une pente prononcée encore vierge de tout aménagement paysager et consistait entièrement en terre et rochers sur lesquels s'accrochait déjà une brume d'herbes folles. Au niveau de la rue, un grand conteneur publicitaire débordait de gravats. Un faisceau de panneaux plantés dans le terrain vague affichait les noms de la société de construction, de l'entreprise de peinture en bâtiment et de l'architecte, bien que Mme Purcell se fût empressée de me préciser au téléphone qu'elle avait elle-même dessiné les plans. Le parti pris architectural de la maison — si l'on tient vraiment à en parler — aurait comblé les vœux du département de la Défense : une série implacable de boîtes en béton, d'une rigueur spartiate et à toute épreuve, empilées contre la pente sous un pâle soleil de novembre. La façade, aussi dépouillée que celle d'un bunker, formait un contraste radical avec les bâtiments de style espagnol, bas et allongés, des propriétés adjacentes. Il devait y avoir une allée conduisant aux garages et à une aire de stationnement quelque part derrière la maison, mais j'optai pour les marches taillées à même le flanc dénudé de la colline. A 6 heures du matin, j'avais déjà fait cinq kilomètres de jogging, mais avais fait l'impasse sur ma séance de musculation du vendredi matin pour honorer ce rendez-vous aux aurores. Il était 8 heures et je me sentais les fesses lourdes en gravissant les marches.

Derrière moi, un chien aboya. Ses jappements rauques se répercutèrent dans le canyon avec une sorte d'irritation fébrile. Une voix de femme lança des « Trudy ! *Truuddy !* » insistants, que l'animal ignora. Il y eut un sifflement aigu, et un jeune berger allemand déboula dans la pente, fonçant vers moi à toute allure. J'attendis, déjà prête à résister à l'impact de pattes pleines de terre, mais à la dernière fraction de seconde, un nouveau sifflement retentit et le chien dévia sa course et disparut. Je continuai d'escalader les larges marches de béton de Fiona, tirant deux fois des bords avant d'atteindre le terre-plein supérieur, où un sobre portique de pierre ombrageait la porte d'entrée. Cette fois, j'avais les cuisses en feu et soufflais comme un phoque, et mon cœur battait à tout rompre, une vraie mitrailleuse. J'aurais juré que l'oxygène se raréfiait à ces hauteurs, mais c'est à peine si j'avais gravi l'équivalent de deux étages, et cent à cent vingt mètres me séparaient seulement du niveau de la mer. Je me retournai pour admirer ostensiblement la vue, le temps de reprendre mon souffle.

De ce nid d'aigle, je contemplai la large bande scintillante du Pacifique qui ourlait le rivage jusqu'à huit kilomètres plus loin. Devant moi, l'air était si limpide que pour un peu j'aurais pu compter les crêtes des îles qui s'égrenaient à quarante kilomètres au large. Derrière moi, les nuages passaient une tête curieuse au-dessus des montagnes, formant une couverture gris foncé qui progressait rapidement et annonçait la tempête. Celle-ci cinglait déjà vers San Francisco, quelque six cents kilomètres plus au nord.

Quand je sonnai à la porte, ma respiration s'était calmée et j'avais déjà brièvement revu dans ma tête l'affaire qui m'amenait. L'ex-mari de Fiona Purcell, le Dr Dowan Purcell, avait disparu depuis neuf semaines. Fiona m'avait fait porter par coursier une enveloppe en papier kraft bourrée de coupures de journaux qui récapitulaient les circonstances de sa disparition. J'avais étudié les articles à mon bureau, renversée dans mon fauteuil pivotant, mes baskets sur le bord de la table. Fiona les avait classés par ordre chronologique, mais sans les assortir d'aucune note ni remarque. J'avais suivi les comptes rendus de la presse locale, mais sans m'attendre une seconde à jouer un rôle dans l'affaire. La revoir ainsi remise à plat sous cette forme fragmentaire m'avait été utile.

Je me fis la remarque qu'au cours des neuf semaines écoulées, le style des reportages était passé de la perplexité des premières soixante-douze heures à de la spéculation fébrile pendant les jours suivants, pour aboutir enfin à un scénario cohérent qui reflétait l'état actuel de l'enquête. Aucun élément nouveau n'était venu étoffer le dossier, déjà mince au départ. En l'absence de nouvelles révélations, la fascination du public commençait à faiblir et l'attention des médias avait viré à une indifférence glacée qui allait bien avec les courtes journées de ce mois de novembre. La nature humaine est ainsi faite qu'on ne médite sur les mystères de l'existence qu'avant de s'en désintéresser pour passer à autre chose. Le Dr Purcell n'avait plus donné signe de vie depuis le vendredi 12 septembre, et les longues colonnes consacrées, au début, à sa disparition se réduisaient à présent à une allusion ici ou là, toutes sur un ton presque rituel. On revenait sur les détails de l'affaire, mais la curiosité s'était tournée vers une actualité plus accrocheuse.

Le Dr Purcell, âgé de soixante-neuf ans, avait exercé ses activités de médecin de famille à Santa Teresa depuis 1944, avant de se spécialiser en gérontologie durant ses quinze dernières années de pratique. Il avait pris sa retraite en 1981. Six mois plus tard, il avait été nommé administrateur d'une résidence médicalisée, « les Prairies du Pacifique », qui appartenait à deux hommes d'affaires. Et, ce vendredi-là, il avait travaillé tard, restant à son bureau pour examiner des dossiers relatifs au fonctionnement de l'établissement. D'après les témoins, on approchait de neuf heures quand il s'était arrêté à la réception pour dire bonsoir aux infirmières de garde. A cette heure tardive, les patients avaient pris leurs quartiers de nuit. Il n'y avait personne dans les couloirs et les portes closes des chambres protégeaient leurs occupants des lumières du couloir déjà mises en veilleuse. Le Dr Purcell avait pris le temps de bavarder avec une vieille dame en fauteuil roulant qui s'attardait dans le hall d'entrée. Après avoir échangé quelques propos anodins avec elle — pendant moins d'une minute, d'après le témoin —, il avait franchi la porte et s'était enfoncé dans la nuit. Il avait récupéré sa voiture à son emplacement réservé sur le côté nord de l'établissement, quitté le parking et disparu définitivement dans le néant. La police et le bureau du shérif de Santa Teresa avaient consacré d'interminables heures de travail à cette affaire et je ne voyais vraiment pas quelles pistes les représentants de la loi n'auraient pas explorées.

Je sonnai de nouveau. Fiona Purcell m'avait dit qu'elle partait en déplacement — un voyage de cinq jours à San Francisco, où elle devait acheter des meubles et courir les antiquaires pour un client de son entreprise de décoration. D'après les journaux, Fiona et le médecin étaient divorcés depuis des années. Sans penser à rien de spécial, je me demandai pourquoi c'était elle qui m'avait appelée, et non Crystal, l'épouse en titre du docteur.

Un visage se dessina dans l'un des deux panneaux de verre placés de part et d'autre de l'entrée. Lorsqu'elle ouvrit la porte, je constatai que Fiona était déjà en tenue de voyage — tailleur à fines rayures tennis dont la veste blazer était soulignée par de larges revers. Elle me tendit la main.

— Madame Millhone ? Fiona Purcell. Navrée de vous avoir fait attendre. J'étais au fond de la maison. Je vous en prie, entrez.

— Merci. Appelez-moi Kinsey. Ravie de faire votre connaissance.

Nous nous serrâmes la main et je la suivis dans le vestibule. Sa poignée de main était molle, ce qui surprend toujours chez une personne à première vue vive et efficace. Je lui donnais la fin de la soixantaine, à peu près le même âge que le Dr Purcell. Elle avait des cheveux teints châtain foncé et partagés par une raie ; des peignes en strass arrimaient un savant fouillis de frange mousseuse et de bouclettes artificielles dans le

16

style qu'affectionnaient les femmes fatales de l'écran dans les années quarante. Pour un peu, je me serais attendue à voir John Agar ou Fred Mac Murray faire leur apparition dans le rôle du pauvre mâle falot tombé dans les rets de la mégère aux épaulettes agressives.

— Nous pouvons discuter dans le séjour, me disait-elle à ce moment précis. Vous voudrez bien fermer les yeux sur le chantier.

Un échafaudage dressé dans le vestibule montait jusqu'à un plafond d'une hauteur imposante. Des toiles de protection bordaient l'escalier et le large corridor qui conduisait à l'arrière de la maison. Sur un côté de l'escalier se trouvaient une console et une lampe chromée aux lignes épurées. Pour l'instant, il semblait n'y avoir que nous deux dans les lieux.

— Vous n'aviez pas un vol à dix heures ? lui demandai-je.

— Ne vous inquiétez pas. Je ne suis qu'à huit minutes de l'aéroport. Nous avons une bonne heure devant nous. Puis-je vous proposer un café ? Je vais boire le mien ici.

— Non, merci. J'en ai pris deux tasses ce matin et en général je m'en tiens là.

Elle partit vers la droite et je la suivis docilement à travers un vaste espace de ciment nu.

— On vous installe bientôt les sols ? lui demandai-je encore.

— Mais ce sont les sols !

— Ah, dis-je en notant de ne pas poser de questions sur des points très éloignés de mes compétences.

Une odeur de plâtre, froide et légèrement

humide, et des relents de peinture fraîche imprégnaient l'intérieur de la maison. Tous les murs situés dans mon champ de vision étaient d'un blanc aveuglant et rompus par de hautes baies sévères dépourvues de tout voilage ou doubles rideaux. Je lançai un regard discret derrière moi sur ce qui devait être la salle à manger à l'autre extrémité de l'entrée, un périmètre vierge de tout élément de mobilier et comme rythmé par des losanges de lumière crue matinale. L'écho de nos pas résonnait en cadence, comme à la parade.

Dans la salle de séjour, Fiona me désigna deux fauteuils tapissiers assortis, trapus et surdimensionnés, dont le tissu neutre se fondait dans le gris du sol en ciment. Un immense tapis à trame épaisse exhibait une grille de rayures noires sur fond gris. Elle s'assit, j'en fis autant et l'observai tandis qu'elle examinait les lieux avec l'œil exercé de l'esthète. Le décor laissait coi : du bois clair, de l'acier tubulaire, des formes géométriques austères. Une énorme glace ronde fixée sur un support chromé en croissant surmontait la cheminée. Sur la table basse en verre biseauté, une haute cafetière en argent et ivoire, accompagnée d'un crémier et d'un sucrier, trônait sur un plateau d'argent. Fiona prit le temps de se verser une seconde tasse.

— Aimez-vous l'art déco ? me demanda-t-elle.

— Je n'y connais pas grand-chose.

— Cela fait des années que je le collectionne. Le tapis est un Da Silva Bruhns... Il est signé Wolfgang Tumpel, si le nom vous dit quelque

18

chose, ajouta-t-elle avec un mouvement du menton en direction du service à café.

— Superbe, marmonnai-je, ignorant totalement de qui elle parlait.

— Il s'agit pour la plupart de pièces uniques, créées par des façonniers qui ont dominé leur époque. Je pourrais continuer à vous dévider des noms, mais je ne pense pas qu'ils puissent vous intéresser si la période ne vous est pas familière. J'ai fait construire cette maison pour accueillir ma collection, mais dès qu'elle sera finie, il y a des chances pour que je la vende pour aller ailleurs. Je ne tiens pas en place par nature, et j'ai trop besoin de bouger pour rester ici longtemps.

Elle avait un visage au dessin affirmé : sourcils légèrement arqués, yeux sombres au maquillage charbonneux et marqués par des rides de fatigue qui partaient du coin interne. Elle but une gorgée de café, puis s'interrompit pour prendre une cigarette dans un paquet sur la table. Le briquet avec lequel elle l'alluma était une de ces babioles en or massif qu'on entend à peine lorsqu'on en ouvre le capot et actionne la molette d'un coup de pouce. Elle le garda dans sa paume et aspira une profonde bouffée, goûtant visiblement cette seconde de répit. Levant la tête vers le plafond, elle souffla un jet de fumée. Autant laisser ma veste chez le teinturier en rentrant à la maison.

— Je ne crois pas vous l'avoir dit lors de notre petite conversation de l'autre jour, mais c'est Dana Glazer qui m'a suggéré de vous contacter. Vous avez dû la connaître sous le nom de Dana Jaffe[1].

— Non ! Comment l'avez-vous rencontrée ?

— Je l'aide à refaire la décoration intérieure de sa maison. Elle est mariée à un collaborateur de Dow, Joel Glazer, qui a perdu sa première femme. Vous connaissez Joel ? C'est un des associés de la Century Comprehensive, qui possède, entre autres, une chaîne de maisons de retraite.

— Je connais le nom de Glazer par les journaux. Mais je ne l'ai jamais rencontré personnellement.

Son coup de téléphone commençait à s'expliquer, mais je ne voyais toujours pas en quoi je pouvais lui être utile. Le premier mari de Dana Jaffe, Wendell, avait disparu en 1979, dans des circonstances — à première vue — très différentes de l'affaire en cours. Wendell Jaffe était un baron de l'immobilier qui, parti de rien, avait simulé sa mort et refait surface sans tarder au Mexique, après que sa « veuve » eut empoché le demi-million de dollars de son assurance-vie. Wendell avait risqué la prison lorsqu'un montage financier à la Ponzi qu'il avait concocté avait menacé d'être mis au jour, dévoilant le subterfuge. Il avait essayé d'éviter la condamnation inévitable qui l'enverrait derrière les barreaux en imaginant ce « pseudocide ». Il aurait peut-être réussi à tirer son épingle du jeu si une ancienne connaissance ne l'avait repéré au Mexique, et la

1. Voir *J comme jugement*.

compagnie d'assurances, bien décidée à récupérer son argent, ne m'avait dépêchée sur les lieux. Fiona soupçonnait-elle son ex-époux d'avoir roulé quelqu'un lui aussi ?

Elle repoussa sa tasse.

— Avez-vous reçu les articles ? me demanda-t-elle.

— Un coursier les a déposés hier à mon bureau. Je les ai lus dans la soirée et relus ce matin. La police a exploré toutes les pistes...

— Ou voudrait nous le faire croire.

— Vous n'êtes pas satisfaite des progrès de l'enquête ?

— Des « progrès » ? Quels progrès ? Dowan n'a toujours pas reparu. Vous voulez que je vous dise ? La police n'a pas avancé d'un pouce. Oh, elle sort le grand jeu : elle se répand en déclarations publiques et claironne l'intérêt qu'elle porte à l'affaire, mais tout ça, c'est pour la galerie et ça ne signifie strictement rien.

Je ne souscrivais pas à son point de vue, mais résolus de ne pas m'insurger pour l'instant. Personnellement, je trouve les flics super, mais à quoi bon pinailler ? Elle souhaitait faire appel à mes services, j'étais là pour voir si je pouvais les lui offrir.

— Où en est-on ? lui demandai-je.

— Personne n'a entendu parler de lui... à ce qu'on m'a dit, en tout cas.

Elle aspira une autre bouffée de cigarette et tapota la cendre dans un lourd cendrier de cristal. Son rouge à lèvres foncé bavait dans les fines gerçures qui striaient sa lèvre supérieure. Elle avait laissé une trace en croissant de lune sur la tasse à café et un anneau entier autour du filtre de sa cigarette. Cette femme affectionnait les bijoux massifs : gros clips en argent aux oreilles et gourmette assortie. L'ensemble ne manquait pas d'allure, mais tout en elle fleurait la vente d'immobilier et les boutiques de vêtements estampillés d'époque. Si je m'étais penchée, j'aurais sûrement perçu des relents de boules de naphtaline et de placards en cèdre, mêlés de parfums des années quarante, Shalimar et Old Golds. Par moments, elle était éblouissante et l'on entrevoyait brièvement l'éclat d'une beauté qu'elle semblait tenter péniblement de raviver. Elle baissa les yeux.

— Vous aurez compris que nous avons divorcé.

— Un des articles que vous m'avez envoyés mentionnait ce fait. Quel est le genre de sa femme actuelle ?

— Je n'ai parlé qu'une seule fois à Crystal au cours de toute cette épreuve. Elle a fait des pieds et des mains pour me tenir hors du circuit. Je suis informée de l'état de l'enquête par mes filles, qui ont tenu à rester en étroit contact avec elle. Sans elles, j'en saurais encore moins et Dieu sait que je n'ai guère d'informations.

— Vous avez deux filles, n'est-ce pas ?

— C'est exact. Ma benjamine, Blanche, et son mari habitent à deux pas d'ici. Melanie, l'aînée, vit à San Francisco. Je m'installe chez

22

elle jusqu'à mardi après-midi de la semaine prochaine.

— Des petits-enfants ?

— Mel ne s'est jamais mariée. Blanche attend son cinquième dans trois semaines environ.

— Seigneur !

Fiona eut un sourire acide.

— La maternité lui sert de prétexte pour ne pas travailler.

— Travailler me paraît plus simple ! Je serais incapable de faire ce qu'elle fait.

— Elle y arrive à peine ! Heureusement, les enfants ont une nurse extrêmement compétente.

— Comment vos filles s'entendent-elles avec Crystal ?

— Bien, je suppose. Là non plus, elles n'ont guère le choix. Si elles ne font pas ses quatre volontés, elle s'arrangera pour les couper définitivement de leur père ou de leur demi-frère. Saviez-vous que Dow et Crystal avaient un fils ? Il s'appelle Griffith. Il vient d'avoir deux ans.

— Je me souviens d'une allusion à cet enfant. Puis-je vous appeler Fiona ?

Elle tira de nouveau sur sa cigarette et la posa sur le rebord du cendrier devant elle.

— Je préfère Mme Purcell, si ça ne vous ennuie pas.

Un filet de fumée s'échappa de sa bouche tandis qu'elle parlait, et elle parut l'étudier avec stupéfaction.

— Pas du tout. Je me demandais si vous aviez une théorie sur la disparition de votre ex-mari.

— Vous êtes une des rares personnes à avoir pris la peine de me poser la question. Il semblerait que mon opinion n'ait aucune importance. Je le soupçonne d'être en Europe ou en Amérique du Sud, en attendant d'être prêt à rentrer au bercail. Crystal le croit mort... Enfin, à ce qu'on m'a dit.

— L'hypothèse se tient. D'après les journaux, il n'a pas touché à ses cartes de crédit. Personne n'a vu sa voiture ni aucun signe de lui.

— Les journaux se trompent. On l'a signalé à plusieurs reprises. Des gens affirment l'avoir aperçu dans des villes aussi éloignées que La Nouvelle-Orléans et Seattle. On l'a vu prendre l'avion à JFK à New York, et aussi au sud de San Diego, à destination du Mexique.

— Comme on signale régulièrement la présence d'Elvis Presley ici et là. Ce qui ne signifie pas pour autant qu'il soit toujours de ce monde.

— C'est vrai. Par ailleurs, un individu répondant à la description de Dow a essayé de passer au Canada, mais s'est éloigné quand l'agent de l'immigration lui a demandé son passeport. Qui, tiens donc, a disparu.

— Ah bon ? Intéressant, ça. Les journaux n'en parlent pas. La police aura sans doute étudié cette piste ?

— Espérons-le.

Son ton sonnait faux. Si elle arrivait au moins à me convaincre, moi, ses dires se vérifieraient peut-être.

— Vous êtes sûre qu'il est toujours en vie ?

— Pour moi, cela ne fait pas l'ombre d'un doute. Cet homme n'avait pas d'ennemis et je ne conçois pas qu'il ait pu être victime d'un « acte criminel », dit-elle en dessinant des guillemets dans le vide. C'est une idée absurde.

— Parce que...?

— Parce que Dow est parfaitement capable de se défendre, en tout cas physiquement. En revanche, il est incapable de regarder les problèmes en face. C'est un être passif. Au lieu de se battre ou de filer, il se couche et fait le mort, enfin... si l'on peut dire. Il ferait n'importe quoi plutôt que de prendre le taureau par les cornes, surtout quand il s'agit de femmes. Il tient ça de sa mère, mais c'est une autre histoire.

— A-t-il déjà fait ce genre de chose?

— Justement. J'ai tenté de l'expliquer à l'inspecteur de police. En vain, je le précise. Dowan l'a fait à deux reprises. La première fois, Melanie et Blanche avaient, voyons... juste six et trois ans. Dowan a disparu pendant trois semaines. Il est parti sans prévenir et il est rentré sans se faire annoncer.

— Où était-il allé?

— Aucune idée. La deuxième fois, même scénario. C'était bien après, avant qu'on se sépare pour de bon. Il était là et le lendemain plus personne ! Il est revenu quelques semaines plus tard, sans le moindre mot d'explication ou d'excuse. Et maintenant, naturellement, je crois qu'il a fait la même chose.

— Qu'est-ce qui l'avait poussé à partir les autres fois?

Elle eut un geste vague, l'extrémité de sa cigarette dessinant une volute de fumée dans l'air.

— Nous avions sans doute des problèmes. Cela nous arrivait souvent. En tout cas, Dow a toujours dit qu'il avait eu besoin de temps, pour se vider l'esprit... sans plus d'explications. Un jour, peu après, il n'est tout simplement pas rentré. Il avait annulé ses rendez-vous, y compris d'ordre privé, sans me prévenir, ni moi ni personne. La première fois, je me suis aperçue de sa disparition en ne le voyant pas au dîner. Même scénario la deuxième, sauf que, là, je ne me suis pas fait un sang d'encre.

— Donc, dans les deux cas, il s'est comporté à peu de chose près comme cette fois-ci ?

— Exactement ! La première fois, il m'a fallu des heures pour comprendre qu'il était parti. C'est un médecin et il rentrait souvent tard, naturellement. A minuit, j'étais dans tous mes états..., quasiment hystérique. J'ai vraiment cru devenir folle.

— Avez-vous appelé la police ?

— J'ai appelé la terre entière ! Après, le lendemain matin, la première chose que j'ai trouvée au courrier, c'était un mot de lui. Il disait qu'il reviendrait un jour, et c'est exactement ce qui est arrivé. J'étais folle de rage, bien sûr, mais ça ne lui a fait ni chaud ni froid. Comme une idiote, je lui ai pardonné et nous avons continué comme avant. Nous formions un bon couple, enfin... assez bon de mon point de vue. Je le croyais heureux... jusqu'à cette histoire avec Crystal. Pour autant que je sache, ça faisait des années qu'il avait une liaison avec elle.

— Pour quelles raisons êtes-vous restée ?

— Je le croyais un bon mari. Quelle gourde ! Il se montrait un peu distant, mais je ne lui en tenais pas rigueur... du moins, pas consciemment. Peut-être que je lui en voulais, mais je ne m'en rendais pas compte. En y repensant, je comprends qu'un homme peut prendre le large de plusieurs façons.

— Par exemple ?

Elle haussa les épaules et écrasa sa cigarette dans le cendrier.

— La télévision, le sommeil, l'alcool, les livres, les euphorisants, les tranquillisants. Je généralise, mais vous voyez ce que je veux dire.

— Et dans son cas ?

— Dow se réfugiait dans son travail. Il partait à l'aube, il passait ses nuits au bureau... Comprenez bien que, par nature, il fuit les conflits. C'est pour ça qu'il aime les personnes âgées : elles n'exigent rien. Sa qualité de médecin le place sur un piédestal, ce qui vaut toujours mieux, estime-t-il, que d'avoir des comptes à rendre comme le commun des mortels.

— Combien de temps êtes-vous restés mariés ?

— Près de quarante ans. Nous nous sommes rencontrés à Syracuse. Je commençais ma licence d'histoire de l'art et lui préparait son entrée en médecine. Nous nous sommes mariés peu après les examens. Dow a poursuivi ses études à Penn State et a fait ses trois ans d'internat ici. A ce moment-là, nous avions déjà les filles. Je suis restée à la maison jusqu'à ce qu'elles aillent toutes les deux à l'école, puis j'ai repris mes études et passé ma maîtrise de décoration. C'est moi qui ai dessiné la maison que nous avons fait construire peu après, à Horton Ravine.

Bien entendu, nous avons pris un architecte pour régler les détails.

— Il possède toujours cette maison ?

— Oui, bien que Crystal ne l'aime pas beaucoup, à ce qu'on m'a dit.

— Vous n'avez pas gardé la maison au moment du divorce ?

— Je ne pouvais payer ni l'hypothèque ni l'entretien. A l'entendre, c'est lui qui se serait fait rouler. Qu'il dit. Croyez-moi, c'est lui qui s'est taillé la part du lion. Il a sûrement graissé la patte à quelqu'un... au juge, à mon avocat. Vous connaissez la solidarité masculine dès qu'on en vient aux questions d'argent.

Je m'aperçus qu'elle faisait tout pour affaiblir mes capacités de jugement et marquer des points pour son camp. Les gens divorcés semblent toujours chercher à se gagner la compassion d'autrui en se présentant sous le meilleur jour possible. On pouvait s'en étonner, dans ce cas précis, puisqu'elle m'avait fait venir pour voir si je pouvais aider à le retrouver. Aimait-elle donc encore ce bonhomme ?

— La rupture a dû être pénible ? marmonnai-je.

— Humiliante. L'horreur. Le cliché ! D'une banalité à mourir ! Pris du démon de midi, le bon docteur quitte son épouse vieillissante pour refaire sa vie avec une pute.

Les journaux avaient amplement glosé sur le passé de stripteaseuse de Crystal. Cela ne m'empêcha pas de trouver à redire à ce terme de « pute » qu'elle avait employé. L'effeuillage en tant que moyen d'existence ne signifie pas pour autant qu'on fasse le tapin. Après tout, Crystal pouvait parfaitement avoir décroché son diplôme d'assistante sociale en psychiatrie.

— Comment l'a-t-il rencontrée ?

— C'est à elle qu'il faudrait poser la question ! Parlons franc. L'âge venant, Dow a manifesté une certaine attirance pour des... comment dire... pour des pratiques sexuelles inhabituelles. Ses hormones ne répondaient plus, ou alors c'est son anxiété qui s'était mise à grimper avec l'âge... Peut-être son problème datait-il de sa mère. Chez lui, tout a toujours été lié aux rapports qu'il avait avec elle. Toujours est-il qu'à la soixantaine Dowan a commencé à avoir des défaillances. Il ne pouvait plus... disons... « s'exécuter » sans stimulants. Matériel pornographique, adjuvants conjugaux...

— Qui ne vous plaisaient guère...

— Que je trouvais répugnants, oui ! Je ne peux même pas vous préciser les pratiques qui l'attiraient... des actes innommables dont je refusais même de discuter avec lui ! Il a fini par ne plus insister.

— Parce qu'il avait une liaison avec elle ?

— Évidemment ! Il ne l'a jamais reconnu, mais je suis sûre qu'il s'était mis en chasse. Pas une seconde il ne m'est venu à l'esprit qu'il finirait par trouver quelqu'un qui soit prêt à se soumettre à ses exigences de dépravé ! Je ne voulais pas en entendre parler et je sais que j'ai toujours été parfaitement claire sur ce point.

Je mourais d'envie de lui demander un exemple, mais jugeai plus sage (pour une fois) de la fermer. On préfère parfois ignorer ce que les gens font — ou refusent de faire — dans l'intimité. S'il m'arrivait de rencontrer un jour l'intéressé, je ne voulais pas être distraite par la vision du bonhomme en train de gambader à poil avec une carotte bio dans le fondement.

— Qui a demandé le divorce, vous ou lui ?

— Lui. J'ai été complètement prise au dépourvu. Je pensais qu'il trouverait à satisfaire ses besoins hors du mariage et qu'il tenait à préserver l'intégrité de la famille. L'idée qu'il s'abaisse à divorcer à un stade si avancé de sa vie ne m'avait jamais effleurée. J'aurais dû me méfier. Dowan est un faible. Personne n'aime avouer ses erreurs, mais Dow a toujours eu horreur de donner même l'impression d'en avoir commis !

— C'est-à-dire ?

— Eh bien...

Elle baissa les yeux. Son regard parcourut le sol sans se fixer nulle part.

— ... je soupçonne que son couple avec Crystal n'est pas l'union de deux âmes à laquelle il voudrait faire croire. Il y a quelques mois, il a appris qu'elle le trompait. Et donc... mieux valait disparaître que de se reconnaître cocu.

— Avait-il une idée de qui cela pouvait être ?

— Non, mais il cherchait. Après sa disparition, mon amie Dana m'a confié qu'elle était au courant depuis le début. Le gaillard est le professeur de gymnastique personnel de Crystal. Un certain Clint Augustine.

Le nom me disait vaguement quelque chose. J'étais sûre de l'avoir déjà entendu — peut-être au club de gym où je fais de la musculation.

— Vous croyez que c'est pour ça qu'il est parti ?

— Absolument. Nous avons eu une conversation... une longue conversation... le 10 septembre. Soit deux jours avant sa disparition. Il était malheureux comme les pierres.

— Il a dit ça ?

Je la sentis hésiter tandis qu'elle pesait sa réponse.

— Pas aussi ouvertement, mais on ne vit pas quarante ans avec quelqu'un sans apprendre à lire entre les lignes.

— Qu'est-ce qui a provoqué cette conversation ?

— Il est venu chez moi.

— Vous continuiez donc à le voir, constatai-je.

— Eh bien... oui. A sa demande, me précisat-elle, légèrement sur la défensive. Dow adore cette maison, de même qu'il adore celle de Horton Ravine. Il s'est toujours intéressé à mes activités de créatrice, même après que notre couple fut parti à vau-l'eau. Dernièrement, il passait en fin de journée boire un verre avec moi. Ce soir-là, il était vanné. Il avait le visage blême tant il était préoccupé ! Quand je lui ai demandé ce qui n'allait pas, il m'a répondu que la pression au bureau le rendait fou. Et que Crystal n'arrangeait rien. Elle est extrêmement narcissique, comme vous le constaterez en la voyant. Car vous allez la voir, j'imagine.

— Cela ne vous a pas étonnée qu'il se confie à vous après tout ce qu'il vous avait fait subir ?

— Et à qui d'autre l'aurait-il fait ? En tout cas,

il ne m'a pas vraiment parlé d'elle, mais j'ai vu son regard tendu. Il avait vieilli d'au moins dix ans en quelques mois.

— Vous voulez dire que des problèmes familiaux s'ajoutaient à ses difficultés d'ordre professionnel ?

— Tout à fait. Il n'est pas entré dans les détails, mais il a glissé au passage qu'il avait besoin de prendre le large. C'est la première chose qui m'est venue à l'esprit quand j'ai appris sa disparition.

— N'était-ce pas prendre vos désirs pour des réalités ?

— Ce n'est pas impossible. D'accord, il ne m'a pas sorti des billets d'avion de sa poche, mais il semblait vraiment à bout.

— Vous rappelez-vous qu'il ait mentionné un endroit quelconque ?

Elle parut réfléchir.

— Dieu sait si je me suis creusé la tête là-dessus, mais non, rien qui me revienne. C'était une remarque lancée en passant et je n'y avais pas vraiment repensé avant toute cette histoire.

— Vous l'avez dit à la police ?

Là encore, elle hésita.

— Pas tout de suite. Je pensais que son absence était volontaire et qu'il rentrerait le moment venu. Je ne voulais pas lui causer de problèmes. Laisser Crystal transformer cette épreuve en cirque médiatique, non.

Je me hérissai.

— Madame Purcell, lui dis-je, il s'agit d'un médecin influent, très connu et très aimé dans cette ville. Sa disparition attire obligatoirement l'attention des médias. Si vous pensiez à une fugue, pourquoi ne pas l'avoir dit ?

— Je ne voulais pas m'immiscer dans sa vie privée, répliqua-t-elle en rougissant un peu.

— Et tout le temps et l'argent consacrés à l'enquête ? Cela vous était indifférent ?

— Bien sûr que non. C'est pour ça que j'ai prévenu la police. Au bout de six semaines, j'ai commencé à m'inquiéter. J'attendais un coup de fil ou un mot, une indication quelconque qu'il allait bien, où qu'il soit. Au bout de neuf semaines, j'ai jugé qu'il était temps de prendre moi-même les choses en main.

— Pourquoi pensiez-vous qu'il vous contacterait vous plutôt qu'elle ?

— Parce que c'est Crystal qu'il fuyait.

— Et maintenant vous craignez qu'il lui soit arrivé quelque chose.

— Oui. D'où ma décision de rencontrer l'inspecteur la semaine dernière. Odessa s'est montré courtois. Il a noté ce que je lui disais. Mais, à mon avis, il ne m'a pas prise au sérieux. Il a promis de me recontacter, mais je n'ai plus entendu parler de lui. La police, qui a sûrement des dizaines d'autres dossiers, n'a ni le temps ni les moyens de s'occuper de Dow. Je m'en suis ouverte à Dana, et elle pense comme moi. C'est pour ça qu'elle m'a donné votre nom.

— Je ne sais quoi vous dire. Même si nous parvenons à un accord, je ne peux pas plus que la police travailler à plein temps sur cette affaire. J'ai d'autres clients, moi aussi.

— Je n'envisage pas de vous prendre tout votre temps.

— Mais même... je travaille seule. Vous auriez tout intérêt à vous adresser à une grosse agence de Los Angeles, une société qui dispose d'un personnel capable de passer le pays au peigne fin et de le faire correctement. Vous risquez d'avoir à enquêter à l'étranger.

Elle me coupa d'un geste.

— Je ne veux pas de grosse agence de L. A. Je veux quelqu'un du coin, et qui soit disposé à en référer directement à moi.

— Mais je ne ferais que recommencer ce que la police a déjà fait.

— Peut-être aurez-vous l'idée de pistes auxquelles elle n'a pas encore songé. Vous avez bien retrouvé la trace de Wendell Jaffe des années après que tout le monde l'avait cru mort !

— C'est vrai, mais je ne partais pas de zéro. Quelqu'un l'avait repéré au Mexique, ce qui nous a donné le fin mot de l'histoire.

Elle se fit distante.

— Vous refusez de m'aider, dit-elle.

— Je n'ai pas dit ça. Je regarde les choses en face et votre affaire me paraît plutôt mal partie.

— Mais s'il y a un élément que la police a négligé ?

— Et s'il n'y en a pas ?

— Au moins je serai satisfaite de son travail.

Je restai un instant silencieuse, fixant le sol du regard. « Non, non et non ! » hurlait une petite voix en moi, mais j'avais déjà ouvert la bouche :

— Je vais faire de mon mieux, mais je ne vous promets rien.

— Parfait. Génial ! Nous en discuterons

mardi. Notez juste le temps que vous y consacrez et présentez-moi votre facture dès mon retour.

Elle jeta un coup d'œil à sa montre et se leva. J'en fis autant.

— Il me faudra une avance sur honoraires.

— Une « avance sur honoraires » ?

Elle répéta ces mots d'un air tellement sidéré que je me demandai si ce n'était pas de la frime. Je ne l'imaginais pas traiter une affaire sans un accord écrit et un premier acompte en bonne et due forme.

— De quel ordre ?

— Je demande cinquante dollars l'heure ou un forfait de quatre cents dollars par jour, plus les frais. Quinze cents dollars devraient suffire pour l'instant. Si vous me donnez l'adresse de Melanie, vous recevrez dès demain un contrat à signer.

Évidemment, j'aurais pu en prendre un avec moi avant de venir, mais rien ne me prouvait que nous ferions affaire.

Elle cligna des yeux, comme dépassée par les événements.

— Excusez-moi, dit-elle, mais je n'imaginais pas quelque chose de si protocolaire ! Est-ce la procédure normale dans votre branche d'activité ?

— Absolument, lui assurai-je.

Je me fis la remarque qu'elle n'avait pas parlé de « profession » ; autrement dit, elle me mettait dans le même sac que les employés de magasin et autres cuisiniers de snack-bars.

— Et si vous ne le trouvez pas ?

— Précisément. Si je reviens les mains vides,

vous pourriez estimer que je ne mérite pas d'être payée au temps passé. Une fois que j'ai accepté un dossier, je persévère. Je suivrai la piste jusqu'au bout.

— Espérons-le ! s'écria-t-elle.

Elle réfléchit un instant, puis elle se dirigea vers une console à incrustations d'ébène. Elle en retira son chéquier, revint vers son fauteuil et s'assit.

— Et je fais le chèque au nom de... ?

— Millhone Investigations.

Je la regardai remplir un chèque d'une main nerveuse et le détacher vivement du talon, cherchant à peine à masquer son irritation lorsqu'elle me le tendit. Je m'aperçus que nous recourions toutes les deux aux services de la même agence de la City Bank à Santa Teresa.

— Vous êtes en colère, lui dis-je.

— Je fonde mes rapports sur la confiance. Pas vous, apparemment.

— L'expérience m'a échaudée. Ce n'est pas une question de personne.

— Je vois.

Je lui tendis le chèque.

— Je peux vous le rendre tout de suite si vous préférez.

— Trouvez Dow. Je veux un rapport complet à la minute où je rentre.

CHAPITRE 2

Avant que je m'en aille, Fiona me donna l'adresse de Melanie à San Francisco, ainsi que son numéro de téléphone personnel et celui de son bureau. Comme si j'allais avoir besoin de l'appeler là-bas ! Elle me donna aussi les coordonnées de Crystal à Horton Ravine. Je n'avais jamais rencontré l'inspecteur Odessa, auquel elle avait fait allusion en passant, mais je plaçai un entretien avec lui en tête de mes priorités. En revenant en ville, je m'aperçus que l'anxiété me nouait déjà l'estomac. Je m'efforçai de démêler mes réticences en les mettant toutes à plat, et pas forcément par ordre d'importance.

1. Je n'aimais pas particulièrement Fiona — ou ne lui faisais pas vraiment confiance. Elle avait manqué de franchise avec la police, et je ne la croyais pas entièrement franche avec moi. Vu le contexte, j'aurais sans doute dû refuser ce travail. Je regrettais déjà ma précipitation.
2. Je n'étais pas sûre de pouvoir prouver mes

compétences. Je me sens souvent inquiète au début d'une enquête, surtout de cette nature. Neuf semaines s'étaient écoulées depuis qu'on avait vu le Dr Purcell pour la dernière fois. Quelles que soient les circonstances d'une disparition, le temps travaille rarement en votre faveur. Les témoins brodent. Ils inventent. La mémoire s'embrume. Les redites tendent à brouiller la vérité et les détails à se modifier pour cadrer avec les interprétations des uns et des autres. Les gens tiennent à vous aider, autrement dit ils enjolivent leurs témoignages, colorant les faits en fonction de leurs préventions à mesure que la situation s'éternise. En entrant si tard dans la partie, je n'avais quasiment aucune chance de découvrir le moindre élément déterminant. Fiona n'avait pas tort de dire qu'un regard neuf peut faire repartir une enquête dans une nouvelle direction. Bref, tout ça était bien joli, mais l'intuition me soufflait que toute percée dans cette affaire serait l'effet d'un heureux hasard, pour ne pas dire d'une veine de cocu.

3. Je n'aimais pas ses simagrées à propos de l'avance.

Je m'arrêtai à un McDo et commandai un café et deux Egg McMuffins. Il me fallait les réconforts de la mal-bouffe tout autant que sa valeur nutritionnelle, si on lui prête cette vertu. Je mastiquai tout en conduisant, m'empiffrant avec tant d'ardeur que je me mordis l'index.

Et si je marquais une pause pour me présenter ? Je m'appelle Kinsey Millhone. Je suis détective privée à Santa Teresa, à cent cinquante kilomètres au nord de Los Angeles. Trente-six ans, deux fois divorcée, pas d'enfants et libre comme l'air. Hormis ma voiture, je possède peu de biens matériels. Mon agence, la Millhone Investigations, se compose de ma seule et unique personne. J'ai été dans la police pendant deux ans avant d'entamer la trentaine, et, à force d'arguties trop barbantes à vous expliquer, j'ai compris que faire respecter la loi ne me convenait pas. J'étais trop râleuse et trop mauvaise tête pour m'adapter au règlement de la maison et à toutes les clauses d'éthique qui font partie du lot : je n'ai jamais eu la réputation de me plier aux règles. Et puis, les godillots manquaient de grâce et l'uniforme et le ceinturon me faisaient de grosses fesses.

Ayant donc quitté cet emploi municipal lucratif, j'ai appris le métier de détective dans une agence privée de deux personnes, où j'ai accumulé le nombre d'heures nécessaires pour obtenir ma licence. Je travaille à mon compte depuis une bonne dizaine d'années, j'ai ma licence, je suis assermentée, et solidement assurée. Pendant une bonne partie de ces années, je me suis spécialisée dans les enquêtes sur les incendies criminels et les déclarations de décès mensongères pour le compte d'une compagnie d'assurances, la California Fidelity, d'abord en qualité d'employée contractuelle, ensuite de prestataire indépendante. Nous avons décidé de nous séparer il y a trois ans, en octobre 1983.

Depuis, je loue un local au cabinet d'avocats Kingman & Ives, arrangement que je soupçonne depuis peu de toucher à sa fin.

L'année dernière, Lonnie Kingman s'est plaint de manquer de place. Il s'était déjà agrandi une première fois en investissant la totalité du deuxième étage d'un immeuble qui lui appartient. Il venait d'en acquérir un autre, situé, celui-là, au bas de State Street, avec l'idée de s'y installer dès que le dépôt de garantie serait couvert. Il avait trouvé un locataire pour nos quartiers actuels, la seule question encore en suspens étant de savoir si je le suivais ou si je me cherchais un bureau à moi. J'aime être seule et, tout en éprouvant beaucoup d'affection pour Lonnie, le fait de travailler avec des gens à proximité avait commencé à me peser. Il m'arrivait souvent d'aller au bureau le soir et pendant le week-end pour avoir une impression d'espace et de solitude. J'avais exploré des possibilités de location au mois auprès d'une agence immobilière et répondu à plusieurs petites annonces. Jusqu'ici, rien ne m'avait spécialement émoustillée. Oh, je ne demande pas la lune : de la place pour mon bureau, mon fauteuil pivotant, un meuble de rangement et quelques fausses plantes vertes. De plus, je veux quelque chose de pas trop grand, mais chic et directorial. Malheureusement, tout ce qui me plaît est ou trop grand ou trop cher, et tout ce qui cadre avec mon budget se révèle trop minuscule, trop moche ou trop éloigné du centre-ville. Je passe beaucoup de temps dans les services de l'identité judiciaire et j'aime pouvoir me rendre à pied au tribunal, au commissariat de police et à la bibliothèque. Le bureau de Lonnie était un pur paradis, et Lonnie me sert d'avocat lorsque je mets le doigt sur un truc pas net, ce qui se produit très souvent. Bref, le choix était délicat et je ne savais toujours pas vraiment ce que je voulais faire.

Dès que j'arrivai au 200 Capillo-Est, où se trouvait le bureau de Lonnie, j'entamai l'habituelle opération de ratissage pour trouver une place. Un des inconvénients de l'immeuble actuel est l'exiguïté du parking attenant, qui n'accueille que douze véhicules. Lonnie et son associé ont chacun une place réservée, de même que leurs deux secrétaires, Ida Ruth Kenner et Jill Stahl. Comme les huit places restantes reviennent de droit aux autres locataires de l'immeuble, le reste de l'équipe et moi-même en sommes réduits à nous garer où nous pouvons. Ce jour-là, je fis un créneau pour me ranger le long d'un bout de trottoir entre deux allées privées de magasins, emplacement que j'aurais presque juré autorisé. Eh bien, je me trompais, comme je le découvris plus tard.

Je fis à pied les cinq pâtés de maisons qui me séparaient du cabinet, gravis les deux étages et me glissai dans l'enfilade de bureaux par une porte latérale. Traversant le couloir intérieur, j'atteignis mon bureau, ouvris la porte et entrai, évitant avec soin Ida Ruth et Jill qui étaient absorbées dans leur conversation un peu plus loin. Je connaissais le sujet qui les occupait — c'était le même depuis deux mois. L'associé de Lonnie, John Ives, avait pressé le cabinet d'engager sa nièce comme réceptionniste quand le poste s'était libéré. Jeniffer avait dix-huit ans et sortait tout juste du lycée. C'était son premier emploi et, malgré une description de poste détaillée et dûment couchée par écrit, ce qu'on attendait d'elle semblait la plonger dans un abîme de perplexité. Elle arrivait au bureau en tee-shirt et minijupe, ses longs cheveux blonds lui tombant jusqu'à la taille, jambes nues, les pieds fourrés dans des sabots à semelle de bois. Elle répondait au téléphone d'une petite voix gazouillante, était brouillée avec l'orthographe et ne paraissait pas comprendre les exigences de la ponctualité. Elle prenait souvent aussi deux à quatre jours de congé quand ses copains qui ne travaillaient pas partaient en virée. Ida Ruth et Jill ne décoléraient pas d'avoir à se charger du travail qu'elle laissait en plan. Comme elles n'osaient pas se plaindre à Lonnie ou à John, c'était moi qui avais droit à leurs doléances. Les petites intrigues de bureau manquent de charme, et c'était une autre raison pour laquelle j'aspirais à changer de local. Alors que le côté grande famille du bureau m'avait séduite jusqu'alors, je ne voyais plus que les psychodrames qui s'y jouaient. Jeniffer était une Cendrillon au Q.I. de moineau. Ida Ruth et Jill, telles les méchantes demi-sœurs, lui faisaient des grâces quand elle était là, mais ne rataient jamais une occasion de dire pis que pendre sur elle dans son dos. Quant à moi, je ne sais trop quel rôle je jouais, mais je m'appliquais à me tenir hors de ces histoires en me cachant dans mon bureau. De toute évidence, je n'étais pas meilleure qu'un autre pour régler les conflits.

Le salut étant dans la fuite, j'appelai la police

de Santa Teresa et demandai à parler à l'inspecteur Odessa. Il était en réunion, mais mon interlocutrice m'assura qu'il n'en avait pas pour longtemps. Je pris rendez-vous pour 10 h 30. Je remplis ensuite un contrat type et le glissai dans une enveloppe d'expédition en express, que j'adressai à Fiona, aux bons soins de Melanie à San Francisco. Je fourrai le tout dans mon sac, puis je flemmardai à ma table, traçant des gribouillis profondément symboliques sur mon buvard entre deux patiences. Et ce n'était pas que je n'aurais pas eu des tonnes de choses à faire. C'était seulement que l'information qui circulait dans mon cerveau m'empêchait de me concentrer. Je finis par attraper une chemise beige en kraft et un bloc jaune format ministre, et commençai à prendre des notes.

A 10 h 20, je fermai ma porte à clé et partis à pied jusqu'à la poste, puis je continuai jusqu'au commissariat, à quatre rues de là. Une fraîcheur marquée imprégnait l'air matinal, le pâle soleil qui avait brillé un peu plus tôt s'étant estompé à mesure que le ciel se couvrait, annonçant la pluie. A Santa Teresa, la « saison des pluies » est imprévisible. Autrefois, des précipitations intermittentes commençaient à la mi-janvier et se prolongeaient, bon an mal an, jusqu'au début de mars. Dernièrement, les extrêmes climatiques enregistrés ailleurs dans le monde nous valent des sautes de baromètre. De la fin mai jusqu'à octobre, le niveau des précipitations se mesure encore en millimètres, mais les mois d'hiver accusent maintenant des fluctuations, et celui-ci se dessinait déjà comme l'un des plus humides qu'on ait connus depuis des années. Un front froid descendait de l'Alaska, poussant devant lui un vent aigre. Les branches des arbres s'agitaient sans trêve, s'incurvant et bruissant, tandis que les feuilles sèches des palmiers s'envolaient et balayaient les trottoirs.

Du coup, le hall d'entrée du commissariat prenait un air accueillant. A ma gauche, un petit garçon attendait sur la banquette en bois pendant que son père discutait avec l'employé d'un constat d'accident en plusieurs exemplaires. J'allai vers le comptoir en L, où un policier en tenue filtrait les visiteurs. Je lui fis part de mon rendez-vous, information qu'il répercuta par téléphone au bureau de l'inspecteur Odessa.

— Il arrive tout de suite.

Je l'attendis sans bouger, laissant mon regard errer sur les dossiers d'identité judiciaire rangés de l'autre côté du comptoir, à droite. Ma copine Emerald avait pris sa retraite anticipée, ce qui me laissait sans âme sœur pour me filer des renseignements. Elle n'avait jamais enfreint le règlement, mais plusieurs fois il ne s'en était fallu que d'un cheveu.

L'inspecteur Odessa ouvrit la porte et passa la tête dans l'encadrement.

— Madame Millhone ?

— C'est moi.

— Vince Odessa, me dit-il en me serrant la main. Venez donc derrière.

— Merci.

Il me tendit un badge de visiteur que je pinçai à mon revers.

Il portait une chemise bleue à manches

longues, une cravate sombre, un pantalon en coton sergé, des chaussettes foncées et des souliers noirs bien astiqués. Il avait les cheveux foncés et l'arrière du crâne aplati, à croire qu'il avait dormi sur le dos pendant toute sa petite enfance. Il était plus grand que moi, j'aurais dit un mètre soixante-quinze par rapport à mon mètre soixante-cinq. L'inspecteur Odessa me tint la porte, s'effaçant pour me laisser entrer dans le couloir. Je m'arrêtai, il repassa devant moi. Ouvrant la marche, il tourna à gauche et franchit une porte portant l'inscription ENQUÊTES. Je le suivis à travers un dédale de petits bureaux.

— Shelly m'a dit que c'était au sujet du Dr Purcell, me lança-t-il par-dessus son épaule.

— C'est exact. Son ex-femme a fait appel à mes services pour effectuer des recherches.

— Je le sentais venir, me renvoya-t-il sans autre réaction. Elle est passée ici la semaine dernière.

— Qu'allez-vous faire d'elle ?

— Invoquer le Cinquième[1] ! Vous êtes sur le coup ?

— Je n'ai pas encore déposé son chèque à la banque. J'ai jugé plus élégant de vous voir d'abord.

Son « bureau » était un module type : parois grises jusqu'à hauteur d'épaule, moquette rase en synthétique. Il s'assit à son bureau, m'offrant le

1. Le Cinquième Amendement, notamment : « [...] nul ne pourra, dans une affaire criminelle, être obligé de témoigner contre lui-même [...]. » *(N.d.T.)*

seul autre siège dans cet espace exigu. Les photos encadrées de sa famille figuraient en bonne place devant lui : une femme, trois filles et un fils. Derrière lui, des manuels du Service, des textes et un assortiment de livres de droit s'alignaient au garde-à-vous sur les rayonnages d'une petite bibliothèque métallique. Il était rasé de près, hormis un rai de poils que son rasoir avait ratés en enjambant la fossette de son menton. Ses sourcils noirs surmontaient avec agressivité des yeux bleu foncé.

— Alors, que puis-je faire pour vous ?

— Je me tâte. J'aimerais savoir ce que vous avez. Si vous êtes disposé à m'en faire part, bien sûr.

— Pas de problème, me dit-il.

Il se pencha en avant et farfouilla dans une pile de dossiers épais qui encombraient un côté de son bureau. Il retira un classeur à trois anneaux du dessous de la pile et le plaça devant lui.

— Un vrai bordel. On nous passe tout sur ordinateur dans six, huit mois. Le bureau sans papiers. Vous croyez à cette blague, vous ?

— Ce serait le rêve, mais j'en doute.

— Moi aussi.

Il feuilleta de nombreuses pages, remontant jusqu'au rapport initial.

— Je viens juste d'être nommé ici, reprit-il. Comme je suis l'officier subalterne, le reste de l'équipe voit cette affaire comme un exercice de formation pour moi. Voyons ce que nous avons. (Son regard parcourut la page en zigzag.) Crystal Purcell a rempli le formulaire signalant la disparition le mardi matin 16 septembre, soixante-douze heures après que le docteur ne fut pas rentré comme prévu. L'identité judiciaire a recueilli l'information. Comme nous avions eu quelques cambriolages de particuliers ce même week-end, je n'ai pas récupéré la déposition avant le jeudi 18 septembre à midi. Pour autant que nous puissions l'affirmer, Purcell n'était pas menacé, et les circonstances de sa disparition n'avaient rien de mystérieux. (Il s'interrompit pour me regarder.) Pour être franc, nous avons pensé qu'il était parti voir ailleurs. Vous connaissez. La moitié du temps le bonhomme réapparaît la mine penaude. On découvre qu'il avait une petite amie ou qu'il était parti en ribote avec ses copains. Il peut y avoir des dizaines d'explications, toutes anodines. C'est agaçant pour Madame, mais il n'y a pas de quoi fouetter un chat.

Il se cala dans son fauteuil.

— Un demi-million à un million de gens fuguent tous les ans. C'est dur pour la famille et les amis. Vous l'avez sans doute constaté vous-même. Au début, ils ne veulent rien entendre. Ils n'arrivent pas à croire qu'on leur ait joué un tour pareil. Après, ils voient rouge. En tout cas, j'ai téléphoné à l'actuelle Mme Purcell et j'ai pris rendez-vous pour le vendredi après-midi. Soit le 19 septembre. Soyons honnête : j'ai essayé de gagner du temps, j'étais sûr qu'elle aurait de ses nouvelles.

— Et elle n'en a pas eu ?

— Ni à ce moment-là ni depuis. D'après ses dires, il ne souffrait d'aucun problème de santé qui puisse faire croire à un éventuel accident :

pas de problème cardiaque, pas de diabète, pas de dossier psychiatrique. Elle dit l'avoir appelé à son bureau — soit le 12 septembre, peu après le déjeuner. Purcell l'a prévenue qu'il resterait tard, mais n'a mentionné à aucun moment qu'il ne rentrerait pas du tout. Le samedi matin, elle était folle d'angoisse ; elle a téléphoné à tous les gens qu'elle connaissait, amis, parents, collègues de son mari. Aux hôpitaux, au CHU, à la morgue, tout ce que vous voulez. Aucun signe de lui.

« J'ai passé une heure avec elle, à la maison de Horton Ravine. Elle en a une autre, une villa au bord de la plage où elle passe la majorité de ses week-ends. Je lui ai fait le grand jeu. Je l'ai interrogée sur les habitudes de son mari, passe-temps, boulot, affiliations à des clubs ; j'ai jeté un coup d'œil à sa chambre à lui ; j'ai passé au peigne fin les tiroirs de sa commode, les factures de téléphone, les facturettes de ses cartes de crédit. J'ai examiné ses relevés de carte bleue pour vérifier l'existence éventuelle de prélèvements récents, son carnet d'adresses, son agenda : bref, j'ai fait le tour de la question.

— Et aucun indice ?

Il leva un doigt.

— J'y viens dans une seconde. Ces quinze derniers jours, nous avons épluché le courrier qui est arrivé chez lui et à la clinique, mis en place un filtrage de la correspondance, interrogé ses collaborateurs et bloqué sa carte grise. En attendant, comprenez-moi bien, nous ne parlons pas ici de crime ou de délit, nous agissons strictement en tant que service public. Nous faisons ce que nous pouvons, mais aucun élément n'indique

48

que nous ayons un quelconque problème sur les bras.

— D'après Fiona, son passeport a disparu.

Odessa eut un sourire piteux.

— Le mien aussi, si vous voulez que je vous dise. Mais ce n'est pas parce que ma femme n'arrive pas à mettre la main dessus qu'il a disparu. Nous sommes tombés sur un relevé récent concernant un compte d'épargne à la Mid-City Bank. Et c'est ce qui nous a mis la puce à l'oreille. Il semblerait qu'il ait effectué une série de retraits en espèces, trente mille dollars au total, au cours des deux dernières années. Le solde est passé de treize mille à trois mille dollars au cours des seuls dix derniers mois. Le dernier mouvement effectué sur ce compte date du 29 août. Sa femme n'a pas l'air au courant.

— Il aurait préparé son départ ?

— Ça m'en a tout l'air. D'accord, trente mille dollars ne mènent pas loin aujourd'hui, mais c'est un début. Il a pu tirer sur d'autres comptes dont nous ignorons encore l'existence. On peut aussi envisager que ce gars soit un flambeur et qu'il ait joué cette somme. D'après elle, ce n'est pas le cas, mais rien ne prouve qu'il lui en ait parlé.

— Peut-on remonter jusqu'à son passeport ? Si Purcell a quitté le pays, les douanes en auraient une trace, non ?

— Probablement. En admettant qu'il l'ait utilisé. Rien ne prouve qu'il n'ait pas troqué ses papiers d'identité — permis de conduire, certificat de naissance et passeport — contre un lot de faux papiers ; autrement dit, pris un vol pour l'Europe ou l'Amérique du Sud sous un nom d'emprunt. Ou alors il a gagné le Canada en voiture et pris l'avion là-bas.

— A moins qu'il ne se cache, lui objectai-je.

— Exact.

— Personne n'aurait repéré sa voiture ?

— Allez savoir. Il a pu tomber d'une falaise ou être passé au Mexique et l'avoir vendue à la casse. Essayez de garer ce genre de bagnole dans South Central : elle aura disparu en moins de deux.

— C'est une quoi ?

— Une limousine Mercedes quatre portes. Métallisée. Avec des plaques personnalisées « DOCTEUR P ».

— Si je vous ai bien compris, vous ne soupçonnez rien de louche ?

— Sur quelles bases ? S'il y en a, je ne vois pas lesquelles. Si encore nous avions découvert des taches de sang dans le parking à l'extérieur de la maison de retraite. Mais pas de trace de lutte, aucune preuve d'agression, aucune raison de croire qu'on l'ait emmené de force. Nous avons interrogé les gens du quartier, enquêté dans toutes les maisons voisines. Personne n'a rien vu ni entendu cette nuit-là.

— Fiona pense qu'il pourrait s'agir d'une décision délibérée. Comment voyez-vous l'affaire ?

— Personnellement, elle ne me plaît guère. Neuf semaines et pas un indice. On est presque forcé de croire à un autre scénario. Nous reprenons de zéro en cherchant ce qui nous aurait échappé au premier tour de piste.

— Le témoignage de Fiona a-t-il modifié l'enquête ?

— Dans quel sens ?

— Toutes ces histoires de disparitions antérieures, lui rappelai-je.

Odessa écarta ce détail d'un geste.

— Du vent. Elle dit qu'il a déjà pété les plombs. Et alors ? Je ne vois pas bien ce qu'elle cherche.

— A l'entendre, elle veut des résultats.

— Bien sûr, mais qui n'en veut pas ? Nous sommes des policiers, pas des magiciens. Nous ne faisons pas de miracles.

— Vous croyez à son histoire ?

— Je crois surtout qu'il l'a plaquée ! Quant à savoir s'il était en bisbille avec l'actuelle Mme Purcell, impossible à dire. (Il s'interrompit.) Avez-vous fait la connaissance de Crystal ?

Je lui fis signe que non.

Odessa haussa les sourcils et secoua sa main comme s'il s'était brûlé.

— Une beauté ! Difficile de croire qu'il ait pu se tirer.

— Avez-vous une théorie ?

— Pas la queue d'une. D'après nous, et à ce jour, il ne s'agit pas d'une affaire criminelle. Nous n'avons pas de crime, donc pas besoin de rappeler ses droits à qui que ce soit, pas besoin de mandats de perquisition, ce qui nous facilite grandement la tâche. Nous sommes juste une bande de braves types qui essaient de venir en aide à la famille. Je pense que ça commence à sentir mauvais, mais ne comptez pas que je le dise à quiconque, vous y compris.

Je lui montrai le dossier.

— Ça vous ennuierait que je jette un œil ?

— Je ne demanderais pas mieux, mais c'est Paglia qui est sur le dossier et il est intraitable sur la confidentialité. Il accepte que nous donnions une idée générale de l'enquête si nous le jugeons bon. L'important, c'est de localiser le bonhomme ; autrement dit, nous coopérons quand nous le pouvons.

— Il ne se braquera pas si je réinterroge certains témoins ?

— Vous êtes libre de faire ce que vous voulez.

Il me raccompagna à l'entrée.

— Si vous le dénichez, prévenez-nous, me dit-il. Il peut manquer à l'appel si ça lui chante, mais je n'aimerais pas faire des heures supplémentaires pendant qu'il se la coule douce à Las Vegas en se faisant une ligne de coke.

— Vous ne croyez tout de même pas ça ?

— Non. Et vous non plus.

En rentrant au bureau, je fis un détour par la banque, à deux rues de là. Je remplis un bordereau de dépôt, endossai le chèque de Fiona et attendis mon tour à la caisse. Arrivée devant la vitre, je montrai le numéro de compte imprimé au recto du chèque.

— Pourriez-vous vérifier si ce compte est provisionné ? Je veux m'assurer qu'il ne s'agit pas d'un chèque en bois avant de le déposer.

C'était encore une leçon apprise à la dure : ne

jamais commencer une enquête avant d'avoir vérifié que le chèque est couvert.

La caissière se trouvait être Barbara, quelqu'un à qui j'avais affaire depuis des années. Je la regardai taper le numéro du chèque sur son clavier d'ordinateur, puis étudier l'écran. Elle cliqua sur la touche « Enter ». Une fois. Clic. Deux fois. Clic. Je suivis son regard qui parcourait les lignes affichées.

Elle examina de nouveau mon bordereau et fit la grimace.

— Il est couvert, mais de justesse. Vous ne préférez pas des espèces?

— Non, je le verse sur mon compte, mais inutile d'attendre qu'un prochain retrait le mette dans le rouge.

CHAPITRE 3

En arrivant au bureau, je découvris une note de Jill et Ida Ruth sur ma porte. « Kinsey : Tu trouveras ci-dessous une liste détaillée des retards, bourdes et absences inexpliquées de Jeniffer. Aie la bonté d'ajouter tout autre manquement dont tu aurais connaissance, de signer cette feuille et de la laisser sur mon bureau. Nous jugeons préférable de présenter un front uni. Ce n'est pas une plaisanterie ! Ida Ruth. »

La liste tomba dans ma corbeille et je fis le numéro de Crystal Purcell, à Horton Ravine. La bonne m'informa que sa maîtresse se trouvait à la villa, où elle passerait le week-end. Elle me donna le numéro, que je composai dès que nous eûmes raccroché. J'espérais tomber directement sur Crystal, mais quand je lui demandai si c'était bien elle, on me mit en attente jusqu'à ce qu'une autre femme prenne l'appel.

— Crystal à l'appareil, m'annonça-t-elle.

Je lui donnai mes nom et profession, en espérant qu'elle n'allait pas voir rouge à l'idée de répondre encore une fois à des questions.

D'après les journaux, elle avait déjà eu affaire aux enquêteurs de la police de Santa Teresa. Je lui appris que j'avais rencontré Fiona le matin même et qu'elle m'avait demandé d'enquêter sur la disparition du Dr Purcell.

— Je sais que vous avez déjà retracé les faits à plusieurs reprises, mais j'aimerais les entendre de votre bouche, si ça ne vous ennuie pas de vous répéter.

Il y eut un silence pendant lequel j'aurais juré qu'elle pratiquait la respiration profonde de son cours de zen.

— Tout ça est très pénible, dit-elle enfin.

— J'en suis consciente et je m'en excuse.

— Quand ?

— C'est à vous de décider. Le plus tôt sera le mieux.

Il y eut un nouveau silence.

— Combien lui prenez-vous ?

— A Fiona ? Cinquante dollars l'heure, ce qui est le tarif minimal. Un détective privé d'une grande ville demande le double.

L'espace d'une seconde, je me demandai pourquoi diable je tenais tant à m'excuser. Aurait-elle préféré un interlocuteur dont la prestation justifiait des prix plus élevés ?

— Passez à cinq heures. J'habite dans Paloma Lane. (Elle me donna le numéro.) Vous voyez où c'est ?

— Je trouverai. Comptez sur moi pour ne pas abuser de votre temps.

— Vous avez carte blanche. C'est Fiona qui casque.

Je quittai le bureau à 4 heures et pris la direction de la maison de plage de Crystal, m'arrêtant au passage à mon appartement. La couche de nuages de plus en plus dense avait créé un crépuscule artificiel, et l'air sentait déjà la pluie. J'avais laissé ouvertes les fenêtres du loft et voulais boucler correctement la maison pour la protéger du grain qui se préparait. Je me garai sur le devant et poussai le portail, qui émit son douloureux grincement habituel. Puis je suivis l'étroite allée en ciment qui contourne l'immeuble et arrivai dans le jardin.

J'habite dans un ancien garage à une place reconverti en appartement. Mon studio consiste en un petit séjour équipé d'un canapé-lit de dépannage coincé dans une baie vitrée en saillie, d'un bureau encastré, d'une kitchenette, d'une machine à laver avec sèche-linge incorporé et de toilettes en bas. En haut, où l'on accède par un minuscule escalier en colimaçon, je dispose d'une mezzanine avec un lit bas et d'une salle de bains également pourvue de toilettes. Mais le plus épatant, c'est l'être adorable à qui je dois cette merveille : mon propriétaire, Henry Pitts. A quatre-vingt-six ans, il est beau, vigoureux, énergique et compétent. Il a exercé le métier de boulanger pendant la plus grande partie de sa vie active et, même à la retraite, il ne parvient pas à décrocher entièrement du pain, des tartes et des gâteaux. Non content de confectionner régulièrement des viennoiseries et pâtisseries, il pourvoit aux buffets et thés de toutes les vieilles dames du quartier. Et il fournit de surcroît en pain frais et petits pains individuels le restaurant du coin de la rue, où il dîne trois ou quatre soirs par semaine.

Au bout de l'allée, je vis que le garage d'Henry était grand ouvert, mais que les deux véhicules y occupaient leur place habituelle. En tournant à gauche vers le patio, je l'aperçus sur une échelle devant sa chambre à coucher en train d'accrocher sa dernière contre-fenêtre de protection. Il était en short et débardeur, exhibant de longues jambes noueuses, son bronzage ayant presque disparu avec l'arrivée de l'« hiver ». A Santa Teresa, le thermomètre ne descend jamais vraiment au-dessous de dix degrés, mais Henry est originaire du Michigan, et il a beau vivre dans le sud de la Californie depuis plus de quarante ans, une vieille tendresse pour les saisons lui dicte d'installer des écrans-moustiquaires à la fin du printemps et des contre-fenêtres à la fin de l'automne. Le temps qu'il fait vraiment le laisse de marbre.

Le matériel de nettoyage s'éparpillait dans le patio : le tuyau d'arrosage, des boules de papier journal froissé, une brosse métallique, un seau d'eau vinaigrée et un assortiment d'éponges grises de crasse. Henry agita la main en haut de son perchoir, puis il descendit de l'échelle avec précaution, en sifflotant un petit air complètement faux. Je m'arrêtai pour l'aider à ranger, expédiant l'eau sale dans les buissons tandis qu'il lovait le tuyau à l'intérieur d'un pot en terre cuite.

— Tu rentres tôt, me fit-il remarquer.
— J'ai jugé préférable de fermer mes fenêtres

avant la pluie, à supposer qu'il pleuve vraiment, lui répondis-je.

Henry regrettait souvent que les précipitations californiennes n'aient pas le déchaînement spectaculaire d'une bonne tempête du Middle West. Souvent, les promesses de pluie restaient vaines, ou alors il tombait à peine de quoi mouiller le trottoir. Nous sommes rarement régalés des débauches de tonnerre et d'éclairs qui ont marqué sa jeunesse dans le Michigan et dont il se souvient avec tant de ferveur.

— Pourquoi n'as-tu pas téléphoné? me demandait Henry. J'aurais pu t'éviter le trajet. Mets la brosse dans le seau. Je les prendrai en partant.

— C'était sur mon chemin. J'ai rendez-vous à cinq heures dans Paloma Lane et je venais dans cette direction. Tous les prétextes sont bons pour fuir le bureau. Leurs idioties me fatiguent.

— Où en es-tu de tes prospections?

Je lui fis comprendre d'un geste de la main — couci-couça — qu'elles ne se présentaient pas si bien.

— Une occasion finira bien par arriver. En attendant, j'ai une nouvelle cliente. En tout cas, à quatre-vingt-dix-neuf chances sur cent.

— Pourquoi cette hésitation?

— Je ne sais pas; peut-être l'effet d'un trop-plein d'exaspération au bureau. L'affaire m'intéresse, mais je ne suis pas certaine de pouvoir la résoudre. C'est cette histoire de médecin porté manquant.

— Je me souviens d'avoir lu quelque chose là-dessus. Toujours aucun signe de lui?

58

— Aucun. Son ex croit que la police ne fait pas le nécessaire. Honnêtement, l'ex en question me paraît du genre à exiger l'impossible des gens.

— Tu vas te débrouiller comme un chef.

Sur quoi il revint à son échelle, la plia et traversa le patio pour aller la ranger au garage. Je le regardai contourner son coupé Chevrolet 1932 et accrocher l'échelle au mur. Son garage est hérissé de crochets, et les contours de chaque chose tracés avec soin au pinceau à la bonne place.

— Tu as le temps de boire un thé ? me lança-t-il en revenant par le jardin.

Je regardai ma montre.

— Pas vraiment, non. On se retrouve tout à l'heure chez Rosie.

— J'y serai plutôt vers sept heures que six. Elle va arriver d'une minute à l'autre et je voudrais faire la vaisselle. Elle a requis mes services, mais sans vouloir préciser.

— Tiens donc...

Il balaya mes objections d'un geste.

— Sans doute une broutille. Ça ne m'ennuie pas du tout. Si elle arrive pendant que je suis parti, dis-lui que j'en ai pour une seconde, le temps de nettoyer.

Henry franchit sa porte de derrière et entra dans la cuisine. Par la fenêtre, je le vis se mettre à récurer l'évier. Il sourit en surprenant mon regard et se remit à siffloter.

Le portail couina et je me retournai. Rosie fit son apparition quelques secondes après, un grand sac en papier kraft dans les bras. C'est la patronne du restaurant hongrois où le frère aîné d'Henry, William, assume maintenant les fonctions de gérant. William et Rosie se sont mariés à Thanksgiving il y a un an et habitent un appartement au-dessus du restaurant qui se trouve à un demi-pâté de maisons d'ici. William a fêté ses quatre-vingt-sept ans et Rosie, qui un jour avait juré avoir une petite soixantaine, admet aujourd'hui avoir franchi le cap des soixante-dix ans, mais refuse de préciser combien encore la séparent des quatre-vingts. Elle est petite et trop large du haut, et arbore avec coquetterie un casque de cheveux teints, de la même nuance que les oranges de Floride. Comme à l'accoutumée, elle portait une tenue hawaïenne — en l'occurrence agrémentée d'une jungle tapageuse d'orange et de jaune d'or, avec jupe gonflée comme une voile sous l'effet du vent naissant. Son visage s'éclaira quand elle me vit.

— Kinsey, bien! Ça, c'est pour Henry, m'expliqua-t-elle en ouvrant la poche de papier pour me montrer.

J'en scrutai le contenu, m'attendant pour un peu à une portée de chatons.

— Seigneur! C'est pour jeter?

Rosie fit passer le poids de son corps sur son autre pied et refusa de me regarder dans les yeux, stratégie qu'elle utilise quand elle se sent coupable, mal à l'aise, ou quand elle se lance dans des manœuvres démentes pour vous embobiner.

— C'est factures médicales d'hôpital de ma sœur Klotilde et après elle est morte. Henry va expliquer. Pas possible trouver queue et tête là-dedans.

Rosie est tout à fait capable de s'exprimer correctement. Elle ne massacre le vocabulaire et la syntaxe que lorsqu'elle veut vous avoir au sentiment, vous amenant par des manœuvres perfides à lui rendre un service exorbitant. Elle en use et abuse quand elle se débat avec les impôts locaux et fédéraux, et depuis six ans Henry lui remplit sa déclaration sans l'ombre d'une protestation.

— Tu vas aider j'espère, me glissa-t-elle, sournoise. Il doit pas faire tout seul. Pas honnête.

— Pourquoi n'est-ce pas William qui s'y colle ?

— Klotilde aimait mieux Henry.

— Mais elle est décédée !

— Avant qu'elle se décède, elle aimait mieux, répéta-t-elle avec un sourire faussement timide, comme si l'argument réglait la question.

Je renonçai. A Henry de décider, même si j'étais ulcérée de la voir abuser de lui. La Klotilde en question était l'excentrique sœur aînée de Rosie. Je n'avais jamais réussi à prononcer son nom de famille hongrois, une déferlante de consonnes et de signes de ponctuation curieux. Elle avait souffert pendant des années d'une maladie dégénérative mystérieuse. Clouée sur un fauteuil roulant à la cinquantaine, elle était affligée d'une quantité de pathologies annexes qui nécessitaient une multitude de médicaments et de nombreux séjours en milieu hospitalier. Finalement, lorsqu'elle était devenue septuagénaire, on lui avait conseillé de se faire opérer de la hanche. Cela en avril, soit environ sept mois plus tôt. Bien que l'opération eût été un succès, les exigences de la convalescence avaient révolté

Klotilde. Elle s'était insurgée quand on avait voulu la lever et rebellée à la simple idée d'avaler quoi que ce soit, elle avait refusé d'utiliser le bassin, jeté ses comprimés à la tête des infirmières et saboté sa rééducation. Après les cinq jours d'observation de rigueur, on l'avait transférée dans une maison de repos où, en l'espace de quelques semaines, elle avait commencé à décliner. Une pneumonie s'était associée à la dysphagie, à la malnutrition et à une insuffisance rénale. Sa « disparition » n'avait pas franchement porté un coup à Rosie.

— Il y a longtemps qu'elle aurait dû désapparaître, me dit-elle. Elle casse le popotin. C'est ce qui arrive quand on ne sait pas se tenir. Elle aurait dû faire ce que le docteur dit. Elle n'aurait jamais dû refuser l'aide quand lui sait mieux. Tu prends.

A en juger par le poids et la taille du sac, elle aussi avait fait de l'obstruction et laissé la paperasserie s'accumuler. Henry allait passer des semaines à trier ce bordel. Il apparut à la porte de derrière et traversa le patio pour nous rejoindre. Il avait troqué son débardeur et son short pour une chemise en flanelle et un pantalon.

— Il faut que je file, dis-je, et je posai le sac en papier par terre.

Henry jeta un œil au contenu.

— C'est pour jeter ?

Le temps de rentrer chez moi, il remorquait déjà le sac vers la porte de sa cuisine, hochant la tête d'un air compatissant, tandis que Rosie poursuivait une douloureuse et chaotique explication de son calvaire.

Je laissai tomber mon sac à bandoulière sur un tabouret, le temps de faire le tour de l'appartement pour fermer les fenêtres et les bloquer. J'allumai des lampes afin que la maison paraisse plus gaie au retour. En haut, je passai un pull à col roulé blanc impeccable et gardai mon jean. J'enfilai mon blazer gris en tweed, échangeai mes baskets contre des boots noirs et m'étudiai dans la glace de la salle de bains. L'effet correspondait exactement à ce qu'on pouvait en attendre : un blazer en tweed avec un jean. Bah, ça me suffit, pensai-je.

Paloma Lane est une route à deux voies coincée entre la 101 et le Pacifique ; elle partage cette bande de terrain accidentelle avec la voie ferrée de la Southern Pacific. Malgré la proximité des convois de marchandises et des trains de voyageurs qui y foncent en rugissant deux fois par jour, de nombreuses maisons de Paloma s'enlèvent à plusieurs millions, suivant le nombre de mètres de plage attenant au terrain. Les styles les plus divers s'y côtoient, allant du pseudo-Cap Cod au simili-Tudor, et du faux méditerranéen au vrai contemporain. Toutes les constructions s'écartent au maximum de la voix ferrée et se rapprochent aussi près du sable que les limites du comté les y autorisent. Le lotissement de Crystal Purcell était un des rares à ne pas être équipé d'un portail électronique. Sur la maison voisine, à gauche de la sienne, un écriteau « A vendre » était discrètement barré en travers d'un calicot RABAIS.

La maison de Crystal remplissait l'étroite parcelle de terrain. Mariant le cèdre et les parois vitrées, elle devait faire douze mètres de large sur deux étages, chaque niveau occupant un angle stratégique propre à cacher les maisons voisines. A gauche, un auvent abritait une Audi décapotable métallisée et une Volvo blanche neuve, dont la plaque d'immatriculation affichait CRYSTAL. La place du bout était vide ; c'était probablement là que Dow Purcell garait sa Mercedes. A droite, un espace recouvert de graviers pouvait accueillir trois véhicules de plus. J'y garai ma Volkswagen 1974 un tantinet minable.

La maison présentait une façade arrière austère, sorte de paroi en bois décolorée par les éléments et dépourvue de fenêtres. Des palmiers de neuf mètres de haut fichés dans d'énormes pots noirs formaient une haie d'honneur de part et d'autre de la porte. Je traversai les graviers jusqu'à l'entrée et sonnai. La femme qui m'ouvrit tenait un grand verre à Martini par le bord.

— Vous êtes sûrement Kinsey. Je me présente : Anica Blackburn. La plupart des gens m'appellent Nica. Entrez donc. Crystal vient juste de finir son jogging. Elle descend dans une minute. Je lui ai dit que je vous ouvrirais avant de rentrer chez moi.

Ses cheveux auburn foncé étaient lissés en arrière, et les mèches semblaient humides, comme au sortir de la douche. Une légère moiteur paraissait émaner de sa peau, qui fleurait le savon de luxe. Son corps était mince et droit. Vêtue d'une chemise en soie noire et d'un jean impeccable, elle ne portait pas de chaussures. Ses pieds nus étaient longs et élégants.

Je m'avançai dans le vestibule. Le niveau inférieur de la maison s'élargissait à partir de l'entrée pour former une grande pièce qui occupait toute la largeur du bâtiment. De hautes baies donnaient sur une terrasse en bois décoloré, garnie de fauteuils de toile délavée dont la teinte hésitait entre le beige mastic et le grisâtre. Les parquets en bois très clair étaient recouverts de tapis de sisal tout aussi clairs, choisis sans doute pour cacher le sable rapporté de la plage. Tout le reste, des murs aux boiseries et aux sièges rembourrés que protégeaient des housses en lin froissé, était d'une blancheur de lait entier.

Au-delà de la terrasse s'étendait une bande d'herbe non entretenue de dix mètres de large. Au-delà, l'océan semblait froid et implacable dans la lumière de la fin de l'après-midi. L'eau gris perle s'assombrissait à l'endroit où elle rencontrait la nappe de nuages, les deux finissant par se fondre en une masse plus sombre. Le ressac martelait le rivage de son rythme monotone. Les vagues freinaient leur élan et s'étalaient en éventail, touchaient au but, hésitaient, se retiraient à nouveau. Dans la maison, quelque part au-dessus de moi, j'entendis un bruit de dispute.

— TAIS-TOI ! Tout ça, c'est des conneries ! Tu es une vraie salope ! Je te DÉTESTE !...

La réponse, prononcée sur un ton plus bas mais ferme, ne parut faire aucun effet.

Une nouvelle invective fusa dans un hurlement. Une porte claqua, puis reclaqua, avec tant de violence que les vitres tremblèrent.

Je louchai vers Nica, qui avait levé la tête et fixait le plafond d'un air ahuri.

— Leila est là pour le week-end... La fille unique de Crystal, elle a quatorze ans. C'est la première escarmouche. Croyez-moi, les combats vont s'intensifier au fil des heures. Dimanche, ce sera la guerre tous azimuts, mais elle devra repartir en cours. Elles remettront ça le week-end prochain, et vogue la galère...

Elle me fit signe de la suivre, passa dans la grande pièce et s'assit sur le canapé.

— Elle est en pension ? lui demandai-je.

— Fitch Academy. A Malibu. Je suis la conseillère scolaire de l'établissement et j'assure le transport personnel de l'élève. Non que ce soit dans mes attributions. Mais j'habite à deux maisons d'ici.

Elle avait des sourcils bruns bien dessinés au-dessus de ses yeux noirs, de hautes pommettes saupoudrées de taches de rousseur et une grande bouche pâle qui découvrait des dents régulières d'une blancheur parfaite.

— Le sujet de cette algarade est de savoir si Leila ira dormir chez son père. Il y a quatre mois, elle le réclamait à cor et à cri. Si elle ne passait pas le week-end avec lui, tout le voisinage avait droit à ses accès de colère et à ses hurlements. Maintenant, ils sont brouillés, et elle refuse d'y aller. Jusqu'ici, c'était elle qui gagnait l'échange. Mais dès qu'elle claque la porte, c'est fini. Elle perd des points importants en se comportant ainsi, car elle donne à Crystal un avantage tactique.

— Ça me paraît compliqué.

— A qui le dites-vous ! Les filles de son âge aiment le mélo, et Leila a un caractère très entier. C'est une de nos plus brillantes élèves, mais elle ne nous laisse pas une minute de répit. Aucune d'ailleurs... hormis quelques saintes-nitouches. Avec elles, on ne sait jamais sur quel pied danser. Personnellement, je préfère qu'elles aient de la personnalité, mais on s'en lasse.

— Il n'y a que des filles à Fitch ?

— Dieu merci ! La seule idée d'avoir aussi affaire à des garçons de cet âge me fait frémir ! Puis-je vous offrir à boire ?

— Merci, mais j'aime autant m'abstenir.

Elle termina son Martini et se pencha pour poser son verre vide avec un petit bruit sec sur la table basse en bois clair.

— Si j'ai bien compris, vous venez au sujet de Dowan.

— Oui, et je suis désolée d'être importune. Elle a dû avoir des moments difficiles depuis le début de cette épreuve.

— C'est inévitable.

— Comment va-t-elle ?

— Pas trop mal, je dirais. Évidemment, la tension est énorme. Les jours se traînent, certains pires que d'autres. Elle attend que le téléphone sonne, elle guette sa voiture. Les rumeurs vont bon train, mais on n'est pas plus avancé. Rien de concret à l'heure qu'il est.

— Ce doit être pénible.

— Intenable. Franchement, l'attente la mine. S'il n'y avait pas Griff, je ne sais pas comment elle réussirait à ne pas perdre la raison.

— Où se trouvait-elle, cette fameuse nuit ? Ici ou dans l'autre maison, celle de Horton Ravine ?

Nica me montra le sol.

— Ils passent en général le week-end ici. Crystal est Poissons, elle adore l'eau. La maison correspond plus à son style que cette merde prétentieuse que Fiona a fait construire en ville. Vous y êtes allée ?

— Pas encore.

— Je ne voulais pas vous froisser, ajouta-t-elle sans conviction. Je sais qu'elle a fait appel à vous.

Sous-entendant clairement « ma pauvre chérie ».

— Et vous ? lui demandai-je. Quand avez-vous appris la disparition de Dow ?

— J'ai compris qu'il se passait quelque chose le soir même. J'avais ramené Leila de Malibu comme d'habitude... nous sommes arrivées vers cinq heures... et elle est partie chez son père. Son beau-père, pour être exacte, mais il a aidé sa mère à l'élever depuis qu'elle est toute petite. Toujours est-il que Crystal avait déjà eu Dow au téléphone quand nous avons débarqué de la pension. Il savait qu'il ne serait pas libre pour le dîner, de sorte que nous serions juste Crystal, Rand et moi.

— Rand ?

— La nounou de Griff. Un garçon génial. Il s'occupe de Griff depuis sa naissance. Vous allez faire leur connaissance tout à l'heure. Rand amènera Griff pour le bisou du soir, juste après le bain. Là, il vient de dîner et il est prêt à aller au lit. Le 12, nous avions préparé un repas froid et nous avons dîné sur la terrasse. C'était divin : pas un nuage et on avait beau être en fin de saison, l'air embaumait et il faisait assez doux pour qu'on s'attarde sans mettre un pull, ce qui est peu habituel ici. On a parlé de tout et de rien en buvant deux bouteilles de rouge. A sept heures quarante-cinq, Rand est parti avec Griff pour l'autre maison. Il a une ou deux émissions de télé qu'il aime et il voulait arriver là-bas à temps pour les regarder.

— Rand et le bébé vivent dans la maison de Horton Ravine ?

— En règle générale, non. Je crois que Crystal et Dow voulaient se faire une petite soirée en tête à tête. J'ai dû rester ici jusqu'à dix heures du soir. Il n'était pas tard, mais j'étais morte de fatigue, je décompressais enfin après une semaine de boulot.

— A quelle heure pensait-elle voir arriver Dow ?

— Après neuf heures. C'était son habitude quand son travail le retenait. Quand on épouse un médecin, on ne doit pas trop se soucier de l'heure, j'imagine. Crystal s'est endormie sur le canapé. Elle m'a téléphoné à trois heures du matin, quand elle s'est réveillée et a constaté son absence. Elle a cru qu'il était rentré tard et avait préféré dormir dans la chambre d'amis pour ne pas la déranger. Elle a vérifié et quand elle a vu qu'il n'y était pas, elle est redescendue et a allumé les lumières de dehors. Pas de voiture non plus. Elle a appelé la clinique, où on lui a dit que ça faisait des heures qu'il était parti ! C'est alors qu'elle m'a téléphoné et que je lui ai conseillé d'appeler la police. Elle ne pouvait pas signaler sa disparition avant un délai d'au moins soixante-douze heures.

— A quoi a-t-elle pensé ? Vous rappelez-vous ce qu'elle a dit ?

— Oh, la première chose qui vient à l'esprit dans ce genre de circonstances, c'est l'accident de voiture, la crise cardiaque. Elle a pensé qu'il avait pu se faire ramasser par la police.

— Pour quel motif ?

— Conduite en état d'ivresse.

— Il boit ?

— Un peu. Dow prend toujours un whisky ou deux à la clinique quand il travaille tard. C'est sa récompense pour faire des heures supplémentaires et répondre à l'appel du devoir. Elle lui a demandé d'être prudent quand il rentrait, mais il jure toujours qu'il garde la tête claire. Elle craignait une sortie de route.

— Prenait-il des médicaments ?

— Qui n'en prend pas à son âge ! N'oubliez pas qu'il a soixante-neuf ans.

— Et vous, à quoi avez-vous pensé ?

Un sourire joua sur ses lèvres.

— C'est drôle que vous me posiez la question. J'ai pensé à Fiona. J'avais presque oublié, mais c'est vraiment ce qui m'a sauté à l'esprit à la seconde où j'ai appris ce qui se passait.

— Et vous avez pensé quoi, exactement ?

— Qu'elle avait fini par gagner. Qu'elle n'avait que cette idée en tête depuis le jour où il était parti, qu'elle manœuvrait pour le récupérer, ne reculant devant aucun moyen, ne...

Je crus que Nica allait en dire plus, mais elle

saisit son verre et le porta à ses lèvres, s'apercevant un peu tard qu'elle l'avait vidé. Elle se redressa.

— Je devrais déjà être partie. Dites à Crystal qu'elle me trouvera chez moi dès qu'elle aura fini.

Elle se leva et se dirigea vers les grandes portes-fenêtres.

Je la vis traverser la terrasse et disparaître au bout du chemin qui aboutissait à la plage. A l'arrière de la maison, j'entendis un bain qui coulait, une voix masculine qui parlait doucement, et le gloussement de joie d'un enfant qui se répercutait sur les murs carrelés : le jeune Griffith, deux ans, en compagnie de sa nounou, Rand.

CHAPITRE 4

Je profitai du moment où je restai seule, sans personne pour me surveiller, pour procéder à un rapide examen des lieux. En temps normal, ainsi livrée à moi-même, j'aurais déjà ouvert quelques tiroirs, passé le courrier en revue, voire promené mon regard sur une lettre ou un relevé de carte de crédit. Notre correspondance est une mine d'informations, d'où la rigueur exaspérante des sanctions fédérales en cas de violations. Mais en dépit de mon flair de limier, je ne découvris aucun détail digne d'intérêt et en fus réduite à contempler le mobilier en essayant d'en estimer la valeur — pas franchement mon fort. Dans un coin de la pièce se dressait une table ronde drapée d'un tapis tombant jusqu'au sol, entourée de quatre chaises revêtues de ces petites housses assorties qu'on noue avec un gros nœud derrière. Je soulevai une des housses, qui révéla une chaise pliante en métal tout ce qu'il y a d'ordinaire. La table elle-même consistait en un plateau rond de contreplaqué vissé sur des pieds de mauvais bois. Ces détails me fournirent une métaphore banale de beaucoup de choses que j'avais observées dans mon métier : ce qui en jette en surface se révèle en général assez merdique pour peu qu'on regarde au-dessous.

A gauche, une grande bibliothèque couvrait le mur du fond, équipée, à mi-hauteur, d'un rail où s'accrochait une petite échelle. Un examen plus attentif montrait que les rayonnages proposaient la production romanesque d'auteurs femmes qui signaient manifestement sous un pseudonyme. Un haut poêle scandinave réchauffait les nuits trop fraîches sans boucher la vue sur l'océan. Un long comptoir en L isolait la cuisine high-tech de l'espace salle à manger qui donnait sur la plage. A droite se trouvait un escalier que j'examinai en mourant d'envie de monter. Les deux étages devaient abriter les chambres, voire un atelier ou un petit bureau réservé à la savoureuse paperasserie domestique. On lui adressait sûrement son courrier à Horton Ravine, ce qui pouvait expliquer l'absence de lettres traînant bien en évidence.

Quelqu'un traversa la pièce juste au-dessus de ma tête, un martèlement amorti de pieds nus sur un parquet nu. Je levai les yeux machinalement, suivant la direction du bruit. Avec un peu de retard, je constatai la présence d'une « fenêtre » au plafond — un carré en verre ou en Lucite de quatre-vingt-dix centimètres de côté qui donnait dans la chambre juste au-dessus. Ahurie, je vis Crystal Purcell traverser, nue, mon champ de vision. Trente secondes plus tard, elle descendait les marches, toujours pieds nus, vêtue d'un jean décoloré par trop de lessives et dont la taille basse lui découvrait le nombril. Elle portait un tee-shirt court de couleur grise et à l'encolure déformée par des années de bons et loyaux services. D'après mes calculs, elle n'avait pas eu le temps d'enfiler le moindre sous-vêtement.

Ses cheveux d'un blond tout droit sorti d'un salon de coiffure haut de gamme lui arrivaient un peu au-dessous des épaules, encadrant son visage d'un fouillis de bouclettes soyeuses. Quelques mèches qui lui tombaient dans le cou étaient encore humides de la douche. Elle me tendit la main.

— Bonjour, Kinsey, dit-elle. Excusez-moi de vous avoir fait attendre. Je reviens juste de mon jogging et je voulais me débarrasser du sable et de la transpiration.

Sa poignée de main était vigoureuse, sa voix douce, sa façon d'être agréable mais comme voilée de tristesse.

— Et Anica ? reprit-elle. Elle n'est pas là ? Je lui avais demandé de vous tenir compagnie le temps que je descende.

— Elle vient de partir. Elle voudrait que vous lui téléphoniez dès que je vous aurai libérée.

Crystal passa dans la cuisine, lançant ses commentaires dans ma direction tout en s'approchant du réfrigérateur en inox d'où elle sortit une bouteille de vin.

— Une vraie bénédiction, cette fille, surtout avec Leila qui rentre le week-end. Les choses ont été suffisamment pénibles pour que je n'aie pas, en plus, à me faire du souci à son sujet. Anica est la conseillère scolaire de l'école privée où Leila fait ses études.

— Elle me l'a dit, en effet. Ça doit vous soulager qu'elle habite à côté.

— C'est une amie solide. Une des rares, je dois dire. Les copains de Dow à Horton Ravine ne m'accordent même pas leur mépris...

Ne sachant comment réagir, j'optai pour le silence. J'allai jusqu'au comptoir tout en la gardant dans mon champ de vision. J'aperçus des traces du repas de Griff. Sur le plateau de sa chaise haute en chrome et en plastique, des petites crottes d'œufs brouillés, des croûtes de pain grillé et un frottis de compote de pomme séchaient dans les trois compartiments d'une assiette Beatrix Potter. Une serviette de bébé était étalée sur le dossier de la chaise.

— Vous la connaissez depuis longtemps ?

— Pas vraiment. Ça remonte au début du printemps dernier. Je l'ai vue sur la plage, et plus tard à Fitch, à l'une de ces atroces réunions entre parents et professeurs. Elle ne vous a rien offert à boire ?

— Si, mais j'ai préféré ne rien prendre pour l'instant.

— Ah bon ? Et pourquoi ça ?

Elle sortit un tire-bouchon du tiroir de la cuisine et commença à déboucher la bouteille tout en se dirigeant vers le placard pour y prendre un verre.

— Je ne sais pas. Cela ne ferait pas sérieux puisque je suis ici à titre professionnel.

Ahurie, elle sortit un second verre et le tint en l'air.

— Vous êtes sûre ? insista-t-elle. Ça ne sera pas retenu contre vous. Pourquoi ne pas prendre tranquillement un verre sur la terrasse en regardant le soleil se coucher?

— Eh bien, d'accord. Vous l'aurez voulu.

— Génial. Je déteste boire seule. (Elle me tendit les verres et la bouteille.) Si vous les prenez, je nous prépare une assiette de trucs à grignoter. Pour nous empêcher d'être rondes... en tout cas plus que nous le voudrions.

Je saisis les verres d'une main, les pieds se croisant entre mes doigts, et calai la bouteille dans le creux de mon bras. Traversant la grande pièce, j'ouvris une des doubles fenêtres avec le coude. Sur la terrasse, je disposai le tout sur une table en bois délavé, entre deux chauffeuses en toile et bois. Le vent soufflait de l'océan par rafales, humide et imprégné d'une odeur puissante comme une liqueur d'huîtres. J'inspirai un grand coup, recueillant le léger goût de sel au fond de ma gorge.

Deux palmiers proches de la maison laissaient entendre de minuscules craquements tandis que leurs cimes mouvantes oscillaient sur un fond gris de plus en plus sombre. Je m'avançai jusqu'au bord de la terrasse, embrassant du regard les vagues qui se brisaient sur le rivage. La plage était déserte; au large, des lumières blanches soulignaient les derricks comme des diamants sur du velours noir. Le temps exaspérait les nerfs, laissant présager un danger. Je m'assis les bras croisés pour me protéger du froid. Le crépuscule approchait, obscurcissement progressif, imperceptible, l'épaisseur des nuages oblitérant toute lumière. Loin à l'horizon, je distinguais des plaques argentées là où le soleil déclinant perçait la nappe marine. Le vrombissement éloigné d'un avion navette qui se rapprochait de la côte me parvint. Derrière les portes-fenêtres, le séjour paraissait immaculé et douillet. Je bénis la protection que m'offrait mon pull à col roulé sous mon blazer. Mon regard tomba sur la bouteille de chardonnay et son étiquette chic, noir et argent. Je me penchai. 65 $: plus que mes factures d'électricité et de téléphone réunies pour le mois.

Deux lampes ornementales s'allumèrent et Crystal, toujours pieds nus, émergea de la maison, les mains encombrées par un plateau de fromage et de crackers disposés avec art au milieu de raisins et de quartiers de pomme. Elle avait enfilé un épais sweater bleu marine qui lui descendait presque aux genoux, avec un effet très seyant. Elle laissa la porte ouverte derrière elle et me jeta un coup d'œil.

— Vous avez l'air frigorifiée, dit-elle. J'ai l'habitude de l'océan, mais vous devez vous geler. Si j'allumais le chauffage extérieur ? C'est l'affaire d'une seconde. Vous pouvez remplir les verres, si vous voulez.

Je suivis sa suggestion, puis je la regardai s'accroupir à côté d'une grosse bombonne de propane équipée d'un radiateur. Ses ongles et ses orteils étaient limés et vernis à la française, avec la lunule et le bord dessinés. L'effet paraissait naturel, même si — comme ses cheveux — il lui avait sûrement coûté la peau du dos et exigeait de repasser tous les quinze jours chez la manucure. On n'avait aucun mal à imaginer la dame dans son numéro de danseuse de boîte. Elle tourna un bouton, approchant une allumette du gaz qui s'échappait avec un sifflement agressif. Peu après, les serpentins de chauffage rougirent presque à blanc. Elle alluma le second radiateur et tourna les deux appareils de façon à chauffer l'espace qui nous séparait.

— C'est mieux comme ça ?

— Beaucoup mieux !

— Parfait. Si vous n'avez pas assez chaud, surtout dites-le. J'ai d'énormes réserves de pulls dans le placard d'en bas.

Nous bûmes quelques gorgées en silence pendant que j'essayais de savoir par où et comment j'allais attaquer.

— Je vous suis reconnaissante de prendre le temps de répondre à mes questions, dis-je enfin.

Elle eut un mince sourire.

— Moi aussi, j'ai pensé une bonne dizaine de fois à faire appel à un détective, mais je ne veux pas compromettre l'enquête de la police. Je lui fais entièrement confiance. Au contraire de Fiona, on dirait.

— Elle préfère quelqu'un qui se consacre à plein temps aux intérêts de la famille. La police a d'autres dossiers à résoudre dans l'urgence. (Je marquai une pause.) Je veux seulement vous préciser que tout ce que vous me direz restera entre nous. Si vous disposez d'une information utile, je lui en ferai part, mais je m'en tiendrai là. Vous pouvez parler en toute franchise.

— Merci. Je me posais la question.

— Si je comprends bien, le courant ne passe pas entre vous deux.

— C'est le moins qu'on puisse dire. Fiona n'a

ménagé aucun effort pour me rendre la vie infernale.

Elle avait un visage anguleux et une grande bouche. Ses yeux étaient gris, ses sourcils clairs, ses cils épais et noirs. Hormis le mascara, elle ne paraissait pas maquillée, ou alors très peu. Elle s'était sûrement fait refaire les paupières, le nez aussi. A vrai dire, tous les points sur lesquels mon regard s'arrêtait semblaient avoir été amplifiés ou améliorés par une bande de joyeux lurons de chirurgiens qui la charcutaient morceau par morceau. Le sourire de Crystal disparut vite.

— Écoutez, dit-elle. Je sais qu'elle ne rate pas une occasion de se poser en victime de toute cette histoire, trahie et flouée. La réalité est qu'elle n'a jamais rien donné à Dow. Tout ce qu'elle a fait, c'est prendre, prendre, prendre. Dow a fini par ne plus rien avoir. Le malheureux. Quand je pense aux heures qu'il a passées à travailler, aux sacrifices qu'il a faits pour elle, et en échange de quoi? Des années durant, elles sont restées là, toutes les trois, à tendre la main! Surtout Fiona. Elle passait son temps à inventer des projets insensés, à commencer par son affaire actuelle. Décoration d'intérieur? Qui espère-t-elle convaincre? C'est une bonne bourgeoise de Horton Ravine qui dépense un argent qu'elle ne gagne pas et se met du jour au lendemain à vous parler de ses dons et de son « œil » pour la décoration. Elle n'a qu'un client... une amie à elle, une certaine Dana...

— La femme d'un associé de Dow.

— Joel Glazer, en effet. Comment se fait-il que vous le connaissiez?

— Ce n'est pas lui que je connais, c'est elle. Ou plutôt je l'ai connue quand elle était la femme de quelqu'un d'autre.

— Elle s'est fait avoir comme au coin d'un bois. Fiona la saigne à blanc !

— Et les filles de Dow ? Quels sont vos rapports avec elles ?

Crystal écarta la question d'un haussement d'épaules.

— Rien à signaler. Elles ignorent la moitié de ce qui se passe. Sans doute qu'elles me détestent, mais au moins elles sont trop polies pour le dire. Elles passent leur temps à faire de la lèche à leur petit papa. Je suis sûre qu'elles craignent qu'il meure et nous laisse tout son argent, à Griffith et à moi, ce que je peux comprendre. Ça m'inquiéterait aussi si j'étais à leur place.

Elle s'empara d'un couteau à beurre et découpa une lichette de brie. Elle en tartina un cracker, qu'elle me tendit. Je le pris et la regardai s'en préparer un, le fourrer dans sa bouche et le mastiquer.

— De toute façon, reprit-elle, avec le départ de Dow, tout ça devient secondaire. Mes sujets de querelle avec Fiona sont sans importance.

— Avez-vous une idée de l'endroit où il peut être ?

— J'aimerais bien. Cela fait neuf semaines que je me creuse la tête.

— Le croyez-vous vivant ?

— Non, pas vraiment, mais rien ne me permet de l'affirmer. Si je le savais mort, au moins je pourrais faire mon deuil et continuer à vivre.

— L'inspecteur de police a mentionné la disparition d'une somme d'argent. D'après lui, près de trente mille dollars ont été retirés des comptes d'épargne de votre mari au cours des deux dernières années.

— Il paraît, oui. Je l'ignorais jusqu'à ce qu'on m'en parle. Je savais qu'il gardait une somme d'argent importante quelque part, mais il ne m'a jamais rien dit d'autre à ce sujet. Les relevés de ce compte auraient été adressés à une boîte postale que j'utilisais. Dowan m'a interrogée à son sujet il y a deux mois et je lui ai dit que j'avais résilié la location. Or il semble avoir payé pour qu'elle reste ouverte pendant tout ce temps.

— Pourquoi vous aurait-il posé la question alors qu'il avait déjà la réponse ?

Crystal haussa les épaules en signe d'incompréhension.

— Peut-être se demandait-il ce que je savais exactement.

— Pourquoi aurait-il eu besoin d'une somme pareille en liquide ?

— Aucune idée. Il payait tout par carte de crédit.

— De l'extorsion de fonds ?

— Pour quelle raison ?

— C'est bien ce que je me demande. Aucune idée là-dessus ?

— Vous croyez qu'on le fait chanter ? C'est ridicule. Pourquoi le ferait-on chanter ?

— Est-ce impossible ?

Elle me dévisagea une seconde, puis elle secoua la tête, visiblement en panne d'inspiration.

— Un maître chanteur serait intéressé par un

versement en bloc, pas par trois malheureux billets par semaine.

— Peut-être que cela se passait mieux. C'est une chose d'exiger une grosse somme en espèces, c'en est une autre, je le répète, si l'on a besoin d'aide pour joindre les deux bouts.

— Il m'aurait sûrement dit si quelqu'un lui soutirait de l'argent. Dow me dit tout.

— Pour autant que vous le sachiez.

Elle accusa le coup.

— Oui, évidemment.

— De plus, peut-être étiez-vous en cause.

— Comment ça ?

— Peut-être voulait-il s'assurer le silence de quelqu'un pour vous protéger.

— Ça m'étonnerait.

J'aurais juré qu'elle avait rougi, mais dans la lumière ténue du crépuscule il était difficile d'en juger. Sa main en tout cas ne trembla pas quand elle porta son verre à ses lèvres. Puis elle le posa par terre et glissa ses mains entre ses cuisses comme pour les réchauffer.

Je changeai de tactique, soucieuse de ne pas laisser son attention s'égarer.

— Accepteriez-vous de revenir en arrière et de me dire comment vous avez vécu ces neuf dernières semaines ?

Elle exhala un soupir.

— Ç'a été affreux. L'horreur. Là, je suis comme anesthésiée, mais les deux ou trois premiers jours, j'ai vécu en permanence sur l'adrénaline et ça m'a franchement vidée. La maison grouillait de monde... mes amis, les filles de Dow, ses amis à lui et ses collègues. Je ne voulais voir personne, mais comment fermer la porte à tous ces gens ? Comme j'étais trop anéantie pour résister, ils m'ont fondu dessus. J'ai failli craquer. Je ne voulais qu'une chose : rester vissée près du téléphone, faire les cent pas entre la porte et l'appareil, hurler ou me soûler. Pendant des jours et des jours, j'ai passé mon temps en voiture entre la clinique et la maison, à vérifier tous les trajets possibles. Je me retrouvais sur la route et je comprenais que c'était idiot. Dow pouvait être n'importe où et mes chances de le repérer étaient infinitésimales.

— Avez-vous remarqué quelque chose d'inhabituel le jour de sa disparition ? Un comportement, une phrase, un détail qui prenne une autre signification avec le recul ?

Crystal eut un geste négatif.

— C'était un vendredi comme un autre. Il attendait le week-end avec impatience. Le samedi, il avait un tournoi de tennis au country club. Rien d'extraordinaire, mais cela lui faisait plaisir. Le samedi soir, nous devions sortir dîner avec des amis... un couple qui habite ici depuis peu. Ils viennent du Colorado, où ils avaient quelques restaurants.

— Pouvez-vous me donner leurs noms ?

— Tout à fait. Je vous ferai une liste avant que vous ne repartiez.

— Personne d'autre n'a mentionné quoi que ce soit d'insolite ?

— Pas à ma connaissance. Vous pouvez interroger ses collègues et le personnel de la clinique. Je leur ai moi-même posé la question. La police les a aussi interrogés, sans rien d'officiel. Tout le monde s'est montré coopératif, mais personne ne sait rien, semble-t-il, en tout cas personne n'a rien dit.

— Avait-il des problèmes d'ordre professionnel ?

— Des problèmes, il y en a toujours. Dow prend ses fonctions très au sérieux. Il suit de très près les patients et le personnel, ainsi que la gestion de l'établissement. C'est aussi lui qui s'occupe du recrutement ou des licenciements et de la révision annuelle des salaires. Il a toujours un truc à régler. On ne le refera pas. Ces derniers temps, il a passé des heures sur la comptabilité. A la clinique, l'exercice budgétaire finit le 30 novembre, et Dow tient à dominer son sujet.

— Si je comprends bien, il consacre le plus clair de son temps à la clinique ?

— Absolument. Ça fait environ cinq ans qu'il a cessé de pratiquer. Outre quelques activités caritatives qui lui tiennent à cœur, il passe son temps aux Prairies du Pacifique, à en assurer le bon fonctionnement.

— Ses fonctions étaient-elles, je veux dire... sont-elles médicales ou administratives ?

— Je dirais les deux. Il se donne beaucoup aux résidents... il ne les soigne pas, bien sûr, ils ont leur médecin personnel pour les soins médicaux, mais il va tous les jours vérifier que tout se passe bien. Et je vous garantis que ce n'est pas toujours facile. Quand on se spécialise en gériatrie, on est condamné à perdre les gens auxquels on s'est justement le plus attaché.

— Quelqu'un en particulier ?

— Oh, non... Je ne pensais à personne de particulier, me dit-elle, et je ne dis pas que la tâche le dépassait. Bien au contraire. Ça fait longtemps qu'il s'occupe de personnes âgées. Simplement, ce travail exigeait beaucoup de lui sur le plan affectif.

— Aurait-il eu envie de se changer les idées?

— Non.

— En êtes-vous certaine?

— Certaine. Voulez-vous savoir pourquoi? A cause de Griff. Cet enfant est la pupille de ses yeux. Quand il rentrait tard, il filait droit dans la chambre de Griff. Il se couchait sur le lit à côté de lui, juste pour le regarder respirer. Parfois, je l'y trouvais profondément endormi. Jamais il n'aurait quitté Griff de sa propre initiative.

— Je comprends.

— Et ce n'est pas tout. Dow écrit un livre. C'est un projet qui lui tient à cœur depuis des années. Dow a été témoin de tant de changements dans la médecine! Il a vraiment des histoires merveilleuses à raconter. Jamais il ne l'aurait laissé tomber.

— Et votre couple? Les choses vont-elles bien entre vous?

— Nous sommes très proches. D'ailleurs, nous envisageons d'avoir un autre bébé maintenant que Griff a deux ans.

— Donc, vous êtes convaincue qu'il lui est arrivé quelque chose.

— Oui, et quelque chose de grave. Mais je ne vois pas quoi. S'il avait été blessé ou enlevé, aujourd'hui nous le saurions!

— Et ses patrons? Que pouvez-vous me dire d'eux?

— Franchement, pas grand-chose. Je n'ai rencontré Joel Glazer qu'à deux occasions, dont la pose de la première pierre de la nouvelle annexe des Prairies du Pacifique, et nous n'avons pas eu le temps de bavarder. A moins que je ne me trompe, Joel et Harvey Broadus ont fait fortune dans l'immobilier en créant des villages de retraités dans le Sud-Ouest. Ils possèdent également une chaîne de résidences avec services, auxquelles s'ajoutent plusieurs cliniques un peu partout en Californie. Nous rencontrions Harvey de temps à autre en société, mais il semble aux prises avec un divorce qui se passe mal et garde le profil bas. Je le trouve un peu poseur, mais c'est une impression personnelle. Toujours est-il que Dow, lorsqu'il a pris sa retraite en 1981, ne savait trop vers quoi s'orienter. Tout le monde sait que la communauté médicale le tient en très haute estime. Ils se sont mis en rapport avec lui et lui ont demandé de prendre en charge l'administration des Prairies du Pacifique.

— Et ils s'entendent bien?

— A ma connaissance, oui. A vrai dire, ils ne se voient pratiquement pas. Joel et Harvey paraissent satisfaits des services de Dow et ont tendance à mener leur barque de leur côté en lui laissant les mains entièrement libres. C'est une société de services qui s'occupe de la comptabilité. Je sais qu'il craignait de les voir se mêler de la direction de l'établissement, mais ses inquiétudes se sont révélées injustifiées.

— Depuis quand sont-ils propriétaires de l'établissement?

— Je crois qu'ils l'ont acheté en 1980. Il se

trouve dans David Levine Street, juste à l'angle de Nedra Lane. Vous avez dû passer cent fois devant. Une construction de style colonial, genre Tara[1], mais sans le domaine, avec de grosses colonnes blanches sur le devant.

— Oh, ça? Je la longe sur la droite chaque fois que je viens en ville par cette sortie. Il doit bien y avoir cinq ou six cliniques sur ce tronçon de voie.

— Le personnel l'appelle l'« avenue du Formol », n'y voyez aucune méchanceté de ma part. Dow ne supporte pas de m'entendre dire ça!

— Comment vous êtes-vous rencontrés?

— Maman...

Par la porte ouverte, Crystal jeta un coup d'œil dans le séjour.

— Nous sommes dehors! cria-t-elle.

Elle avait dû apercevoir Leila car elle se retourna avec une expression où l'irritation le disputait à l'incrédulité.

— Seigneur! s'exclama-t-elle.

Je suivis son regard.

Leila descendait pesamment l'escalier, chaussée d'escarpins en satin noir aux talons si vertigineux qu'elle avait du mal à se tenir droite. De temps en temps, ses chevilles tournaient comme si elle se lançait en patins sur la glace pour la première fois. Sous son blouson de cuir noir, elle arborait un haut transparent en mousseline de soie et dentelle, porté avec une longue jupe entravée en lainage. A quatorze ans, elle tenait

_____

1. La plantation d'*Autant en emporte le vent. (N.d.T.)*

encore de la jeune pouliche : poitrine quasiment inexistante, hanches étroites et des jambes osseuses interminables. Elle n'aurait pas pu trouver une longueur de jupe moins seyante. On aurait dit le cylindre en carton d'un rouleau de serviettes en papier en bout de course. Elle s'était également livrée à une expérience bizarre sur ses cheveux courts : décolorés en blond presque blanc, ils fusaient dans toutes les directions. Certaines mèches se prolongeaient en dreadlocks, tandis que le reste s'effilochait en barbe à papa. Elle s'approcha de la porte ouverte et resta plantée là, à nous dévisager.

— Qu'est-ce que c'est que ce déguisement ? lui lança Crystal, estomaquée.

— Ce n'est pas un « déguisement » ! Qu'est-ce qui cloche ?

— Tu as l'air grotesque ! Voilà ce qui cloche.

— Et toi, tu t'es vue ? Tu ressembles à une clocharde, avec ton pull qui te dégringole jusqu'aux genoux !

— Oui, mais moi, je ne sors pas. Tu vas me faire le plaisir de remonter dans ta chambre et de trouver une tenue décente.

— C'est pas possible d'être toujours aussi obsédée par ce que les gens vont penser !

— Ça suffit. Je suis fatiguée de ces discussions.

— Alors, fiche-moi la paix ! J'ai le droit de m'habiller comme je veux. Ce n'est pas toi qu'on critiquera.

— Leila, tu ne quitteras pas cette maison dans cette tenue !

— Génial. Je ne sortirai pas. Merci beaucoup et va te faire voir !

— Où est ta valise ? demanda Crystal d'un ton patient, refusant d'entrer dans le jeu de Leila et de renchérir.

— Je n'en ai pas. Je t'ai dit que je n'y allais pas. Je préfère rester ici.

— Tu ne l'as pas vu la dernière fois et j'ai juré que tu irais.

— Je n'ai pas à y aller si je n'en ai pas envie. C'est moi qui décide.

— Non, c'est moi. Alors, cesse de discuter.

— Pourquoi ?

— Leila, j'en ai assez que tu me répondes. Qu'est-ce que tu as ?

— Juste que je ne veux pas y aller. C'est chiant. On passe son temps à regarder des cassettes vidéo.

— Et ici tu fais quoi, hein ?

— Tu avais promis que je pourrais voir Paulie !

— Je n'ai jamais dit ça. Et inutile de détourner la conversation. Paulie n'a rien à faire là-dedans. Lloyd est ton père.

— Pas du tout ! On n'est même pas parents. C'est un de tes connards d'ex-maris !

— Mon ex-mari. Je n'en ai qu'un. Pourquoi es-tu si agressive et si détestable ? Lloyd t'adore.

— Ça me fait une belle jambe !

— Leila, je te préviens...

— S'il m'adore tellement, pourquoi est-ce qu'il m'oblige à perdre mon temps avec lui quand je n'en ai pas envie ?

— Il ne t'oblige pas. Moi si, un point c'est tout. Et maintenant, tu y vas.

— J'irai si je peux voir Paulie.

— Il n'en est pas question.

— Tu es une vraie salope ! Tu te fous complètement de moi !

— Complètement. Je suis juste là pour t'injurier et te maltraiter. Appelle « Enfance en détresse ».

— Si tu trouves Lloyd si super, pourquoi n'y vas-tu pas toi-même ?

Crystal ferma les yeux, s'efforçant de contenir sa colère.

— Nous n'allons pas en discuter devant un tiers. Il a la garde conjointe, d'accord ? Il passe te prendre à sept heures ; autrement dit, il est en route. Je viendrai te chercher dimanche matin à dix heures. Maintenant, tu remontes et tu te changes. Et tu as intérêt à faire ton sac toute seule, sinon c'est moi qui m'en charge et mon choix risque de te décevoir.

Le visage de Leila se ferma et je vis une plaque rouge se former autour de son nez et de sa bouche, à l'endroit où elle retenait ses larmes.

— C'est pas juste ! s'écria-t-elle avant de remonter bruyamment l'escalier.

Elle claqua la porte derrière elle en entrant dans sa chambre, puis elle hurla de nouveau « salope ! » de l'autre côté de la porte.

Crystal reprit la conversation comme si de rien n'était, se bornant à secouer la tête et à lever les yeux au ciel.

— Dow et moi nous sommes rencontrés à Las

Vegas, chez des amis communs. Dès que je l'ai vu, j'ai su que je serais sa femme un jour.

— Il n'était pas marié ?

— Si. C'est-à-dire, officiellement, mais il n'était pas heureux en ménage, me précisa-t-elle, comme si les tourments conjugaux de Dow justifiaient qu'elle ait empiété sur les plates-bandes de la première épouse. Vous avez rencontré Fiona. Elle a juste six mois de moins que lui, mais on lui donnerait cent ans. Elle boit. Elle fume deux paquets de cigarettes par jour. Elle est accro au Valium aussi, ce qu'elle aura sûrement omis de vous dire en faisant appel à vos services. Dow a eu soixante-neuf ans au printemps, mais jamais on ne le croirait. Avez-vous vu une photo de lui ?

— Il y en avait une dans le journal.

— Oh, elle était atroce. J'en ai une bien meilleure. Ne bougez pas.

Elle quitta la terrasse et entra dans le séjour, revenant quelques instants plus tard avec une photo en couleurs dans un cadre. Elle se rassit et me la tendit. J'étudiai le visage de Dow. La photo, prise sur un terrain de golf, avait été coupée de sorte qu'on distinguait à peine ses trois autres partenaires. Il avait des cheveux blancs coupés ras et un visage mince. Il paraissait hâlé et en bonne forme physique, et portait une chemisette de golf blanche, un pantalon en coton sergé et un gant de cuir à la main droite. Je ne réussis pas à voir la tête du club qu'il brandissait.

— Où a été prise cette photo ?

— A Las Vegas. Au cours de ce voyage. C'était à l'automne 1982. Nous nous sommes mariés un an après, quand son jugement de divorce a été prononcé.

Je lui rendis la photo.

— Il aime les jeux de hasard?

Elle garda la photo entre ses mains et l'examina à son tour.

— Non, ce n'est pas son genre. Il devait faire une communication à un colloque de gériatrie. Il adorait Las Vegas pour le golf, qu'il pratique tout au long de l'année. Il avait un handicap cinq, c'est vous dire.

Je me demandai pourquoi elle parlait soudain de lui au passé, mais décidai de ne pas relever.

— Vous jouez aussi?

— Un peu, mais je suis nulle. Je joue pour lui tenir compagnie quand il n'a personne d'autre. C'est agréable quand nous voyageons parce que ça nous occupe. (Elle se pencha et posa la photo sur la table, lui jetant un bref coup d'œil avant de se tourner vers moi.) Et maintenant?

— Je vais interroger toutes les personnes susceptibles de me fournir un indice pour essayer de comprendre ce qui se passe.

— Maman est là, dit une voix masculine.

L'homme s'encadrait dans la porte, à l'intérieur de la pièce; il tenait Griffith dans ses bras, celui-ci prêt pour la nuit dans un pyjama de bébé en flanelle à pont avec boutons-pression dans le dos et semelles antidérapantes. L'enfant avait un visage parfaitement ovale, des joues pleines et une bouche qui ressemblait à un petit bouton de rose. Ses cheveux blonds encore humides étaient coiffés avec une raie de côté bien nette et lui dégageaient le front. Des boucles blondes se formaient à l'endroit où quelques mèches avaient déjà séché. Sans rien dire, il tendit les bras en avant et Crystal le saisit. Elle le coinça sur sa hanche, le couvant du regard.

— Griffie, je te présente Kinsey. Tu dis bonjour ? gazouilla-t-elle d'une voix haut perchée.

L'enfant n'eut pas la moindre réaction.

Elle s'empara d'une de ses menottes et l'agita dans ma direction.

— A'voir ! Je suis prêt à aller dans mon petit lit. C'est l'heure de dire bonsoir. Bon dodo !

— Bon dodo, Griffith, roucoulai-je d'une voix de tête en essayant de me mettre au diapason.

C'était pire que de parler à un chien : avec un chien, on ne s'attend pas vraiment à ce qu'il réponde d'une voix de fausset. Je me demandai si nous allions conduire le reste de l'entretien en parlant comme les Télétubbies.

Je lançai un coup d'œil à Rand.

— Bonjour, lui dis-je. C'est vous, Rand ? Kinsey Millhone.

— Oh, pardonnez-moi. Je ne vous ai pas présentée.

— Ravi de vous connaître, me dit Rand.

La quarantaine naissante, cheveux noirs, mince comme un fil, il était en jean et tee-shirt blanc. Le bain du bambin avait laissé des plaques humides sur le devant de sa tenue. Comme Crystal, il était pieds nus, apparemment insensible au froid.

— Je crois que je vais y aller et vous laisser coucher le petit, dis-je.

Rand récupéra Griffith dans les bras de sa

mère et se retira, babillant à l'enfant tandis qu'il s'éloignait. J'attendis pendant qu'elle notait les noms et les numéros de téléphone des collaborateurs de son mari et de son meilleur ami, Jacob Trigg. Nous échangeâmes des propos sans importance en nous séparant et je la quittai avec l'assurance que je pouvais l'appeler en cas de besoin.

En sortant de la maison, je croisai le beau-père de Leila qui venait d'arriver. Il conduisait une vieille Chevrolet blanche, à la capote râpée et décolorée par le soleil; des taches d'apprêt sur diverses bosses et éraflures de la carrosserie attendaient une couche de peinture finale. Ses cheveux coupés en brosse lui donnaient un air juvénile et il portait des lunettes à monture d'écaille aux verres surdimensionnés. Il avait un corps de coureur de fond ou de cycliste : de longues jambes maigres et apparemment pas un gramme de graisse. Malgré la fraîcheur de l'air, il était vêtu en tout et pour tout d'un débardeur noir, d'un short et de chaussures de course à semelles expansées sans socquettes. Je lui donnai la fin de la trentaine, encore que ce fût difficile à dire car je ne lui avais jeté qu'un bref coup d'œil au passage. Il m'adressa un signe de tête et marmonna un rapide bonjour en se dirigeant vers la porte d'entrée. Au moment où je mis le contact, de grosses gouttes de pluie commencèrent à tomber.

CHAPITRE 5

Hormis Henry, le restaurant de Rosie était désert lorsque j'y fis mon apparition peu après 7 heures. Je refermai mon parapluie et le calai contre le mur, près de la porte. Les fidèles de l'heure de l'apéritif semblaient être déjà repartis et les soiffards du quartier n'étaient pas encore arrivés pour faire leur plein du soir. La pièce, toute en longueur, sentait le bœuf et la laine mouillée. Plusieurs suppléments de journal formaient un paillasson détrempé à l'intérieur de l'entrée, le linoléum gardant les empreintes de boue et de lignes de typo laissées par les chaussures mouillées des clients. A une extrémité du bar, la télévision était allumée, mais on avait coupé le son. Un vieux film en noir et blanc dévidait en muet ses images syncopées sur l'écran : une scène de nuit sous une pluie battante. Un coupé des années quarante filait sur une route en lacets. Les mains de la femme se crispaient sur le volant. Un long plan filmé à travers le pare-brise révélait un auto-stoppeur posté dans la courbe du virage et cela n'augurait rien de bon.

Henry était assis seul à une table en chrome et Formica à gauche de la porte ; il avait posé son imperméable sur le dossier de la chaise en face de lui, et une petite mare d'eau s'était formée à côté du pied de la table contre lequel s'appuyait son parapluie. Il avait apporté le sac en papier kraft dans lequel Rosie lui avait présenté les factures médicales de sa sœur. Il avait un verre de Jack Daniel's à côté de son coude et une paire de demi-lunes posées bas sur le nez. Un énorme classeur accordéon aux soufflets répertoriés par mois occupait la chaise voisine. Je le regardai déplier une facture, vérifier la date, puis la glisser dans le soufflet approprié avant de passer à la suivante. J'approchai une chaise.

— Tu as besoin d'un coup de main ?

— Plutôt ! Il y en a qui datent de deux ans, sinon plus.

— Payées ou en souffrance ?

— Je verrai plus tard. Sûrement un peu des deux. Un vrai foutoir !

— Que tu aies accepté de faire ça, les bras m'en tombent.

— Bof, ce n'est pas la mer à boire.

Je secouai la tête avec résignation en lui adressant un léger sourire. C'est un amour, et je savais qu'il en ferait autant pour moi si j'étais en panne. Un silence amical s'installa entre nous, tandis que nous décachetions et classions les factures.

— Où est Rosie ? lui demandai-je.

— A la cuisine, où elle mitonne un gâteau de foie de veau à la sauce aux anchois.

96

— Ça m'a l'air intéressant, non ?

Henry me fusilla du regard.

— Enfin... ça pourrait l'être, rectifiai-je.

En matière culinaire, Rosie donnait dans la fantaisie hongroise, avec des plats impossibles à prononcer et parfois trop étranges pour être avalés, son potage de volaille aux raisins blancs constituant un cas de figure exemplaire. Rompus à ses manières de despote, nous prenons en général ce qu'elle nous recommande et essayons de faire contre mauvaise fortune bon cœur.

La porte battante de la cuisine s'ouvrit et William apparut, vêtu d'un costume trois-pièces rayé très chic, un exemplaire du journal du soir coincé sous le bras. Comme Henry, il est grand et tout en bras et en jambes, avec les mêmes yeux bleus étincelants et une tignasse blanche abondante. Ils se ressemblent assez pour être de vrais jumeaux auxquels le temps n'aurait porté que quelques atteintes mineures. Henry a le visage plus étroit, William le menton et le front plus prononcés. En arrivant à notre table, William nous demanda la permission de se joindre à nous, sur quoi Henry lui désigna la chaise restante.

— Bonsoir, Kinsey, dit-il. On bosse dur, à ce que je vois. Rosie arrive dans une minute pour prendre votre commande. Ce soir, c'est pâté de foie de veau à l'anchoyade.

— J'en frissonne déjà !

William ouvrit son journal, choisit la deuxième section et tourna la première page pour passer aux notices nécrologiques. Bien que le mariage eût atténué son hypocondrie innée, il restait fasciné par les individus que leurs infirmités ont éjectés de ce monde. Il ne tolérait pas qu'une notice ne fournisse aucun indice sur la nature de l'affection qui les avait emportés. Aux heures de déprime ou de doute, il retombait dans ses anciennes manies, assistant aux enterrements de parfaits inconnus, s'enquérant discrètement de la cause du décès auprès des personnes présentes. Cette petite enquête visait avant tout à identifier les premiers symptômes du mal fatal — vision qui se trouble, vertiges, essoufflement —, symptômes qu'il ne manquait pas d'éprouver la semaine suivante. Il ne pouvait réprimer une certaine appréhension tant qu'il n'en avait pas le cœur net. « Problèmes gastriques », nous confiait-il un peu plus tard avec un regard lourd de sous-entendus. « S'il avait consulté la Faculté au premier signe inquiétant, le pauvre bougre serait peut-être encore avec nous aujourd'hui. C'est ce qu'a dit son frère. » A quoi Henry répliquait invariablement : « Nous devons tous mourir de quelque chose. » William se mettait alors en rogne : « Oh, inutile de voir tout en noir. Moi, je dis : il faut être vigilant. Être à l'écoute des messages de son corps... » A quoi Henry rétorquait : « Le mien me dit : mets-toi au parfum, tu mourras un jour, vieille baderne ! »

Ce soir-là, Henry lança un coup d'œil poli vers le journal de William.

— Quelqu'un qu'on connaît ?

William fit signe que non.

— Deux gamins pas encore octogénaires ; un seul avec sa photo. Sûrement prise avant 1952. (Il plissa les yeux pour mieux voir.) J'espère que nous avions l'air moins lèche-cul quand nous étions jeunes.

— Pas toi en tout cas, lui décocha Henry. (Il avala une gorgée de whisky.) Si tu pars le premier, je sais exactement quelle photo je donnerai au journal pour ta nécrologie. Celle où tu es en knickers l'été où on a fait Atlantic City. Tu as la raie au milieu et on jurerait que tu as mis du rouge à lèvres !

William se pencha vers moi d'un air confidentiel.

— Il ne digère toujours pas que je lui aie piqué Alice Vandermeer. Une fille qui dansait le jitterburg comme une diablesse, et pleine aux as avec ça !

— Elle avait une loupe sur la joue, de la taille et de la couleur d'un raisin sec de Californie, me précisa Henry. Comme je ne savais jamais où la regarder, je la lui ai refilée.

William sauta plusieurs pages pour arriver aux petites annonces, où il compara les descriptions des chiens et chats « trouvés » avec celles de bestioles dont on signalait la disparition, repérant souvent un air de famille. Tandis qu'Henry et moi continuions à ouvrir et à classer les factures de Klotilde, William nous détailla les offres de vente de bétail sur pied. Puis il leva les yeux vers moi.

— Dis-moi, toujours en quête d'un local pour ton bureau ? Tu devrais jeter un œil là-dessus. Quarante-cinq mètres carrés, fraîchement rénové, centre-ville. Deux cent cinquante dollars par mois, disponible immédiatement.

Je m'arrêtai net et le regardai d'un air ahuri.

— C'est une blague ? Laisse-moi voir.

William me tendit la section des petites annonces, le doigt pointé sur la bonne. On y lisait :

A louer : 45 m² dans maison victorienne récemment rénovée, centre-ville, proche tribunal ; salle d'eau priv. et entrée individuelle. Terrasse priv. 250 $ mois. Appeler Richard après 18 h.

Suivait le numéro de téléphone.

Je relus une deuxième fois l'annonce, mais non, à première vue rien n'avait changé.

— Je parie que c'est un attrape-nigaud. Ils embellissent toujours la réalité dans ces annonces.

— Rien ne t'empêche d'appeler.

— Tu crois vraiment ?

— Bien sûr !

— Et s'il est déjà loué ?

— Ça ne t'élimine pas pour autant. Peut-être que le type en a d'autres. (Il fouilla dans sa poche gousset et en retira une pièce de monnaie, qu'il posa sur la table devant moi.) Haut les cœurs !

Je pris la pièce et le journal et traversai la salle. Le taxiphone se trouvait dans le vestibule, espace qu'éclairait faiblement une enseigne au néon pour la bière Budweiser. Je composai le numéro et relus l'annonce tout en laissant le téléphone sonner quatre coups. On finit par décrocher à l'autre bout du fil et je demandai à parler à Richard.

— C'est moi, dit-il.

A l'entendre, je lui donnai la trentaine, encore que les voix au téléphone réservent parfois des surprises.

— Je vous appelle au sujet de l'annonce pour un local de bureau parue dans le journal de ce soir. Est-il toujours libre ?

Je notai la note plaintive qui s'était glissée sournoisement dans ma voix.

— Tout à fait, mais nous demandons un bail d'un an, le premier et le dernier mois de loyer payés d'avance, plus les avances sur charges.

— Puis-je vous demander dans quelle rue il est situé ?

— Dans Floresta. De l'autre côté du poste de police, environ six portes plus bas.

— Et c'est bien le prix qui est mentionné ? L'annonce dit deux cent cinquante dollars par mois.

— Il fait juste une pièce. Il y a un placard et des toilettes, mais ce n'est pas grand.

La vision d'une cabine téléphonique surgit dans mon esprit.

— Me serait-il possible de le visiter ce soir ?

— Mon frère est justement en train de poser la moquette et j'y partais. Si vous voulez, je peux vous y retrouver dans un quart d'heure.

Ma montre indiquait 7 h 30.

— Génial. Pas de problème. A quelle adresse exactement ?

Il me donna le renseignement.

— Vous pouvez remonter l'allée jusqu'au

parking de derrière. Vous verrez de la lumière au rez-de-chaussée, côté cour. Mon frère se prénomme Tommy. Nom de famille : Hevener.

— Moi, c'est Kinsey Millhone. Merci infiniment. Je vous retrouve dans un quart d'heure.

L'immeuble avait visiblement été une maison particulière en d'autres temps : un pavillon d'un seul niveau à parements blancs, aux pentes de toit soulignées par des pignons et toute une dentelle de découpes et d'enjolivures. A 7 h 42 précises, j'engageai ma Volkswagen dans l'allée, la lumière de mes phares trouant l'obscurité. Je ralentis et tentai de distinguer quelque chose par la vitre du côté passager. La peinture blanche semblait récente et des plates-bandes fleuries bordaient la façade. Comment cette merveille avait-elle pu m'échapper ? L'emplacement était idéal — à un pâté de maisons de mon bureau habituel — et on ne pouvait rêver un prix plus intéressant. Je comptais dix places de parking réparties de part et d'autre de la cour toute en longueur qui était goudronnée et clôturée sur deux côtés. Un pick-up noir en occupait une, mais les autres étaient vides à cette heure. Une grande poubelle montait la garde juste à la sortie, dans l'allée de derrière. En levant la tête, j'aperçus les fenêtres du bureau de Lonnie et le mur qui fermait le minuscule bout de terrain jouxtant l'arrière de son immeuble. Je me garai et descendis de voiture en essayant de réprimer la vague d'espoir qui enflait en moi. Ou il s'agissait d'un bien déjà mis en vente, ou alors l'emplacement avait jadis accueilli une station d'essence, dont le benzène et autres substances cancérigènes polluaient toujours le sol.

Une terrasse en séquoia doublait l'arrière du bâtiment, flanquée d'un long plan incliné permettant l'accès aux fauteuils roulants. Un parasol de marché à lambrequin de toile bise se déployait au-dessus d'une table à plateau de verre entourée de quatre chaises. On avait planté des herbes aromatiques dans plusieurs grands pots en terre cuite. Ma respiration s'accéléra, je me sentais au bord de l'étouffement. Le rez-de-chaussée était brillamment éclairé. Je pénétrai dans une petite entrée. Juste à ma droite, une porte était grande ouverte. Il régnait une forte odeur de peinture, sur laquelle se superposaient les notes moins affirmées, mais denses, de la moquette neuve. Je fermai les yeux et élevai une prière hâtive vers le Seigneur, renonçant à Satan et à ses œuvres et promettant de m'amender. Puis je les rouvris et m'avançai dans l'encadrement de la porte, découvrant d'un coup la pièce.

Il s'agissait d'un carré de six mètres de côté, pourvu de fenêtres à crémone sur deux de ses murs. Des persiennes à double châssis horizontaux peintes en blanc remplaçaient les rideaux classiques. Sur le mur du fond, deux portes ouvertes révélaient l'une un petit cabinet de toilette, l'autre ce qui constituait manifestement un espace de rangement de plain-pied. Un rouquin en jean, tee-shirt vert olive et gros boots de chantier noirs était assis par terre et donnait des coups de pied dans un tendeur pour ajuster la moquette le long de la plinthe. On avait installé une ligne de téléphone, l'appareil trônant pour l'instant sur un carton vide.

La moquette en question, un Nylon de qualité industrielle, se caractérisait par un motif moucheté beige sur fond gris anthracite. Mon regard enregistra le Stanley à grosse lame incurvée et le maillet dont l'homme se servait pour enfoncer le dos de la moquette dans la bande à griffes. Des chutes de tapis s'empilaient au milieu de la pièce. D'autres rognures remplissaient à ras bord une glacière isotherme en plastique placée à côté du mur en guise de corbeille. Sous l'éclat aveuglant des deux cents watts de l'ampoule accrochée au plafond, la pièce paraissait manquer d'air.

— Bonsoir ! lançai-je. Je m'appelle Kinsey. Votre frère m'a donné rendez-vous ici à huit heures moins le quart. Vous êtes bien Tommy ?

— Pour vous servir. Richard est toujours en retard. Réglé comme du papier à musique. Moi, je suis le garçon sérieux, celui qui arrive toujours à l'heure ! Attendez une seconde, j'ai presque fini.

Il me jeta un coup d'œil par-dessus son épaule : yeux verts, dents blanches, sourire étincelant. Deux plis profonds mettaient sa bouche comme entre parenthèses. Avec ses cheveux flamboyants et son teint coloré, l'effet était électrisant ; on aurait dit un film en noir et blanc qui vous offre soudain une séquence en Technicolor complètement inattendue. Je me surpris à détourner les yeux tandis qu'un petit frisson me parcourait la colonne vertébrale. J'espérai ne pas avoir laissé échapper un petit gémissement.

Je le regardai pousser, marteler et découper, observant le jeu des muscles de son dos et de ses épaules tandis qu'il travaillait. De fins poils roux s'emmêlaient sur ses bras aux veines saillantes. Un filet de sueur coulait le long de sa joue. Haussant une épaule, il s'épongea le visage avec sa manche de tee-shirt. Il repoussa son maillet et se releva d'un bond, s'essuyant les mains sur ses fesses de pantalon.

— Vous me redites votre nom ? me lança-t-il en me tendant la main.

— Kinsey. Nom de famille : Millhone, avec deux « l ».

Le soleil avait exigé son dû sur son teint clair, laissant une série de griffures sur son front, qui s'ajoutaient aux rides d'expression au coin des yeux. J'aurais dit : pas encore trente ans, un mètre soixante-quinze, quatre-vingts kilos. Mon passé dans la police ayant laissé des traces, je continue de regarder les gens comme d'éventuels suspects que je pourrais être amenée à identifier derrière une glace sans tain.

— Ça vous ennuie que je visite ?

— Faites comme chez vous, me répondit-il avec un haussement d'épaules. Il n'y a pas grand-chose à voir. Vous travaillez dans quoi ?

J'entrai dans le cabinet de toilette.

— Je suis détective privée, lui dis-je, ma voix résonnant dans la petite pièce carrelée.

Cuvette de W.-C., lavabo sur socle surmonté d'une armoire à pharmacie encastrée. Une cabine de douche en fibre de verre pourvue d'une porte vitrée dans un cadre d'aluminium. Un carrelage blanc au sol, des murs également carrelés jusqu'à mi-hauteur. Le reste tapissé d'un papier à fleurs en vinyle dans des tons de beige, blanc et gris anthracite. L'ensemble produisait un effet à la fois pimpant et démodé. Et ne posait pas de problèmes d'entretien.

Je revins dans la pièce principale et portai mon attention sur l'espace de rangement : trois mètres sur deux, moquette au sol, vide et peint en un blanc immaculé. Largement la place d'y ranger des classeurs et des fournitures de bureau. Il y avait même une patère pour accrocher ma veste. Je me retournai pour inspecter la pièce principale et examiner les possibilités. Si je mettais mon bureau face à la fenêtre, j'aurais la vue sur la terrasse. Les persiennes étaient l'idéal. Si un client faisait un saut, je pouvais fermer le panneau du bas pour l'intimité et laisser ouvert celui du haut pour la lumière. Je testai une poignée de crémone : elle tourna aisément, sans le plus léger grincement ou craquement. Je me calai contre l'appui de la fenêtre.

— Pas de termites ? Pas de toiture qui fuit ?

— Rien de tout ça ! Je peux vous le garantir parce que c'est moi qui ai exécuté les travaux. Et, ici derrière, on est protégé du bruit. Vous devriez le visiter de jour. Les fenêtres laissent entrer une masse de lumière. Et en cas de pépin, vous avez la police sur le trottoir d'en face.

Il avait une pointe d'accent du Sud.

— Par bonheur, mes activités ne sont pas si périlleuses.

Il enfonça ses mains dans ses poches. Le soleil avait moucheté son visage d'une fine patine de taches de son. En mal de sujet de discussion, je laissai le silence s'installer. Tommy se jeta de nouveau à l'eau, sans tellement d'aide de la part de votre dévouée Kinsey.

— L'endroit ne payait vraiment pas de mine quand nous l'avons repris. On a refait la plomberie et l'électricité, changé la toiture et posé un revêtement extérieur en aluminium. Ce genre de travaux...

Il parlait bas et je devais tendre l'oreille pour saisir ce qu'il disait.

— C'est une jolie maison. Depuis quand en êtes-vous propriétaires ?

— Environ un an. Nous ne sommes pas du coin. Nous avons perdu nos parents il y a quelques années... les deux sont décédés. Richard supporte encore moins que moi d'en parler. C'est encore un sujet sensible. Maintenant, il ne reste plus que nous, mon frère et moi. (Il alla jusqu'à la glacière et en ouvrit le couvercle, me jetant un regard en biais.) Je vous offre une bière ?

— Non, merci. Je m'apprêtais à dîner quand quelqu'un m'a montré votre annonce. Dès que j'aurai parlé à Richard, j'y retournerai tout droit.

— Boire ou conduire, il faut choisir, me fit-il remarquer avec un sourire chagrin.

— C'est une raison, en effet.

Il farfouilla dans la glace pilée, en sortit un Pepsi Max et tira sur la languette. Je levai la main, mais pas assez vite pour l'en empêcher.

— Non, sérieusement, je n'ai besoin de rien.

— Pas de bière, pas de boisson gazeuse, me dit-il d'un ton moqueur qui adoucit son air réprobateur. Maintenant que la canette est ouverte, vous n'allez pas refuser. Vous ne voudriez tout de même pas tout gaspiller.

Il me tendit de nouveau le Pepsi, agitant la canette d'une main tentatrice. Je la pris pour éviter de le contrarier.

Cherchant dans la glacière, il en extirpa une bouteille de Bass Ale. Il la décapsula et la tint par le goulot en s'asseyant par terre. Il s'adossa au mur, les jambes allongées devant lui. Ses boots paraissaient gigantesques. Il fit un geste vers la moquette encore vide de tout mobilier.

— Asseyez-vous donc, dit-il. Autant être à l'aise.

— Merci.

Je choisis un endroit face à lui et m'installai, buvant une gorgée polie de Pepsi avant de poser la canette sur le côté.

Tommy avala une longue rasade de bière. On l'imaginait du genre à fumer en travaillant.

— J'étais fumeur, enchaîna-t-il, comme s'il avait lu dans mes pensées. Pas commode d'abandonner, mais je crois que j'ai réussi pour de bon. Et vous, vous fumez ?

— J'ai fumé dans un passé lointain.

— Moi, ça fait six mois que j'ai arrêté. De temps en temps, ça me démange encore, mais je respire un coup ou deux, comme ceci... (Il s'interrompit pour me faire une démonstration, son torse se dilatant tandis que je l'entendais inspirer par le nez. Puis il expira.) Et l'impression de manque ne dure pas. D'où êtes-vous ?

— D'ici. J'ai fait mes études au lycée de Santa Teresa.

— Mon frère et moi, on vient du Texas. Papa

était dans le pétrole. Il a eu la bonne idée de vendre la compagnie avant que le gisement se tarisse. Il a mis tout son argent dans l'immobilier. Galeries marchandes, immeubles de bureaux, biens commerciaux en tout genre. Drôle de coin, la Californie. Les gens vous tiennent à distance, ce n'est pas comme là d'où nous venons. Surtout les femmes. Plutôt coincées, en général.

De nouveau, le silence retomba.

Il but une autre rasade de bière et s'essuya la bouche du plat de la paume.

— Détective privée... Pour moi, c'est une première. Vous êtes armée ?

— A l'occasion. Pas souvent.

Je déteste qu'on essaie de me faire parler, même s'il ne me faisait la conversation que par pure politesse en attendant l'arrivée de son frère.

Il eut un sourire nonchalant, comme s'il comprenait mon côté porc-épic.

— Quel genre préférez-vous ? Les types beaucoup trop jeunes pour vous ou les types beaucoup trop vieux ?

— Je n'ai jamais réfléchi à la chose sous cet angle.

Il agita le doigt.

— Les types beaucoup trop vieux !

Je sentis mes joues s'enflammer. Dietz n'avait tout de même pas un pied dans la tombe !

— Moi, j'aime les femmes de votre âge, me dit-il avec un sourire carnassier de ses dents étincelantes. Vous avez un petit ami ?

— Ça ne vous regarde pas.

Tommy éclata de rire.

— Oh, allez. Vous sortez avec quelqu'un ?

— Plus ou moins, lui répondis-je, soucieuse de ne pas envoyer ce type se faire voir alors que j'espérais contre tout espoir réussir à louer l'endroit.

— « Plus ou moins. » Vous m'en direz tant. C'est plus ou c'est moins ?

— C'est « plus », je suppose.

— Sûrement pas le grand amour si vous êtes obligée de réfléchir. (Ses yeux se rétrécirent comme s'il consultait son intuition.) Moi, je vais vous dire ce que je pense. Je parie que vous êtes carrément schizo. Que vous soufflez le chaud et le froid quand il est question d'autrui, en particulier des hommes. J'ai raison ?

— Pas nécessairement. Je ne dirais pas ça.

— Mais vous avez dû voir un tas de mauvais garçons, dans votre métier.

— J'ai aussi vu beaucoup de femmes peu recommandables.

— Ça aussi, j'aime. Les filles peu recommandables, les femmes pas fréquentables, les renégats, les rebelles... (Il leva la tête en même temps qu'il jetait un coup d'œil à sa montre.) Le voilà. Un quart d'heure de retard. On pourrait prendre des paris !

Je regardai par la fenêtre tandis que des phares balayaient le parking. Je me remis debout. Tommy termina sa bière et posa la bouteille à côté de lui. Une portière claqua et peu après Richard Hevener fit son entrée, tapant d'un geste nerveux un bloc à pince contre sa cuisse. Il était vêtu d'un jean et d'un tee-shirt noir, sur lequel il portait une veste sport en cuir noir d'aspect souple. Il était plus grand que Tommy et beaucoup plus fort, et avait les cheveux noirs. Le frère psychorigide, qui semblait se prendre très au sérieux. Je me préparai à affronter la corvée.

— Richard Hevener, me dit-il, et il me tendit la main.

On se la serra, après quoi il se tourna vers Tommy.

— Pas mal.

— Merci. Je finis de ranger et je file. Tu n'as besoin de rien d'autre ?

Je me détournai un instant, le temps de les laisser discuter. A ce que je compris, on rénovait un autre immeuble, et Tommy commençait le chantier la semaine suivante. Ses manières avaient changé en présence de son frère, le côté flirt s'était envolé. Leur discussion finie, Tommy saisit la corbeille pleine de chutes de moquette et l'emporta dehors, vers la poubelle à l'arrière du lotissement.

— Alors, qu'en dites-vous ? me demanda Richard en se tournant vers moi. Souhaitez-vous remplir une demande de bail ?

Son accent et sa façon de parler étaient beaucoup moins « Texas » que ceux de Tommy. Il semblait plus âgé et plus professionnel.

— Après tout, pourquoi pas ? lui répondis-je en essayant de ne pas avoir l'air de lui faire de la lèche.

Il me passa le bloc et de quoi écrire.

— Nous payons l'eau et le ramassage des ordures. Vous, votre facture d'électricité et de téléphone. Les frais de chauffage sont au prorata et varient suivant les saisons. Il n'y a qu'un seul autre locataire, un expert-comptable.

— Je n'arrive pas à croire qu'on ne se soit pas précipité sur ce local.

— L'annonce vient de paraître. Nous avons déjà eu de nombreux appels. Trois, juste après le vôtre. Je dois voir un autre candidat ce soir.

Je sentis l'anxiété qui montait. Je m'appuyai sur un appui de fenêtre et entrepris de remplir le formulaire. Les constitutions de dossier sont assommantes, on exige de vous des bribes d'information qui ne regardent vraiment personne. Je donnai mes numéros de Sécurité sociale et de permis de conduire californien, entourai la mention DIVORCÉ(E) dans la partie qui s'inquiétait de ma situation de famille. Mes lieux de résidence antérieurs, le temps que j'y étais restée, les raisons de mon départ. J'indiquai une liste de références personnelles, ainsi que la banque où j'avais mon compte courant. Et j'inventai quelques données. J'inscrivis une ligne en pointillé à l'endroit où l'on me réclamait mes numéros de cartes de crédit et le solde de ces comptes. Le temps de terminer, Tommy était parti. J'entendis sa camionnette dans l'allée, puis il n'y eut plus personne. Je rendis le bloc à Richard et l'observai tandis qu'il examinait mes réponses.

— Si vous voulez un acompte, je peux vous le verser ce soir, lui lançai-je.

— Inutile. J'appellerai les références que vous donnez pour vérifier votre solvabilité. Nous avons deux autres personnes qui doivent visiter lundi.

— Et quand pensez-vous prendre une décision ?

— En milieu de semaine prochaine. Laissez-nous vos coordonnées au cas où j'aurais une question à vous poser.

Je lui montrai le formulaire.

— Vous avez mon numéro à mon domicile et mon numéro de bureau. Les deux sont sur répondeur.

— C'est votre adresse professionnelle actuelle ?

— Oui. Je loue un local à un avocat, Lonnie Kingman. Lui et mon logeur pourront vous certifier que je règle mes loyers au jour dit.

— Tant mieux. En cas d'imprévu, je vous appelle. Sinon, je vous contacte dès que j'aurai étudié toutes les candidatures.

— Parfait. Ça m'a l'air super. Si ça vous arrange, je peux vous verser les six premiers mois d'avance.

Je commençais à avoir l'air idiot à force d'en rajouter et de paraître douter.

— Vraiment ? (Il m'étudia de ses yeux marron foncé, méditatifs.) Quinze cents dollars, plus l'avance sur charges ? insista-t-il, voulant s'assurer que je mesurais pleinement l'étendue de mon offre.

Je songeai au chèque de quinze cents dollars de Fiona.

— Tout à fait, pas de problème. Je pourrais vous les verser tout de suite.

— J'en tiendrai compte, dit-il.

CHAPITRE 6

Le samedi, j'ouvris automatiquement les yeux à 5 h 59 du matin. Je regardai la lucarne, sur laquelle s'égrenaient des gouttes de pluie ; tout le dôme en Plexiglas était moucheté de minuscules perles de lumière. Le petit vent qui entrait par la fenêtre de la chambre sentait le compost de feuilles, les trottoirs mouillés et les eucalyptus ruisselants qui bordaient la rue plus loin. Honnêtement, l'odeur de l'eucalyptus ressemble à s'y tromper à celle du pipi de chat, mais je ne voulais pas y penser. Je tassai mon oreiller sous ma tête, rassérénée à l'idée de ne pas avoir à sortir du lit pour aller courir. Bien qu'extrêmement consciencieuse en matière d'exercice, je ne connais rien de plus exquis que la perspective d'une grasse matinée. Je m'enfouis sous les couvertures et laissai le monde crouler jusqu'à 8 h 30, heure à laquelle j'en émergeai par risque d'asphyxie.

Dûment douchée et habillée, je me fis un pichet de café et avalai un bol de céréales en lisant le journal du matin. Je changeai les draps, démarrai une machine de linge et remis d'une façon générale un peu d'ordre dans la maison. Quand j'étais petite, ma tante Gin tenait à ce que je range ma chambre tous les samedis avant d'aller jouer dehors. Comme nous vivions dans une caravane, la tâche était minime, mais l'habitude m'en est restée. J'essuyai la poussière, passai l'aspirateur, récurai les cuvettes des toilettes…, autant d'activités qui n'exigeaient aucune réflexion et me laissèrent tout loisir de ruminer. Mon imagination vagabondait, passant de l'aménagement intérieur de mon nouveau bureau à la question de savoir qui j'allais devoir interroger dans mon enquête sur Purcell. A présent que les quinze cents dollars d'avance sur honoraires de Fiona dormaient en sécurité sur mon compte, je me sentais tenue de travailler pendant le week-end. Je me refusais à toute hypothèse au terme d'un seul jour d'investigations, mais si l'on m'avait obligée à parier, j'aurais misé en bloc sur la mort de Purcell. Étant donné ce que je savais de lui, je ne l'imaginais pas mettre les voiles sans écrire un mot ni à sa femme ni à son petit garçon. D'accord, cela n'expliquait ni la disparition du passeport ni celle des trente mille dollars, mais ils pouvaient refaire surface le moment venu. Pour l'instant, rien ne permettait de croire que les deux étaient liés.

A 11 heures, je m'emparai de l'annuaire et en feuilletai les pages jaunes, section « maisons de retraite ». J'en dénombrai près d'une vingtaine. Beaucoup s'offraient de grands encarts publicitaires qui détaillaient leurs prestations :

MAISON DE REPOS POLYVALENTE & SÉJOURS DE LONGUE DURÉE... CHAMBRES SPACIEUSES DANS UN CADRE PAISIBLE... CONSTRUCTION ET DÉCORATION INTÉRIEURE ÉLÉGANTES... SUPERBE ANNEXE AVEC JARDIN SÉCURISÉ.

Certaines s'assortissaient de plans schématiques comme on en trouve dans les bandes dessinées, où des flèches montraient leurs locaux de grand standing, à croire que mieux valait décliner dans le « bon » Santa Teresa. Les noms de la plupart des établissements laissaient entendre que les résidents s'imaginaient partout sauf là où ils se trouvaient : Domaine du Ruisseau du Cèdre, Villa des Églantiers, Le Belvédère, Les Hautes Collines, Les Jardins. Impossible de se sentir fragile et craintif, abandonné, dépendant, seul, malade et incontinent en des lieux aux noms si poétiques.

Les Prairies du Pacifique, l'établissement que gérait Dow Purcell, se flattaient d'offrir la présence d'infirmières diplômées vingt-quatre heures sur vingt-quatre, ainsi qu'une chapelle et une aumônerie qui ne pouvaient que se révéler utiles. L'établissement était également agréé par Medicare et Medicaid, ce qui lui donnait un avantage incontestable sur certains concurrents relevant de systèmes d'assurances privées. Je décidai d'aller m'en faire une idée moi-même. Le personnel normal ne travaillait probablement pas le week-end, ce qui jouerait peut-être en ma faveur. Avec un peu de chance, tous les individus pointilleux et susceptibles d'excès de zèle seraient chez eux à s'occuper, comme moi, de leur lessive.

Je fourrai un paquet de fiches neuves dans mon sac, enfilai mes boots et dénichai mon ciré jaune et mon parapluie. Le temps de fermer la porte à clé, je slalomai entre les flaques jusqu'à ma voiture garée le long du trottoir. Au moment où je me glissais derrière le volant, la fraîcheur de l'air m'arracha un frisson involontaire. Depuis sa berceuse matinale, la pluie avait repris et martelait à présent mon toit de voiture d'un staccato aussi agressif qu'une dégelée d'ongles pointus. J'allumai le moteur, puis me courbai sur le volant, conduisant lentement tandis que les essuie-glaces avant m'adressaient leur royal salut.

Lorsque je me garai dans le parking des Prairies du Pacifique, des nuages noirs assombrissaient le ciel, et les fenêtres éclairées donnaient à la maison un aspect chaleureux et accueillant. Je choisis une place proche de l'entrée, assignée à un membre du personnel dont le nom était barré par un coup de peinture : noir sur noir, impossible à déchiffrer. Je coupai le moteur et attendis que la bourrasque se calme avant de mettre le nez dehors. Mais même... je dus regarder où je mettais les pieds pour traverser la bande d'asphalte à demi inondée, jusqu'à l'abri relatif de l'entrée protégée par son auvent. Je secouai mon parapluie et tapotai rapidement mon ciré avant de franchir la porte. Des imperméables dégoulinants et des chapeaux de pluie à larges bords étaient accrochés à une rangée de portemanteaux. J'ajoutai mon ciré à ce fouillis et calai mon parapluie dans un coin tout en prenant mes repères.

Dans le grand hall qui s'ouvrait devant moi, je vis six seniors en fauteuil roulant, alignés contre le mur comme des plantes d'intérieur en peine de tuteurs. Certains dormaient comme des loirs, les autres se contentaient de fixer le sol avec une hébétude qui trahissait la déperdition sensorielle. Deux étaient attachés dans une posture qui révélait les ravages de l'ostéoporose et la raréfaction du tissu osseux. Une femme d'une maigreur squelettique, aux membres très longs et très blancs, rejeta d'un mouvement brusque une jambe décharnée sur le bras du fauteuil roulant, sous l'effet de la douleur, semblait-il. Je me sentis me ratatiner, comme devant un quadruple carambolage de voitures.

A l'autre bout du hall, deux femmes en uniforme vert empilaient des draps sur un chariot où s'entassait déjà du linge souillé. Une odeur curieuse flottait dans l'air — pas mauvaise, mais « différente », dirais-je, un mélange d'effluves dissociés : haricots verts en boîte, pansements adhésifs, métal chaud, alcool à 90° et détergent. Aucune de ces odeurs n'était, en soi, répugnante, mais réunies, elles sentaient le rance, le parfum de la vie qui aurait tourné.

Sur ma droite, une série de déambulateurs en aluminium s'imbriquaient les uns dans les autres à la façon de caddies devant un supermarché. Le menu du jour, affiché au mur sous un verre, ressemblait à un tableau d'exposition. Le déjeuner du samedi était le suivant : hachis de poulet en terrine, crème de maïs, laitue, tomates, coupe de

118

fruits et cookie de flocons d'avoine. Dans mon univers personnel, la laitue et la tomate figurent à titre de garniture au restaurant, éléments décoratifs résolument omis par le client et qu'il laisse sur le bord de son assiette afin qu'on les jette aux ordures. Ici, laitue et tomate se voyaient accorder le même statut à l'affichage, en qualité de composants à part entière d'une véritable orgie diététique. Je songeai à des frites et à un Q. P.[1] au fromage et faillis m'enfuir.

Des doubles portes vitrées s'ouvraient sur la salle à manger, où j'aperçus les résidents à table. Même d'un simple coup d'œil, on remarquait qu'il y avait trois fois plus de femmes que d'hommes. Quelques personnes étaient en vêtements de ville, mais la majorité avaient préféré rester en robe de chambre et pantoufles, non pas tenus de garder le lit, mais interdits de sortie du fait de leur statut de convalescents. Beaucoup se retournèrent pour me regarder, sans rien de discourtois, mais avec une expression d'attente qui me serra le cœur. Étais-je en visite ? Venais-je les chercher pour les ramener chez eux ? Étais-je la fille trop longtemps attendue ou la nièce qui proposait une sortie dans l'air frais et vierge de miasmes ? Je détournai les yeux malgré moi, gênée de n'avoir aucun contact personnel à leur offrir. Penaude, je les regardai à nouveau et leur adressai un petit signe de la main. Des mains

---

1. Quarter Pounder : spécialité du McDonald's comportant 280 grammes de viande hachée, équivalent du Royal Cheese. *(N.d.T.)*

hésitantes se levèrent à l'unisson pour répondre à mon salut. Leurs sourires étaient si adorables, si peu rancuniers que j'en éprouvai un sentiment cuisant de gratitude.

Battant en retraite, je m'éloignai de la salle à manger et traversai le couloir. Deuxième enfilade de portes ouvertes révélant une salle de séjour commune, déserte pour l'instant, et meublée de canapés dépareillés, de fauteuils tapissiers, d'un piano, de deux téléviseurs et d'une petite constellation de tables à jeu. Un linoléum beige, lisse et brillant, recouvrait le sol, et on avait choisi une nuance reposante pour la peinture des murs, un bleu œuf de rouge-gorge. Les doubles rideaux prêts à poser présentaient un vague motif floral, où se mêlaient le jaune, le bleu et le vert. D'innombrables mini-coussins au petit point, au point de croix, en patchwork matelassé et au crochet s'éparpillaient un peu partout. A croire que tout un ouvroir avait été pris d'une fringale d'ouvrages de dames. Un coussin exhibait un vieil adage sur le côté pile — LA VIEILLESSE EST UNE VUE DE L'ESPRIT —, notion parfaitement décourageante si l'on songeait à certains résidents que j'avais aperçus. Une armada de chaises pliantes en métal s'appuyait contre le mur, prête à être déployée rapidement. La propreté régnait, mais la « décoration intérieure » s'en tenait au générique, sentait les restrictions de budget et manquait de goût.

Je longeai le bureau d'accueil niché dans un petit renfoncement et partis en maraude dans le couloir, me guidant aux plaques qui signalaient un « Service diététique », un « Service infirmier » et un « Service polyvalent d'ergothérapie, orthophonie et kinésithérapie ». Les trois portes étaient ouvertes, mais il n'y avait personne dans les bureaux et on avait mis l'éclairage en veilleuse. De l'autre côté du couloir, j'aperçus une pancarte portant l'inscription « Admissions ». La porte était fermée ; je tournai la poignée mine de rien et eus la confirmation qu'elle était verrouillée. La porte suivante était celle d'un « Bureau des Archives médicales » dont l'espace était aussi partagé par l'« Administration ». Pourquoi ne pas commencer par là ?

Les plafonniers étaient allumés, j'entrai dans la pièce. Il n'y avait personne en vue. J'attendis au comptoir, fixant d'un air absent la corbeille à treillage métallique réservée au courrier du jour. Avec le plus grand naturel, j'examinai ce qui m'entourait. Deux bureaux dos à dos : l'un avec un ordinateur, l'autre avec une machine à écrire électrique qui bourdonnait doucement. S'y ajoutaient de nombreux répertoires mobiles sur cylindre, une photocopieuse et des classeurs en métal rangés contre le mur du fond. Il y avait aussi une grosse pendule dont j'entendais cliqueter l'aiguille des secondes malgré les six mètres qui nous séparaient. Toujours personne. J'appuyai mon coude sur le comptoir, laissant pendre mes doigts à proximité de la corbeille de courrier. En décalant les coins des enveloppes et en penchant la tête, je parvins à lire presque tous les en-têtes d'expédition. Les habituelles factures de gaz et d'électricité, un service d'entretien de pelouses et jardins, deux enveloppes en papier kraft émanant de l'Hôpital de Santa Teresa, plus connu sous le nom de Saint-Terry's.

— Je peux vous aider ?

Je sursautai et me redressai.

— Bonjour. Comment allez-vous ? lâchai-je.

La jeune femme était arrivée par la porte de communication entre l'Administration et les Archives médicales. Elle portait des lunettes à monture en plastique rouge. Elle avait le teint clair, mais paraissait du genre à souffrir d'une éruption cutanée à la moindre provocation. Ses cheveux châtain moyen étaient de longueur irrégulière — coupe en dégradé qui avait trop repoussé et exigeait d'être rafraîchie. Sous sa blouse verte, elle portait un pantalon marron en polyester. Le prénom MERRY et PRAIRIES DU PACIFIQUE brodés à la machine s'étalaient sur sa poche de poitrine, au-dessus de son cœur.

Elle traversa la pièce jusqu'au comptoir, poussa une porte battante et partit s'installer à sa place au fond. A première vue, je lui donnai une petite trentaine, mais révisai vite cette estimation à la baisse d'une bonne dizaine d'années. Elle avait des bagues aux dents et le menu du déjeuner s'emmêlait encore dans les fils en métal. Sa respiration trahissait la tension et l'irritation. Elle gardait un air interrogateur, mais il y avait de l'énervement dans sa voix.

— Puis-je vous demander ce que vous faisiez ?

Je battis des cils dans sa direction.

— J'ai perdu mes lentilles, lui répondis-je. Elles ont dû sauter dans la voiture. Je viens de m'en apercevoir. J'ai d'abord cru qu'elles étaient tombées dans la corbeille, mais je ne vois rien.

— Voulez-vous que je vous aide à les chercher ?

— Ne vous inquiétez pas. J'en ai une pleine boîte à la maison.

— Vous êtes venue voir quelqu'un ?

— Je suis là pour des raisons professionnelles. (Je pris mon portefeuille dans mon sac, l'ouvris et lui montrai ma carte de D. P.) Je suis chargée d'enquêter sur la disparition du Dr Purcell.

Merry examina ma carte, approchant de ses yeux la photo de la taille d'un timbre-poste pour la comparer avec ma tête grandeur nature.

— Êtes-vous le chef de bureau ?

Elle eut un geste négatif.

— Je fais un remplacement le week-end pendant que l'autre fille est en congé de maternité. Sinon, du lundi au vendredi, je suis l'assistante de Mme Stegler.

— Vraiment ? Félicitations. Et cela consiste en quoi ?

— Oh, les tâches de routine : dactylo et classement. Je réponds au téléphone et je distribue le courrier à tous les résidents, tout, quoi.

— C'est donc à Mme Stegler que je dois m'adresser ?

— Oui. C'est l'administratrice adjointe. Malheureusement, elle ne reviendra pas avant lundi. Pouvez-vous repasser ?

— Et M. Glazer ou M. Broadus ?

— Ils ont un bureau en ville.

— Ce n'est vraiment pas de chance ! Je passais dans le quartier et j'en ai profité, à tout hasard. Ma foi, tant pis.

Je vis son regard se fixer sur son ordinateur.

— Pouvez-vous m'excuser un instant ?

— Je vous en prie.

Elle partit vers son moniteur de douze pouces à caractères orange sur fond noir. Elle devait profiter de ses heures de bureau pour faire son courrier personnel. Elle pianota les touches du clavier, le temps de sauvegarder le document.

Elle revint au comptoir avec un sourire gêné.

— Avez-vous une carte de visite ? Je dirai à Mme Stegler de vous appeler dès son arrivée.

— Ce serait génial. (Je pris tout mon temps pour farfouiller dans mon sac, à la recherche de la carte en question.) Il y a longtemps que vous êtes ici ?

— Cela fera trois mois le 1er décembre. Je suis encore à l'essai.

Je posai ma carte sur le comptoir.

— Et le travail vous plaît ?

— Si on veut, mais pas vraiment. Vous savez, c'est assommant, mais bon... Mme S. est là depuis toujours et elle a commencé exactement comme moi. Mais je n'ai pas l'intention de m'incruster aussi longtemps qu'elle. Il me manque encore deux semestres pour avoir mon diplôme.

— De quoi ?

— D'institutrice. Mon père dit que je ne devrais pas faire de petits boulots par-ci par-là parce que ça la fiche mal sur un C. V. Comme si on était instable ou autre, ce qui n'est vraiment pas mon genre !

124

— C'est juste, mais d'un autre côté, si l'enseignement vous intéresse, ça ne sert à rien de s'accrocher à un emploi qui ne vous convient pas.

— Exactement ce que je lui ai dit ! Et puis, on ne sait jamais sur quel pied danser avec Mme S. et elle me tape sur le système. Un jour elle est un amour, tout sucre tout miel, et le lendemain elle a changé du tout au tout et n'est pas à prendre avec des pincettes ! Moi, je vous le dis, elle a un problème !

— Lequel, à votre avis ?

— Je n'en sais rien. Ils n'ont toujours trouvé personne pour le poste, et je comprends que ça l'exaspère. Elle estime qu'elle devrait avoir une promotion au lieu de se faire « exploiter », comme elle dit.

— Si elle a une promotion, ce serait pour remplacer qui ?

— Mme Delacorte. La bonne femme qui s'est fait virer.

Je gardai un visage neutre. Non seulement elle s'ennuyait ferme, mais elle n'avait pas appris les règles de base, dont la plus rigoureuse est de ne jamais, mais alors jamais, confier les secrets de la boîte à des individus de mon espèce.

— Mince alors ! m'exclamai-je. Et virée pourquoi ? On le sait ?

Quand je prêche le vrai pour savoir le faux, je ponctue habituellement mes phrases de « Mince alors ! » et de « Eh bien, dites-moi ! ».

— Elle n'a pas été exactement virée. Plutôt licenciée.

— Je vois. Et c'était quand ?

— En même temps que Mme Bart. Elle s'occupait de la comptabilité depuis des siècles ! Ils faisaient passer des entretiens d'embauche pour la remplacer au moment où j'ai posé ma candidature pour cet emploi.

— Comment ça ?

— Comment ça quoi ?

— Comment se fait-il que la comptable et l'administratrice aient été licenciées en même temps ? C'était une coïncidence ?

— Pas du tout ! On a fichu dehors Mme Bart, et Mme Delacorte a piqué une crise et fait un ramdam pas possible. M. Harrington lui a laissé entendre qu'elle préférerait peut-être aller travailler ailleurs, et elle s'est tirée. En tout cas, c'est ce qu'on m'a raconté. (Elle s'interrompit et ses yeux parurent s'agrandir derrière la monture en plastique rouge.) Vous ne prenez pas de notes, hein ? Je ne suis pas censée colporter les ragots. Mme S. est intraitable sur ce point.

Je levai les mains pour lui prouver mon innocence.

— Je bavarde juste en attendant que la pluie s'arrête.

Elle se tapota la poitrine.

— Seigneur ! Pendant une minute, j'ai eu peur ! Je ne voudrais pas que vous vous fassiez des idées. Parce que je le lui ai bien dit, moi : je ne parle jamais des affaires des autres. Ce n'est pas dans ma nature.

— Ni dans la mienne, lui assurai-je. Mais qui est M. Harrington ? Son nom ne me dit rien.

— Il travaille pour la société de facturation, à Santa Maria.

— Et c'est lui qui vous a engagée ?

— Dans un sens. J'ai eu un entretien avec lui par téléphone, mais seulement après que Mme S. avait déjà retenu ma candidature. C'est typique de la maison. Faire croire aux mecs qu'ils sont aux commandes alors qu'en réalité c'est nous qui faisons tout.

— Je croyais que le Dr Purcell s'occupait de toutes les embauches et mises à pied ?

— Ça, je ne sais pas. Il n'y avait pas quinze jours que j'étais là qu'il... enfin, vous savez bien... qu'il s'est barré ou je ne sais quoi. A mon avis, ça explique que M. Harrington ait été forcé de s'en mêler.

— Où Mme Delacorte travaille-t-elle à présent ? Quelqu'un le sait-il ?

— Elle est à Saint-Terry's. Je le sais parce que, la semaine dernière, elle est passée voir Mme S. Comme il paraît qu'elle a trouvé un boulot super, tout est bien qui finit bien. Elle a dit que c'est parfois une bénédiction de se faire licencier, même si on n'en a pas l'impression sur le moment.

— Et Mme Bart ?

— Je ne sais pas où elle est allée.

— Connaissiez-vous le Dr Purcell ?

— Je savais qui il était, rien de plus. C'est son bureau, à côté. Il s'est, comment dire... volatilisé. Franchement, ça me fiche la frousse.

— Ce n'est pas normal. Je me demande ce qui s'est passé...

— Aucune idée. Tout le personnel en est complètement retourné. Tous les résidents l'adoraient. Il n'oubliait jamais de leur faire envoyer une carte pour leur anniversaire, ce genre d'attentions. Il les payait même de sa poche, juste pour que ces pauvres vieux se sentent aimés.

— A-t-on des idées sur ce qui a pu lui arriver ?

— Tout le monde passait son temps à faire des hypothèses, au début. Enfin, pas tellement moi, vu que je ne le connaissais presque pas.

— De quel genre... ?

Je vis Merry se colleter avec sa conscience, délibérant pendant sept bonnes secondes avant que Celle-qui-ne-parle-jamais-des-autres ne se penche vers moi.

— Vous me promettez de ne pas le répéter...

— Je n'y ferai pas une seule allusion.

Elle baissa la voix :

— Mme S. pense qu'il a quitté le pays.

Je baissai la voix aussi :

— A cause de... ?

— A cause de Medicare.

— Où avais-je la tête ? Quelqu'un m'en a déjà parlé, mais je n'ai pas eu le temps de poser des questions. Et ça voudrait dire ?

— F-R-A-U-D-E, épela-t-elle. L'hiver dernier, le BIG...

— Le BIG ?

— Oh ! Le Bureau de l'inspecteur général. Ça fait partie du département de la Santé et des Affaires sociales. Toujours est-il que le BIG nous a faxé une liste de décomptes et de dossiers de facturation qu'il voulait voir. Mme S. a commencé par dire que le Dr Purcell ne se faisait pas particulièrement de souci. Ça les prend de temps en temps, histoire de vous empêcher de dormir. Mais quand ils ont remis ça, il a compris que c'était sérieux. Il passait son temps à lire et relire les dossiers pour se faire une idée de ce qu'ils en penseraient. Sûrement pas du bien ! Il était « dans la crotte » jusqu'au cou, pour reprendre son expression à elle.

— Et c'est pour cette raison qu'il restait tard au bureau, ces deux derniers mois ?

— Tout juste.

— L'établissement fait donc l'objet d'un contrôle ?

— Et ils mettent le paquet ! Au début, c'était une simple vérification du secrétariat. Ils ont réclamé un tas de dossiers couvrant les deux dernières années. C'est-à-dire à partir du moment où le Dr P. a été nommé directeur médical. C'est son titre : « directeur médical-administrateur », avec un tiret entre les deux. D'après Mme S., si les Prairies du Pacifique perdent leur subvention, il n'y aura plus qu'à mettre la clé sous le paillasson. Sans parler de toutes les sanctions... Vous connaissez : les amendes et le remboursement. Elle parle même d'une peine de prison, sans compter le scandale. Les Purcell sont un couple très lancé, on les voit partout en société avec tout le tralala, alors vous imaginez la honte ! Tout le poids de l'affaire retomberait forcément sur le Dr P. Il l'a « sacrément dans le baba » ! Ce sont ses mots à elle, pas les miens.

— Et ses employeurs ?

— Oh, ces deux-là n'ont rien à voir avec ceux qui mouillent leur chemise. Ils se baladent aux quatre coins de l'Etat, à s'occuper d'autres affaires.

— Eh bien, dites-moi, ça paraît mal parti pour le Dr Purcell !

— Ç'aurait été moi, je serais déjà morte !

— J'imagine, lui dis-je. Quand toute cette histoire s'est-elle déclenchée ?

— En janvier dernier, je crois, bien avant que j'arrive. Et puis, en mars, les deux types de la BRFM ont rappliqué sans se faire annoncer... la Brigade de la répression des fraudes de Medicaid. Ils sont arrivés avec des tonnes de questions et une liste de tous les comptes qu'ils voulaient qu'on leur montre. Ça a été la panique, tout le monde en faisait presque pipi dans sa culotte ! Le Dr P. a été tenu de justifier une énorme liste d'infractions et un monceau de factures douteuses, autrement dit... ce serait un E-S-C-R-O-C. Et nous parlons de milliers de dollars ! Un demi-million au moins, et ce n'est qu'un début. Il se pourrait qu'il ait monté une énorme arnaque.

— Comment se fait-il que la presse n'en ait pas eu vent ?

— Mme S. dit qu'ils ne révéleront l'affaire que lorsqu'ils sauront exactement ce qu'ils tiennent. En attendant, ils ne le lâchent pas d'une semelle et ils n'ont pas envie de plaisanter.

— Elle pense donc qu'il a filé pour éviter une condamnation ?

— Sûr que j'en aurais fait autant à sa place.

— Qui vous dit que c'est lui, le responsable ? D'autres personnes avaient forcément accès à la facturation. Cela expliquerait peut-être le licenciement de la comptable.

Elle se pencha vers moi et baissa les yeux.

— Vous garderez ça pour vous, vous me le promettez ? Jurez-le.

Croix de bois, croix de fer, si je meurs, je vais en enfer.

— Mme Dorner... c'est la directrice du Programme de formation continue du personnel... elle pense qu'on aurait enlevé le Dr P. Qu'on l'aurait kidnappé dans le parking pour l'empêcher de parler.

— Eh bien, dites donc ! m'exclamai-je en ne cachant pas mon scepticisme. Malheureusement, d'après la police, aucun indice ne permet de retenir cette piste.

— Ce ne serait pas sorcier. Vous lui collez du sparadrap sur la bouche, vous le fichez dans le coffre et vous démarrez, m'expliqua-t-elle. On a pu utiliser sa propre voiture, ce qui expliquerait qu'on ne l'ait pas retrouvée.

Je saisis le regard de Merry qui s'était mise à tripoter le courrier dans une crise subite d'activité.

— Très bien vu, ça, dis-je.

Je jetai un coup d'œil par-dessus mon épaule. Une infirmière en uniforme blanc s'était plantée dans l'encadrement de la porte. Elle nous tenait sous son regard à la fois calculateur et intimidant. Je me raclai la gorge.

— Merry, je ferais mieux de me sauver et de vous laisser revenir à vos occupations. Je repasserai lundi pour voir Mme Stegler.

— Je lui dirai que vous êtes venue.

L'infirmière se retourna et me dévisagea quand je franchis la porte à quelques centimètres d'elle. Je réprimai un frisson d'appréhension dès qu'elle fut dans mon dos, me demandant ce qu'elle avait entendu exactement.

Dans l'entrée, je récupérai mon ciré et pris le temps de renfiler ma tenue de pluie. Lorsque je quittai la maison de retraite, il ne tombait plus qu'un petit crachin, et de la vapeur semblait flotter sur l'asphalte comme un nuage de fumée. Les auvents continuaient à goutter à intervalles réguliers. Je contournai une flaque et traversai le parking jusqu'à la place où je m'étais garée. Cette fois, les yeux dessillés, je déchiffrai le nom fraîchement badigeonné de peinture au pied de l'emplacement réservé : P. DELACORTE.

De retour à ma voiture, j'ouvris le paquet de fiches et commençai à prendre des notes — un fait par fiche — jusqu'à ce que mon cerveau soit vide. Quelque chose m'intriguait dans tout ça : pourquoi ni Crystal ni la police ne m'avaient-elles parlé de cette histoire de fraude quand je les avais interrogées ?

CHAPITRE 7

Après avoir quitté les Prairies du Pacifique, je m'arrêtai chez Kingman & Ives et entrai par la porte de côté. J'allai droit à mon bureau, ôtai mon ciré et l'accrochai à mon portemanteau. Dieu merci, l'endroit semblait désert, bien que ce fût allumé dans la plupart des bureaux. L'équipe de nettoyage du samedi matin était passée. On avait vidé les corbeilles. L'air sentait le Pledge et des rangées de traces fraîches d'aspirateur labouraient la moquette orange foncé. Un silence divin régnait. L'espace d'une seconde, je visualisai mon nouveau bureau pour personne seule de Floresta Street. Je me sentais déjà prête à me bagarrer avec les autres candidats à la location.

Je sortis ma Smith-Corona portable et la posai sur mon bureau. Après quoi, je m'assis dans mon fauteuil pivotant et saisis le dossier que j'avais ouvert. Je triai les notes que j'avais prises, complétant les fiches. Le retour de Fiona ce mardi-là primait sur toute autre considération. Je la voyais déjà les bras croisés, tapotant le sol d'un pied impatient tandis que je l'informais de

l'état de mes recherches. Des dollars lui danse-
raient au-dessus de la tête, aussi légers que des
flocons de barbe à papa, cependant qu'elle penserait : « Cinquante dollars l'heure pour ça ? »
Ma stratégie allait consister à me montrer plus
maligne que la dame en lui présentant un rapport
dactylographié impeccablement construit, propre
à la convaincre que je ne m'étais pas contentée
de faire de la voiture et de tailler une bavette
avec les copains, loin s'en faut. En réalité, je lut-
tais contre le sentiment oppressant de sa réproba-
tion, sachant qu'elle chipoterait le moindre nic-
kel dépensé. Même si sa première manifestation
d'irritation n'avait été que de la manipulation
pure et simple, je sentais la brûlure de sa cravache sur ma nuque. Enfin... inutile de m'appe-
santir sur l'idée que j'aurais dû refuser cette
enquête pendant qu'il en était encore temps.

Je revins donc à mes moutons. Il me fallut une
bonne heure pour ébaucher un premier brouillon.
Je le tapai et le remaniai après une double révision. J'optai pour un ton neutre, veillant à ne pas
tirer de conclusions de ce que j'avais appris
jusque-là. J'omis aussi une grande partie des
confidences de Crystal. On me payait pour retrouver Dow, par pour me répandre sur sa
seconde épouse auprès de Fiona. Enfin, sûre que
le rapport était aussi lisse qu'un galet, j'en tapai
la version définitive. Puis je sortis ma calcula-
trice et additionnai mes heures. Combien de
temps avais-je discuté avec l'inspecteur Odessa ?
Je me tapotai les incisives d'un bout de crayon
perplexe. Disons, vingt minutes à tout casser,
j'arrondis à une demi-heure. Que Fiona n'aille

pas croire que je l'avais arnaquée avec les flics. Voyons. J'avais passé près de deux heures avec Crystal, j'ajoutai une heure de plus pour couvrir ma visite de la matinée aux Prairies du Pacifique. J'inspectai les chiffres. Jusque-là, je n'avais gagné que cent soixante-quinze dollars sur les quinze cents qu'elle m'avait versés d'avance, autrement dit je lui devais encore l'équivalent de treize cent vingt-cinq dollars de mon existence. A ce rythme, je ne sortirais jamais du rouge. Oh, et puis zut. Je tapai la facture et l'agrafai à l'original de mon rapport, puis j'en rangeai les doubles dans le dossier.

Je me levai et m'étirai, éliminant les contractures de ma nuque par une torsion ou deux. Incapable de rester en place, je m'aventurai dans le couloir, jetant un coup d'œil dans les bureaux. En passant devant celui de Lonnie, j'eus la surprise de l'apercevoir. Il était calé dans son fauteuil pivotant et les pieds sur le bord de son bureau, un document sur les genoux, profitant sans doute de ce que le bureau était calme et le téléphone silencieux pour rattraper son retard. Au lieu de son habituelle chemise de ville-cravate, il portait une chemise en flanelle à carreaux et un jean délavé. Du fait de sa concentration intense, son corps était d'une immobilité totale. Il tendit la main vers son crayon et souligna une phrase, troublant le silence d'un crissement léger.

Lonnie ressemble à un boxer, le corps ramassé et musclé, le nez épaissi de cicatrices. Il a des cheveux noirs en bataille et bourrés d'épis. J'ai vu des nouveau-nés comme ça, avec une tignasse si drue et si inattendue qu'on a envie d'éclater de rire. C'est un homme qui pète d'énergie et carbure aux vitamines, café et suppléments nutritionnels : la compétition stimule. C'était sûrement la première fois que je le voyais aussi détendu.

— Lonnie ?

Il leva les yeux et me sourit, lâchant son crayon.

— Kinsey ! Entre, entre ! Je me demandais ce que tu fabriquais. Ça fait des semaines que je ne t'ai pas vue.

— Bof, pas grand-chose. Je ne savais même pas que tu étais là. C'était si calme que je me croyais seule. Tu te remets à jour ?

— Exactement, mais c'est juste un prétexte. Marie est de sortie. Une convention de casse-couilles à San Diego ou je ne sais quoi. En réalité, je préfère être ici que coincé tout seul à la maison. Assieds-toi donc. Que deviens-tu ? Qu'est-ce qui t'amène ici un samedi après-midi ?

— Je tapais quelques notes pendant que les détails étaient encore frais dans mon esprit. Oh, avant que j'oublie... un certain Richard Hevener risque d'appeler pour vérifier mes références.

— Tu es sur un coup ?

— Je crois avoir trouvé un local, mais j'attends de voir. (Je lui fis le point de la situation, lui décrivant la villa fraîchement rénovée et sa terrasse en séquoia.) C'est génial. Petit et calme, et une situation idéale.

— S'il appelle, je te promets de chanter tes louanges. Je ne dirai pas un mot de ton infime séjour derrière les barreaux. En attendant, la porte te reste ouverte si ça ne marche pas.

— Merci de tout cœur. Et croise les doigts pour moi.

— Avec plaisir, m'assura-t-il. Ida Ruth me dit que tu enquêtes sur la disparition du Dr Purcell ?

— Mais, bon sang, comment le sait-elle ? J'ai accepté ce travail pas plus tard qu'hier !

Lonnie agita la main dans le vague.

— Ida Ruth est au courant de tout. Elle s'en fait un point d'honneur. En réalité, elle a une amie qui travaillait pour lui. Il paraît qu'il a mis les voiles ? L'envie m'en vient parfois à moi aussi.

— Arrête. Marie te filerait au train et remonterait ta piste comme un limier !

Sa femme enseignait les arts martiaux et n'ignorait rien de la manière d'esquinter les gens d'un coup de son trente-six fillette, pieds nus.

— Que veux-tu... Évidemment, le problème, quand on disparaît, c'est qu'on ne le fait pas sur un coup de tête. Pas si on y songe sérieusement. Une planification à long terme s'impose si on veut s'éclipser pour de bon.

— Ça me semble évident. Personnellement, je le crois mort, mais son passeport et trente mille dollars se sont évaporés à peu près en même temps.

— Avec trente mille dollars, tu tiendrais six mois. Purcell, lui, est habitué à se la couler douce. Ce n'est pas le genre à mégoter sur les sous. A son âge, il faudrait être givré.

— Exactement ce que je me suis dit. Par ailleurs, s'il s'est installé dans un pays du tiers monde, il a largement de quoi vivre, et en cas de pénurie, il pourrait ouvrir un petit cabinet sans qu'on lui pose de questions.

— Pourquoi bouger ?

— C'est vrai, j'ai oublié de te parler du sac de nœuds sur lequel je suis tombée aujourd'hui. (Je lui narrai ma visite aux Prairies du Pacifique et la petite conversation que j'avais eue avec Merry, la sainte patronne des bavardes.) D'après elle, les as de la Brigade fédérale de répression des fraudes sont aux trousses du bon docteur. Un million de dollars auraient été détournés. Coupable ou innocent, il pourrait tout à fait avoir pris le large en se rendant compte qu'ils brûlaient.

Lonnie eut une petite grimace d'impatience.

— Arrête de blaguer ! Tu n'imagines quand même pas que les fédéraux vont boucler un type de sa pointure ! Le parquet doit d'abord prouver la préméditation. Et il va le faire comment, hein ? Crois-moi, la réglementation de Medicare a de quoi rendre dingue le gars le plus honnête. Tu brouilles l'affaire, tu invoques des erreurs de codes et l'incompétence du personnel. Ils pourraient lui coller une amende et le sermonner, mais n'importe quel avocat digne de ce nom le tirerait d'affaire. Bon Dieu, j'en serais capable moi-même et j'ignore tout de ce système ! Tu commences par raser à mort les jurés. Tu sors une série de tableaux et de courbes, tu cites des statistiques qui neuf fois sur dix déclenchent des hochements de tête avertis. Tu laisses entendre que le vieux toubib est gâteux ou nul côté chiffres. (Il s'interrompit avec un hennissement joyeux.) Tu as entendu parler de cette affaire ?

Un type à Fresno a été acquitté parce que le jury l'a jugé trop taré pour être coupable d'abus de confiance ! Son propre avocat l'a présenté comme un tel connard que le jury s'est laissé émouvoir et a donné l'absolution à cette nullité. Purcell ne court aucun risque.

— D'accord, mais comment le saurait-il ? Et *quid* du scandale ?

— On se fout de ces trucs-là par les temps qui courent. (Lonnie récupéra son crayon et dessina un parallélépipède sur son bloc.) Il y a une chose que tu oublies... si le type est futé... disons, s'il a arnaqué le système d'un demi-million de dollars, au bas mot à mon avis. C'est tout ce qu'on sait jusqu'ici. Disons deux millions de dollars, histoire de justifier le risque. Un type malin fait deux, voire trois voyages à l'étranger. Il choisit un pays où il se sait protégé par les lois d'extradition si les fédéraux retrouvent sa trace. Il ouvre un compte et l'alimente, transférant des fonds jusqu'à ce qu'il ait le nécessaire. Après quoi, il peut continuer gentiment son petit manège jusqu'à ce que quelqu'un le repère. Ça commence à sentir le roussi ? Il prend le premier avion en partance. Et dans ce cas, les trente mille dollars servent juste à assurer ses déplacements.

Je repensai à ce que m'avait dit Fiona, à savoir que Dowan avait disparu à deux reprises sans laisser d'explications.

— Bien vu, lui concédai-je.

Je pensai aussi à la comptable qu'on avait virée, et à l'administratrice adjointe qui avait quitté son boulot sans piper mot. Peut-être Dow essayait-il de détourner l'attention. Le téléphone sonna, Lonnie saisit le combiné. D'après ses commentaires, c'était Marie qui venait aux nouvelles. Je lui fis un signe d'adieu et sortis, le laissant terminer sa conversation en privé.

Je revins dans mon bureau et relus mon rapport. Il paraissait impeccable, mais je résolus de le laisser un jour en attente. J'y rajouterais des entretiens une fois que j'aurais trouvé qui interroger. Je dressai la liste des possibilités. Les associés de Purcell figuraient parmi les cinq premiers noms, ainsi que le meilleur ami de Dow. Je m'assurai que j'avais leurs numéros de téléphone et décrétai que cela suffisait pour ce jour-là et qu'il était temps de réintégrer mes pénates.

A 2 heures de l'après-midi, je me fis un potage à la tomate et un sandwich au fromage toasté bien gluant que je trempai dans mon bol et portai tout dégoulinant à mes lèvres. Le rouge du potage sur la surface dorée et croustillante du pain était une illustration gastronomique des réconforts de l'enfance. C'est tante Gin qui me régala la première fois de ce brouet quand j'avais cinq ans et que je pleurais mes parents qui s'étaient tués dans un accident de voiture au mois de mai. Depuis, le côté suintant du Velveeta fondu a toujours éveillé en moi une curieuse sensation de chagrin et de volupté mêlés, affleurant à la surface de ma langue. Le sandwich, je l'avoue, fut le point fort de mon week-end, une de ces voluptés auxquelles se réduit la vie quand on opte pour le célibat.

Après quoi, je fis ce que tout enquêteur de métier dûment patenté aurait fait : je gravis les six marches conduisant à mon séjour, envoyai valser mes chaussures et m'installai sur le canapé, emmitouflée dans une grosse couette moelleuse, et me plongeai dans un livre. En quelques minutes, je me retrouvai happée par un trou minuscule dans un univers de fiction, filant plus vite que les mots pour m'enfoncer dans un territoire sans bruits ni pesanteur.

Le téléphone sonna, bruit d'une stridence exaspérante. J'avais sombré comme une pierre dans un fleuve de rêves, et la nécessité de refaire surface me désorientait complètement. Je cherchai à tâtons le téléphone qui reposait sur la table de bout de canapé au-dessus de ma tête. Je ne m'étais même pas aperçue que je m'étais endormie, sauf que je bavais, ce que je ne fais pas en période de veille.

— Madame Millhone ?

— Elle-même.

Si c'était quelqu'un qui essayait de me vendre des trucs, j'allais être très grossière.

— Blanche McKee à l'appareil.

Trois secondes s'écoulèrent. Le nom ne me disait rien. Je me frictionnai la figure.

— Qui ça ? demandai-je.

— La fille de Fiona Purcell. Si j'ai bien compris, maman vous a engagée. Je voulais juste vous dire à quel point nous sommes tous soulagés. Nous la pressions de le faire depuis la disparition de papa.

— Ah, j'y suis. Excusez-moi. Je ne vous remettais pas. Comment allez-vous ?

Complètement dans le brouillard, je m'assis, m'enroulant dans la couette comme dans une robe tribale.

— Bien, merci. J'espère que je n'appelle pas au mauvais moment. Je ne vous ai pas réveillée, n'est-ce pas ?

— Absolument pas !

En fait, vous avez beau jurer le contraire, tout le monde sait que vous étiez en train d'en écraser.

Blanche semblait avoir décidé de me croire.

— Je ne sais pas ce que maman vous a dit... un tas de choses, je suis sûre... mais si je peux vous être utile en quoi que ce soit, je serais ravie de vous aider. Vous a-t-elle parlé de mon amie Nancy ?

— Je ne crois pas. Ce nom ne me dit rien.

— C'est bien ce que je craignais. Maman est plutôt sceptique, comme vous l'aurez deviné. Nancy vient de s'installer à Chico, mais on peut la joindre à n'importe quelle heure au téléphone.

— Nancy, dites-vous ? Parfait. Je note.

Qui diable était Nancy ?

— Je suppose que vous voulez connaître mes impressions à moi aussi.

— Bien entendu. Enfin... si c'est nécessaire. Ce serait super.

— Je suis contente de vous l'entendre dire parce que je pensais... Si vous avez une minute cet après-midi, on pourrait peut-être se rencontrer afin que je vous fasse part de mes inquiétudes ?

J'hésitai.

— Voyez-vous, en ce moment, lui dis-je, je

m'intéresse plus aux faits qu'aux impressions et aux inquiétudes. Cela dit sans vous offenser...

— Bien sûr. Mais je ne voulais pas dire que je n'avais pas de données précises.

— Mmm...

Je n'avais pas oublié le mépris à peine déguisé de Fiona à l'égard de sa benjamine, mère de quatre enfants et bientôt de cinq. Par ailleurs, Fiona avait peut-être parlé de moi à Blanche pour vérifier ma persévérance obstinée, puisque j'avais tellement insisté sur ce point lors de notre rencontre.

— Quelle heure vous irait ? me demandait Blanche.

Cette fois, j'articulai le mot malsonnant, ajoutant un nouvel explétif à ma collection déjà pléthorique.

— Ne quittez pas. Je prends mon agenda.

Je posai le récepteur sur ma poitrine tout en consultant ma montre. 4 h 6. Je laissai couler les minutes, feignant de consulter ledit agenda bourré de rendez-vous le samedi après-midi. Je ne souhaitais pas spécialement rencontrer Blanche, surtout au prix d'une sieste merveilleuse. L'idée de sortir de ma tanière me hérissait, et Dieu sait que cela ne me chantait guère de traîner en ville par une journée froide et humide. Le crépuscule précoce de novembre obscurcissait déjà les fenêtres de mon séjour et je pouvais voir le crachin à travers les branches dénudées qui cognaient aux vitres. Je jetai un nouveau regard à ma montre. 4 h 7.

J'entendis Blanche qui respirait. Quand elle reprit la parole, ce fut d'un ton sec :

143

— Kinsey, vous êtes là ?

— Je suis là. Eh bien, dites-moi, j'ai bien l'impression d'être prise toute la journée. Demain, ce serait possible. Je pourrais venir vers dix heures.

— Ça ne me va pas et lundi est hors de question. Vous ne pouvez vraiment pas faire un saut ? Quelque chose me dit que c'est terriblement important.

Moi, quelque chose me disait que j'éprouvais une bouffée d'irritation. J'imaginais Fiona rentrant de San Francisco et fulminant parce que je n'avais pas trouvé le temps d'interroger Blanche. Quinze cents dollars et vous ne pouviez même pas prendre la peine de voir ma fille ?

— Je pourrais passer à cinq heures trente, mais juste une demi-heure. Je ne peux pas faire mieux.

— Parfait. C'est impeccable. Nous sommes dans Edenside, à l'angle de Monterey Terrace. Au 1236. C'est une maison d'un étage de style espagnol. Vous verrez une familiale bleu foncé garée dans l'allée.

Edenside Road faisait partie d'un petit ensemble d'habitations astucieusement niché au pied des collines ; cinq rues sinueuses aboutissaient chacune à un large cul-de-sac. Le promoteur avait suivi les courbes du terrain et adopté les tracés qui offraient le moins de résistance, les cinq rues se faufilant dans les plis de la colline tels des ruisseaux d'asphalte dévalant depuis la côte la plus élevée. J'avançais à une allure de tor-

144

tue, un seize à l'heure exaspérant, tandis qu'un gendarme couché me ralentissait à peu près tous les quinze mètres. C'était un quartier idéal pour les enfants, dont la présence était annoncée par la profusion de poussettes, maisonnettes, portiques, bicyclettes, tricycles, Big Wheels et planches de skate dans les jardins. A croire qu'un Toys « R » Us avait explosé à proximité.

La maison située à l'angle d'Edenside et de Monterey Terrace était indéniablement une hacienda d'un étage avec un jardin sur le devant. Même dans la lumière qui déclinait, il était impossible de rater le garage à trois places : il saillait avec l'agressivité d'un poing. Alors que j'observais la maison, l'éclairage paysager à bas voltage s'alluma, illuminant la façade. Le stuc extérieur affichait un orange criard, et les tuiles des toitures, bien qu'en argile, consistaient en des « S » orange visiblement produits en série. Les tuiles d'origine qui font encore le charme de nombreuses maisons de la ville offrent aujourd'hui un rouge foncé fané, tacheté de lichen, et leur forme en « C » rappelle que le tuilier avait posé autrefois l'argile souple sur sa cuisse pour leur donner leur arrondi.

Comme promis, une familiale bleu foncé stationnait dans l'allée. Je me garai contre le trottoir, sortis de la voiture, la fermai à clé et procédai à l'approche des lieux par une allée en granit concassé. On avait opté pour un aménagement paysager de zone aride avec profusion de graviers et de béton parsemés d'un assortiment de cactées et d'énormes plantes grasses. Je franchis une petite grille et traversai la cour carrelée. Une fausse fontaine espagnole crachait de l'eau au moyen d'une pompe à redistribution.

Je sonnai. Il y eut aussitôt des cris aigus, un concert d'aboiements et le claquement de petits pieds tandis qu'une meute de bambins se disputaient l'honneur de me faire entrer. Au moment où la porte s'ouvrit, un petit bout de femme de cinq ans environ se retourna pour expédier une taloche au chérubin de quatre ans qui la suivait. En quelques secondes, les coups volèrent tandis que les enfants, écarlates et en larmes, se bagarraient ferme pour s'emparer du loquet, se poussant et s'envoyant des coups de pied de leurs chaussures marron à solides semelles. Cependant que deux Jack Russell hyperactifs sautaient comme montés sur des ressorts. Le petiot qui fermait la marche fut bousculé et tomba assis sur son rembourrage de couches en poussant un hurlement. Une autre fille, le dos tourné, se précipita dans le couloir vers le fond de la maison et sonna l'alarme.

— Maman !! Maaaman ! Heather est en train de taper Josh et les chiens ont fait tomber Quentin sur son POSTÉRIEUR !

— Amanda, je t'ai dit que je ne voulais pas t'entendre geindre ! Josh est assez grand pour se débrouiller tout seul. Alors, sois gentille de t'occuper de ce qui te regarde et arrête de faire ta concierge ou tu vas me rendre folle !

Manifestement affligée de lordose, Blanche apparut en tanguant, le ventre si distendu qu'on aurait dit une lune en goguette maintenue en orbite par une force de gravitation invisible. Sa tenue de femme enceinte en soie gris clair

146

lavable alliait un large pantalon flottant et une tunique longue à devant rapporté, le tout fixé par un ingénieux système de boutonnage. Je la voyais déjà quand le bébé serait là, faisant jaillir un nichon pour nourrir le marmot à la demande. Ses longs cheveux blonds aux belles mèches luisantes lui arrivaient presque à la taille. Son teint de porcelaine avait une couleur de pêche à peine colorée. Avec ses yeux bleus, son front haut et ses sourcils finement arqués, elle ressemblait à une princesse de contes de fées sortie d'un livre de Grimm... à ceci près qu'elle était enceinte jusqu'aux yeux.

Elle se pencha pour récupérer son benjamin qui hurlait à pleins poumons et se le cala sur la hanche. Puis elle saisit Heather par le bras, l'obligeant à lâcher son frère et la poussant dans le couloir.

— Vous, les enfants, dit-elle, vous allez dans le jardin. Amanda va vous préparer des crackers au beurre de cacahuète. Vous pouvez goûter dehors. Mais ne vous gavez pas ! On dîne dans pas longtemps. Et maintenant, dégagez. Je ne plaisante pas. Tout le monde dehors.

— Mais maman, il fait noir !

— Eh bien, allume la lumière de la véranda.

— Mais on veut regarder des dessins animés !

— Tant pis. Tu obéis. Et on ne court pas ! leur recommanda Blanche.

Heather et Josh, qui enfilaient déjà le couloir au pas de charge, ralentirent sans cesser de s'envoyer des coups de pied et de se bousculer. Les chiens se précipitèrent à leur suite en aboyant, tandis qu'Amanda mettait le cap sur la cuisine sans moufter pour confectionner les fameux crackers au beurre de cacahuète. Amanda, sept ans à tout casser, se coulait déjà dans son rôle de seconde petite maman.

Tout en donnant des ordres, Blanche avait réussi à bercer le bébé en larmes et à calmer ses hurlements. Elle se retourna et prit lourdement la direction de la pièce commune, tandis que j'entamais un parcours du combattant derrière elle. Il y avait des jouets partout. Pour éviter d'écraser du plastique en marchant, je dus patiner sans grâce, me frayant un chemin à travers les morceaux de Lego qui jonchaient le sol. Une barrière ouvrante en bois avait été fixée en travers de l'escalier conduisant au premier, un crochet engagé dans un piton fermant ce que je supposai être la porte du sous-sol, afin d'empêcher les petits de tomber tête la première dans l'abîme béant.

— Votre mère m'a dit que vous aviez une nurse, lui dis-je avec mon incorrigible optimisme.

— Elle ne vient pas le week-end et Andrew est en déplacement.

— Dans quelle branche travaille-t-il ?

— Il est avocat d'affaires. Spécialisé en fusions et acquisitions. Il est à Chicago jusqu'à mercredi.

— Pour quand le nouveau bébé est-il prévu ?

— Officiellement pour dans trois semaines, mais il n'attendra probablement pas jusque-là. Tous les autres ont devancé l'appel.

Dans la salle commune, un coffre à jouets béait, son contenu dispersé aux quatre coins de la pièce : des poupées, des ours en peluche, un bus

148

scolaire jaune fluo plein de figurines aux couleurs vives en forme de quilles et dont la tête ronde était peinte. Il y avait un établi en bois et un maillet pour enfoncer des chevilles également en bois à la bonne place, des crayons, des albums de coloriage, des Tinkertoys, des petites voitures en métal, un train en bois. Un parc de bébé pliable, en bois lui aussi, occupait le milieu de la pièce. J'avisai une balançoire mécanique, un trotteur entouré d'amortisseurs en caoutchouc, une chaise haute de bébé, un baby-relax et un cabas. Toutes les prises électriques en vue étaient munies de cache-prises en plastique. On n'apercevait aucun objet sur aucune surface au-dessous du niveau de la mer, tout ce qui pouvait se casser ayant été relégué sur une étagère en hauteur comme en prévision d'une inondation imminente.

De dehors nous parvint un cri perçant, qui monta en intensité et dépassa le niveau des hurlements précédents dans le couloir.

— Maman ! Maman !! criait Amanda. Heather a poussé Josh qui est tombé de la cage à poules et il saigne du nez...

— Seigneur ! gémit Blanche. Tenez, prenez-le.

D'un même geste, elle me donna le bébé comme elle m'aurait fait une passe avant et partit en tanguant dans la cuisine. Quentin me surprit par son poids ; il avait des os denses comme la pierre. Il regarda sa mère s'éloigner, puis ses yeux se posèrent sur les miens. Il ne maîtrisait pas encore le langage, mais je vis la notion de « monstre » se former dans son cerveau insuffisamment développé. Il prit soudain conscience de l'énormité de la situation dans laquelle il se trouvait et arrondit sa petite bouche en cul-de-poule, annonçant un nouveau cycle de hurlements.

— Je peux le mettre dans le parc ? criai-je à sa mère.

— Non, il a horreur de ça ! hurla-t-elle en se dirigeant vers la porte de derrière.

Dans le jardin, un deuxième enfant prit le relais des hurlements avec l'idée bien arrêtée, semblait-il, de faire concurrence au premier. Comme pour y répondre, la bouche de Quentin s'ouvrit dans un cri parti de si loin qu'il fut d'abord silencieux. Puis l'enfant fit le gros dos, rassemblant ses forces. Et sans prévenir, il s'arqua brusquement tel un plongeur au beau milieu d'un saut carpé. Il m'aurait échappé si je ne l'avais maintenu solidement et arraché au sol. Je lançai un « youpee ! » comme si tous les deux on s'amusait rudement bien. Son expression suggérait le contraire.

J'essayai de le bercer gentiment comme elle un peu avant, mais cette tentative ne fit qu'empirer les choses. Non seulement j'étais un monstre, mais un monstre-secoueur-de-bébés, bien décidé à le secouer comme un prunier jusqu'à ce que mort s'ensuive. Je déambulai en rond, avec des « là, là, là... » qui ne l'apaisèrent pas. En désespoir de cause, je finis par le poser dans son parc, l'obligeant à plier ses jambes raidies jusqu'à ce qu'il soit complètement assis. Je lui tendis deux cubes d'alphabet et un morceau de gâteau sec à demi mangé. Les hurlements cessèrent net. Il enfourna le gâteau et abattit la lettre « P » sur le tapis en plastique. Je me redressai, m'envoyant des petites tapes réconfortantes sur la poitrine tandis que je me dirigeais vers la cuisine et allais aux nouvelles.

Blanche poussait violemment la porte à ce moment précis, portant sur la hanche son Josh de quatre ans dont les jambes lui arrivaient largement au-dessous des genoux. Une bosse de la taille d'un œuf pointait sur le front de l'enfant et sa lèvre supérieure saignait. D'une main, sa mère mouilla un torchon de cuisine, ouvrit le freezer et sortit quelques glaçons qu'elle enveloppa dans le torchon et pressa contre le front de son fils. Elle le porta ensuite dans la salle de jeu et s'effondra dans un fauteuil. A l'instant où elle s'assit, l'enfant s'insinua dans une ouverture de la tunique maternelle et se mit à téter. Ahurie, je détournai les yeux. Je croyais que les bambins de cet âge n'avaient plus accès depuis belle lurette à ce genre de passe-temps. Elle m'indiqua un siège voisin, ne prêtant aucune attention au fait qu'il lui tétait le sein droit.

Je jetai un coup d'œil au siège et ôtai un sandwich au beurre de cacahuète-et-confiture à demi consommé avant de m'asseoir sur le bord. Les soins à dispenser d'urgence à Josh avaient apparemment habilité tous les enfants à fuir le froid et l'obscurité du dehors. Le temps de reprendre mes esprits, les braillements d'un dessin animé s'échappaient du téléviseur. Heather et Amanda s'étaient assises par terre en tailleur et Josh les rejoignit quelques instants plus tard, pressant contre sa tête les glaçons emmaillotés dans le torchon.

J'essayai de me concentrer sur ce que disait Blanche, mais n'arrivai pas à chasser l'idée obsédante que, même à mon âge, une ligature des trompes n'était pas à exclure.

CHAPITRE 8

Elle me surprit à regarder ma montre.

— Comme je sais que vous êtes pressée, dit-elle, j'irai droit au but. Maman vous a-t-elle mise au courant du passé de Crystal ?

— Je sais qu'elle était strip-teaseuse avant d'épouser votre père.

— Ce n'est pas ce que je veux dire. Vous a-t-elle dit que sa fille de quatorze ans est née hors mariage ?

J'attendis, ne voyant pas le rapport. Je me penchai vers elle, non pas mue par une curiosité intense, mais parce que les sifflements, explosions et musique démente qui émanaient de la télévision atteignaient assez de décibels pour me causer une surdité définitive. Je regardai bouger les lèvres de Blanche, reliant les phrases avec un temps de retard, comme les sous-titres d'un film.

— Je ne suis même pas sûre que Crystal sache qui est le père, reprit-elle. Ensuite, elle a épousé Lloyd Machinchose et a eu un autre enfant de lui. Le garçon est mort à l'âge de dix-huit mois, une noyade accidentelle... cela doit faire quatre ou cinq ans.

Je marquai le coup.

— Et vous pensez qu'il existerait un lien avec la disparition de votre père ?

Elle parut stupéfaite.

— Non, bien sûr. Mais vous avez dit que vous vouliez connaître tous les faits. Je tenais à ne laisser subsister aucun blanc afin que vous sachiez à quoi vous vous attaquez.

— C'est-à-dire ?

Une publicité interrompit le dessin animé, le son grimpant d'un cran afin que les petits chéris de la maison d'en face ne ratent rien du message à la gloire de céréales enrichies de vitamines censées avoir l'aspect et la saveur de la réglisse.

— Le comportement de Crystal ne vous a pas semblé bizarre ? me demandait Blanche.

A présent, je lisais principalement sur ses lèvres, et sa remarque m'avait complètement échappé.

— Blanche, pourrions-nous baisser la télévision ?

— Oh, désolée.

Elle saisit la télécommande et coupa le son. Un silence exquis s'installa. Les enfants restèrent assis par terre, réunis devant le poste comme devant un feu de camp. Des images frénétiques dansaient sur l'écran avec une telle débauche de couleurs que j'en gardai l'image rémanente quand je détournai les yeux.

Blanche revint à sa remarque.

— J'ignore quel est votre sentiment, mais la situation n'a pas l'air d'affoler Crystal le moins du monde. Elle est d'un calme olympien, ce qui ne me paraît pas normal.

— Mais ça fait neuf semaines ! Je ne crois pas qu'on puisse être paniquée pendant si longtemps. Les défenses se mobilisent. On s'adapte, ou alors on devient fou.

— Je relève simplement que Crystal n'a jamais lancé d'appel au public pour recueillir des informations sur papa. Elle n'a jamais offert de récompense. Jamais distribué d'avis de recherche. Jamais eu recours à un médium...

Je fus prise de court.

— Vous croyez qu'un médium servirait à quelque chose ?

— En tout cas, ça ne ferait pas de mal. J'ai une amie, Nancy, assez étonnante. Elle a un don sidérant, c'est à ne pas croire.

— Elle est médium ? C'est pour ça qu'elle propose de discuter avec moi au téléphone ?

— Évidemment. Quand j'ai perdu ma bague de fiançailles, elle a réussi à localiser l'endroit exact où elle se trouvait.

— Comment a-t-elle procédé ? Vous m'intriguez.

— C'est difficile à décrire. Elle a dit qu'elle sentait quelque chose de sucré. Elle a entrevu du blanc, quelque chose de marin. Elle a procédé à deux... deux lectures, appelons ça comme ça... et a obtenu des images identiques. C'est alors que ça m'est revenu : la dernière fois que j'avais vu ma bague, je l'avais enlevée pour me laver les mains au lavabo des toilettes. J'avais déjà fouillé cette pièce une demi-douzaine de fois. Eh bien, j'avais tout simplement posé la bague sur le porte-savon et elle s'était incrustée dans le dessous de la savonnette, exactement ce qu'elle avait senti !

— Et le blanc ? lui demandai-je. Il s'agissait du lavabo ?

— Pas dans ces toilettes-là. Elles ont un lavabo vert, mais le savon était blanc.

— Compris. Et le côté marin ?

— Tout n'est pas à prendre au pied de la lettre, me renvoya-t-elle sur la défensive. Certaines des images qu'elle voit sont des métaphores... des associations d'idées, si vous préférez.

— Marin... eau du robinet, oui, effectivement, dis-je, pleine de bonne volonté.

— Toujours est-il que Nancy a proposé une séance à Crystal, mais que celle-ci a refusé de coopérer.

— Peut-être ne croit-elle pas aux médiums ?

— Mais Nancy est fabuleuse ! Je vous le jure !

— Combien prend-elle ?

— Oh, elle ne veut pas d'argent. D'habitude si, mais là, elle le ferait strictement par amitié pour moi.

— Pourquoi demander à Crystal de participer ? Nancy ne peut-elle pas faire une séance et vous dire tout simplement ce qu'elle voit ?

— Elle a besoin de pouvoir entrer dans la maison pour capter les vibrations de papa, son énergie psychique. Je l'ai amenée dans son bureau et je l'ai fait asseoir dans son fauteuil. Elle voit sans cesse la même image de lui : il s'approche d'une maison et franchit le seuil. Et puis plus rien. Il s'agit sûrement de la maison de Crystal car elle visualise du sable.

— Cela pourrait être le désert.

Blanche parut désarçonnée.

— Mon Dieu, oui, j'imagine.

— N'importe, continuez. Désolée de vous avoir interrompue.

— En tout cas, elle voit une porte et, ensuite, rien. Sans l'aide de Crystal, elle ne peut pas aller plus loin. Nous pensons qu'il a quitté le bureau et a pris le chemin de la villa comme d'habitude, mais qu'il s'est passé soudain quelque chose de terrible. Bien entendu, Crystal ne veut rien entendre. Elle affirme qu'il n'est jamais arrivé, mais rien ne nous le confirme.

— Vous croyez qu'elle sait où il est et qu'elle le couvre ?

— Naturellement, me dit-elle, comme étonnée par ma question. Nancy sent qu'il est là. Elle est convaincue qu'il est blessé. Il est plongé dans l'obscurité la plus totale. D'après elle, il essaie de communiquer avec nous, mais quelque chose l'en empêche.

— Est-il vivant ?

— Elle est sûre que oui. Sur ce point, elle est très claire. Mais elle dit que des forces négatives sont à l'œuvre. Qu'il est désespéré parce qu'il ne sait pas où il se trouve. Il est environné par une conscience psychique oppressante. Elle sent son désarroi, mais ne parvient à rien obtenir d'autre. D'après Nancy, Crystal est étroitement liée à la situation critique dans laquelle se trouve mon père. En réalité, elle en est sans doute responsable.

— Comment ça ?

— Je ne sais pas ; elle pourrait l'avoir assommé et conduit en voiture dans un endroit quelconque.

— Et sa voiture à lui, elle en fait quoi ? N'y voyez pas une objection. Mais je suis vraiment perplexe.

— Ils étaient peut-être deux. Elle a pu payer quelqu'un. Allez savoir... Je vous dis seulement une chose... rien ne l'arrangerait plus que d'être débarrassée de sa présence.

— Pourquoi ça ? Je veux dire... essayons de raisonner et disons qu'elle l'a fait enlever et qu'il est retenu contre son gré. Quel est son mobile à elle ? Sûrement pas l'argent. Il n'y a pas eu de demande de rançon, personne n'a proposé de transaction.

Blanche se pencha vers moi.

— Écoutez... Avant d'épouser mon père, elle a signé un contrat de mariage aux termes duquel elle n'obtient pas un sou en cas de divorce.

— Une minute. On reprend plus en arrière. Vous ne m'avez toujours pas dit quel avantage elle peut tirer de l'avoir fait enlever.

— Je n'ai pas dit qu'elle l'a fait enlever. Mais je dis qu'elle sait où il est.

— Quel rapport avec le contrat de mariage ?

— Elle a une liaison.

— Votre mère aussi a mentionné ce fait. Il s'agit de Clint Augustine ?

— Tout juste. Maintenant, elle veut sa liberté, mais elle veut aussi l'argent. Si elle demande le divorce, elle se retrouve sans rien. Seul le décès de papa lui permet d'obtenir quelque chose.

— Décès qui, d'après Nancy, ne s'est pas encore produit.

— Exactement.

— Pourquoi prendrait-elle le risque d'une liaison aussi visible avec son professeur de gymnastique ? Ça se serait su, non ?

— C'était son professeur, mais aujourd'hui il ne l'est plus. Quand elle a commencé à se le faire, ils ont sans doute décidé de ne plus se voir en public. Ce qui n'a pas empêché les rumeurs d'aller bon train.

— Comment l'avez-vous découvert ?

— Par l'amie de ma mère, Dana Glazer. Son mari et elle ont une maison à Horton Ravine. Joel est l'un des...

— Des employeurs de votre père. C'est en effet ce qu'on m'a dit.

— L'arrière de la propriété des Glazer est mitoyen avec celle de papa, seule une petite clôture les sépare. Ils possèdent un bungalow sur leur terrain, et Crystal leur a demandé s'ils accepteraient de le louer temporairement à un de ses amis. Elle a raconté qu'il venait d'acheter une maison, qu'il devait la remettre en état et que les travaux ne seraient pas finis avant le début d'octobre. Cela se passait en janvier. Toujours est-il que les Glazer n'utilisent pas le bungalow et qu'ils se sont dit : après tout, pourquoi pas ? Ils ont demandé huit cents dollars par mois, et le type n'a pas bronché ! Naturellement, quand Dana a compris de quoi il retournait, elle a été horrifiée. Elle a trouvé toute cette histoire proprement ignoble, ce qui explique qu'elle ait eu tant de mal à mettre maman au courant.

— Pourquoi vous l'a-t-elle dit à vous ?

— Elle ne me l'a pas dit. Je l'ai appris par une autre amie. Dana m'a confirmé l'affaire, mais seulement parce que j'ai insisté. Croyez-moi, je ne suis pas du genre à faire des commérages.

— Beaucoup d'autres non plus. Ce qui ne les empêche apparemment pas de se passer le mot. Pourquoi Dana ne lui a-t-elle pas signifié son congé si elle trouvait la situation si détestable ?

— Parce qu'il avait signé un bail de six mois. Il est parti et bon débarras. Allez donc l'interroger si vous ne me croyez pas ! Parce que, tout de même, Dana devrait savoir. Ça se passait sous son nez. Pauvre maman... Elle est toujours persuadée que papa va lui revenir. C'est déjà assez moche qu'il l'ait plaquée pour une pareille... pute, mais le fait que Crystal continue à s'envoyer en l'air le fait passer pour un idiot.

— Et à quelle conclusion cela nous mène-t-il ?

— Crystal veut sa mort. Elle le veut hors du circuit, lança-t-elle avec véhémence.

C'était le premier signe d'émotion que je lui voyais. Sa bouche tremblait et ses yeux papillotèrent vivement. Elle contempla le couloir, le temps de se reprendre. Sous sa tunique de future maman, une grosseur ondula sur son ventre, probablement le pied du bébé. Je compris pourquoi les gens posaient instinctivement la main sur ce réceptacle. Blanche s'adressa au fond de la pièce.

— Croyez-moi, elle a épousé papa pour son argent. Le contrat n'était rien d'autre qu'une manœuvre. Elle était peut-être sincère à l'époque, mais elle a rencontré Clint et elle est tombée amoureuse de lui. Comme je le disais, si papa meurt, elle hérite du plus gros de la succession et elle est parée. Si elle divorce, elle n'a rien. C'est aussi simple que ça.

— Blanche, rien ne vous assure que votre père soit mort. Et rien ne nous le garantit non plus. Même votre amie Nancy affirme qu'il est toujours en vie.

Le regard de Blanche revint vivement sur le mien ; ses yeux bleus flambaient.

— Ne dites pas « même » Nancy, comme s'il s'agissait d'un charlatan. Je le ressens comme une injure !

— Loin de moi cette idée. Je me suis mal exprimée. Ce que je voulais dire, c'est qu'elle a une image de lui impuissant mais vivant, enfin... si je vous ai bien comprise.

— Mais pendant combien de temps encore ? Il a presque soixante-dix ans ! Que va-t-il se passer s'il est attaché, si on l'a bâillonné et qu'il ne peut pas respirer ?

— Calmez-vous, calmez-vous ! Laissez-moi voir ce que je peux faire pour vérifier tout ça. Jusqu'ici, nous sommes dans le domaine de la pure spéculation, mais je comprends vos craintes.

À peine rentrée, je m'installai à mon bureau et me mis à prendre des notes, dressant noir sur blanc la liste des possibilités quant au sort de Dowan Purcell. J'avais écarté la thèse de l'enlèvement, mais peut-être à tort. Il pouvait avoir été maîtrisé et emmené Dieu sait où, auquel cas il était soit mort (navrée, Nancy), soit retenu contre sa volonté. J'énumérai les autres options, les couchant par écrit aussi vite qu'elles me venaient à l'esprit. Il pouvait être parti volontairement, avoir pris ses distances de son plein gré en fuyant ou en se cachant. Il pouvait avoir eu un accident en conduisant avec un certain taux d'alcool dans le sang. S'il gisait au fond d'un canyon, cela expliquerait qu'on n'ait toujours pas retrouvé sa Mercedes. Il pouvait avoir été victime d'un accroc de santé qui ne pardonne pas : rupture d'anévrisme, crise cardiaque, attaque d'apoplexie. Curieux, dans ce cas, que personne ne soit tombé sur son corps, mais ce sont des choses qui arrivent.

Sinon, quoi ? Il pouvait s'être fabriqué une vie secrète en se glissant dans la peau d'un autre personnage. Quoi encore ? Redoutant le scandale, il pouvait s'être suicidé. Ou, comme Blanche le suggérait, on pouvait l'avoir tué par appât du gain ou pour couvrir quelque chose de pire. Je ne voyais aucune autre possibilité. Ah ! si, deux. L'amnésie, encore que cela ressemblât à un vieux scénario de film des années trente. A moins qu'il n'ait été agressé par un malfrat qui aurait été dépassé par les événements et se serait ensuite débarrassé du cadavre. Restait une dernière possibilité : il avait été arrêté et emprisonné, mais, à en croire l'inspecteur Odessa, Purcell n'avait refait surface dans aucun fichier informatisé de la police. D'où je déduisais qu'il n'avait été identifié ni comme auteur de délits ni comme victime de quelqu'un d'autre.

J'étudiai ma liste. Il existait des variantes que

rien ne me permettait d'explorer. Par exemple, si Dow avait été victime d'un malaise, s'il avait été blessé ou tué dans un accident fatal, je ne pouvais l'apprendre que si un quidam surgissait soudain avec le renseignement. La police avait déjà fait le tour de tous les hôpitaux de la région. On avait là un exemple des circonstances où le fait d'être détective privée dans une petite localité (opérant seule par-dessus le marché) complique la tâche. Comme je n'avais pas accès aux dossiers des compagnies d'aviation, des services d'immigration ni des douanes, je ne pouvais pas savoir si Purcell avait pris un avion (ou un train, ou un bateau) sous son nom ou sous celui de quelqu'un d'autre (en produisant une fausse pièce d'identité et un faux passeport). S'il se trouvait encore sur le territoire, il pouvait très bien ne pas se faire remarquer en n'utilisant pas ses cartes de crédit, en ne louant ni n'achetant de résidence, en ne demandant ni le téléphone ni d'autres services, en ne conduisant pas avec des vignettes périmées et en n'attirant d'aucune autre façon l'attention sur lui ou sur son véhicule. Il ne pouvait ni voter, ni faire un travail qui l'obligerait à donner son vrai numéro de Sécurité sociale, ni non plus ouvrir de compte bancaire. Et encore moins pratiquer la médecine, profession qui lui avait permis de gagner sa vie pendant les quarante dernières années.

Évidemment, s'il s'était concocté une fausse identité, il aurait pu faire ce qui lui chantait du moment que ses allégations restaient plausibles et qu'il présentait des garanties de sérieux. Dans ce cas, il aurait effectivement été quasiment impossible de le localiser au bout de neuf petites semaines. Il ne se serait tout bonnement pas écoulé assez de temps pour que son nom surgisse dans des archives. Je n'avais qu'un recours : progresser laborieusement et de façon systématique d'ami en ami, de collègue en collaborateur, d'épouse en titre en ex, et de fille en fille, dans l'espoir de trouver une piste. Il ne me fallait pas grand-chose : juste un tout petit fil tiré dans le tissu de sa vie, une maille filée ou un accroc qui me servirait à effilocher ce tissu et à remonter jusqu'à lui. Je décidai de centrer mes efforts sur les domaines que je dominais.

Le dimanche se passa dans un flou total. Je m'octroyai une journée de congé et passai mon temps à bricoler à l'appartement, liquidant quelques menues corvées.

Le lundi matin, je me levai comme d'habitude, enfilai mon survêtement et mes Saucony et bouclai mes cinq kilomètres de jogging. Une épaisse couche de nuages bouchait le ciel et les rouleaux de l'océan avaient une teinte boueuse. La pluie s'était calmée, mais les trottoirs restant mouillés, je courus les deux kilomètres et demi qui me séparaient des bains publics en faisant gicler l'eau des flaques peu profondes, après quoi je revins en sens inverse. Les vers de terre étaient de sortie et s'alanguissaient sur le trottoir comme les mèches grises d'une vieille serpillière. Le parcours était aussi jonché d'escargots qui traversaient ma route avec tout l'optimisme des innocents. Je devais regarder où je posais les pieds pour ne pas les écrabouiller.

De retour chez moi, je pris mon sac de gym et partis au club. Je me garai dans le seul espace libre, entre un camion et un monospace dernier modèle. Même depuis le parking j'entendais le cliquetis des appareils de musculation et les grognements d'un haltérophile s'entraînant avec une barre. A l'intérieur, la musique de rock'n'roll diffusée par les haut-parleurs rivalisait avec un journal télévisé du matin qui défilait sur un écran fixé au plafond. Deux femmes faisaient du stepper sans se lasser de monter leurs escaliers, cependant qu'une troisième et un homme trottaient avec entrain sur des tapis de marche réglés en accéléré. Les cinq paires d'yeux fixaient l'écran.

Je signai le registre de présence, demandant d'un ton négligent à Keith, qui était de permanence, s'il connaissait Clint Augustine. Keith n'a pas encore trente ans et arbore une moustache brune fringante et un crâne rasé luisant.

— Bien sûr que je le connais ! me répondit-il. Vous l'avez sûrement vu ici. Un grand type avec des cheveux blonds presque blancs. D'ordinaire, il s'entraîne à cinq heures, à l'ouverture. Il lui arrive de passer plus tard avec ses clients, surtout des femmes mariées. C'est sa spécialité.

Adepte intermittent des stéroïdes, Keith gonflait et dégonflait au rythme de sa consommation. Pour le moment, il était dans une période dégonflée, ce que, personnellement, je préférais. C'était un de ces mecs tout en pectoraux et en biceps, mais à la partie inférieure du corps très

165

peu développée. Peut-être croyait-il que le fait d'être en faction derrière un comptoir le dispensait de cultiver quoi que ce soit au-dessous de la ceinture.

— Il paraît qu'il a été le prof de Crystal Purcell ?

— A un moment, oui. Ils venaient en fin d'après-midi, les lundis, mercredis et vendredis. Ce n'est pas la femme du type qui a disparu il n'y a pas si longtemps ? Pas banale, cette histoire. Il y a quelque chose de pas net là-dessous.

— Peut-être, dis-je. Bon, il faut que je me dépêche. Merci pour le tuyau.

— Pas de quoi.

J'enfilai mes gants de gym et me trouvai un coin tranquille. Allongée sur un tapis de sol gris, j'entamai mes abdos habituels : deux séries de cinquante redressements, mains croisées derrière la tête, jambes posées sur un banc de musculation. Des effluves de colle traversaient le revêtement de sol gris anthracite. Le Nautilus et l'Universal évoquaient des architectures compliquées en Meccano : verticales de métal, écrous, poulies, cornières. Quand j'eus terminé mes redressements, j'attaquai les ronds de jambe, exercice auquel je voue le plus profond mépris. Tout en comptant quinze arabesques, je visualisais mes tendons de jarret qui lâchaient soudain pour s'enrouler prestement comme des stores. Je passai aux extensions, toujours des jambes, au prix de brûlures insupportables, mais au moins elles ne menaçaient pas d'avoir des effets secondaires invalidants. Ensuite dos, poitrine, épaules. J'achevai ma séance par une série de génuflexions et de prosternations. Et réservai le meilleur pour la fin : les extenseurs, qui m'ont toujours inspiré une affection particulière. Je quittai le centre de gym complètement en nage.

De nouveau chez moi, je pris une douche, passai un pull à col roulé, un jean et mes boots, avalai un tout petit déjeuner et me préparai un casse-croûte pour midi. J'arrivai au bureau à neuf heures et appelai le commissariat, où l'inspecteur Odessa m'assura qu'il avait effectué une nouvelle recherche par ordinateur pour voir si Dow Purcell s'était manifesté. Il avait déjà passé en revue les nombreuses fiches signalant tous les morts non identifiés de l'État. On ne relevait aucun individu de sexe masculin et de race blanche dans la tranche d'âge de Purcell. Un briefing hebdomadaire rappelait à la police locale, au bureau du shérif et à la police de la route qu'il était important de rester vigilant. Odessa avait étendu la surveillance et fait placarder des avis de recherche dans la plupart des services médicaux des comtés environnants, au cas où Purcell y débarquerait comateux ou dans un état de grande confusion mentale.

Je lui parlai des gens que j'avais interrogés jusque-là. Puis j'abordai la question de la fraude.

— C'est exact, nous avons connaissance de cet élément.

— Mais pourquoi ne m'en avoir rien dit ?

— Parce que c'est Paglia qui est sur le dossier et que nous sommes sous ses ordres.

Lorsque la conversation prit fin, une chose

était claire : nous étions toujours dans le noir. Mais il avait paru apprécier que je l'aie tenu au courant de mes investigations. Il se montra moyennement charitable quand je lui annonçai que Blanche consultait un médium, ce qui m'étonna un peu. J'oublie que les inspecteurs de police, déjà durs à cuire par nature, sont aussi capables d'entretenir des doutes sur ce genre de phénomènes.

Je sortis le numéro de téléphone de Jacob Trigg, le « meilleur ami de Dow », m'avait précisé Crystal en me donnant son nom. Je l'appelai et lui parlai brièvement, lui expliquant qui j'étais, et nous convînmes d'un rendez-vous à 10 heures le mardi matin à son domicile. Je le notai sur mon agenda, puis j'appelai Joel Glazer au numéro de bureau que Crystal m'avait indiqué. Sa secrétaire m'apprit qu'il travaillait chez lui et me donna son numéro. Je le fis, déclinai mon identité et informai Glazer que Fiona avait requis mes services. Il me parut sympathique et plein de bonne volonté, dans la mesure où il me donna son adresse et me réserva une entrevue à 1 heure, cet après-midi-là. J'appelai ensuite l'hôpital de Santa Teresa et appris que Penelope Delacorte occupait désormais les fonctions de directrice des Services infirmiers et qu'on la trouvait à son bureau tous les jours ouvrables, de 9 heures du matin à 5 heures du soir. Je notai son titre et décidai de tenter ma chance un peu plus tard dans la journée, après avoir vu Glazer. Enfin, et pour mon compte personnel, j'appelai Richard Hevener et tombai sur le répondeur. Je laissai un message dans lequel je m'enquérais de l'état de ma candidature. J'essayai de lui faire du charme au bout du fil, ce qui n'est guère dans mes habitudes, dans l'espoir de faire pencher la balance en ma faveur.

A l'heure du déjeuner, je mangeai, toujours assise à mon bureau, le sandwich au beurre de cacahuète et cornichons que j'avais apporté de chez moi. A midi trente, je quittai l'immeuble et entrepris de faire le tour du pâté de maisons en croisant les doigts pour me rappeler où j'avais garé ma voiture. Je découvris ma Volkswagen indemne au coin de Capillo et d'Olivio, beaucoup plus près que je ne l'avais cru et dans le sens opposé. Pour le cinquième jour d'affilée, le ciel était couvert et d'un gris maussade cerné de noir à l'endroit où un amas de nuages menaçants annonçait la pluie.

Santa Teresa est prise en étau entre les montagnes, au nord, et l'océan Pacifique, au sud. Ses quartiers le plus à l'ouest s'effilochent jusqu'à Colgate, ceux le plus à l'est mordent sur Montebello, où les prix flambent. Horton Ravine, vers où je me dirigeais, y forme une enclave cossue, qui s'est constituée en vertu d'octroi de terres et de donations par lesquels une kyrielle de gouverneurs de Californie ont récompensé des chefs militaires d'avoir tué des gens avec beaucoup, beaucoup d'efficacité. C'est ainsi que douze cents hectares, au bas mot, se sont transmis de nantis à plus nantis, jusqu'à ce que le dernier de la lignée, un éleveur de moutons du nom de Thomas Horton, ait l'idée somme toute assez logique de diviser ces terres en parcelles à vendre, procédant ainsi à un autre genre de massacre.

Je pris la 101 jusqu'à la sortie de La Cuesta, tournai à gauche et suivis la route en direction de l'entrée principale, à savoir deux piliers de pierre massifs reliés par un arc en fer forgé que surmontait l'inscription « HORTON RAVINE » en lettres chichiteuses. Le domaine déployait une végétation luxuriante, au milieu de laquelle les troncs des sycomores et des chênes verts conservaient les taches sombres des pluies récentes. La plupart des routes s'appelaient « Vía Quelque chose », *vía* signifiant « avenue » ou « route » en espagnol. Je longeai le club équestre de Horton Ravine, continuai sur un kilomètre et demi, tournai enfin à droite et montai jusqu'en haut d'une colline.

Les Glazer habitaient dans Vía Buena (« Bonne Route », d'après les souvenirs que je gardais d'une courte inscription à des cours du soir d'espagnol). La maison était de style moderne, années soixante, manière d'empilement architectural de volumes abstraits d'un blanc aveuglant. Trois niveaux imposants en angles décalés et en porte à faux fusaient vers le ciel, le tout embroché sur une flèche centrale. Toutes les façades comportaient de grandes terrasses et de larges surfaces vitrées contre lesquelles les oiseaux devaient régulièrement se crasher et trépasser. Lorsque j'avais fait sa connaissance, Dana Jaffe vivait dans un petit lotissement de la ville de Perdido, à une cinquantaine de kilomètres plus au sud. Je me demandai si elle était aussi consciente que moi du chemin qu'elle avait parcouru.

Je me garai sur un terre-plein circulaire

réservé à cet usage et me dirigeai vers les grandes marches basses qui conduisaient à la porte d'entrée en décrivant une courbe. Quelques minutes s'écoulèrent ; enfin Dana m'ouvrit. J'aurais juré qu'elle portait la même tenue que lors de notre première rencontre : un jean étroit délavé et un tee-shirt blanc sans rien de spécial. Elle restait d'une blondeur de miel, maintenant nuancée de fils argentés fins comme de la soie. Elle portait les cheveux courts, en une coupe dégradée dont chaque mèche se remettait en place au moindre mouvement de sa tête. Elle avait les yeux kaki ou noisette, tantôt à reflets verts, tantôt marron, sous des sourcils en aile d'hirondelle. Sa bouche attirait toujours autant l'attention. Un léger défaut d'occlusion de la denture lui faisait des lèvres charnues et boudeuses.

— Bonjour, Kinsey, me dit-elle. Joel m'a prévenue que tu passerais. Je t'en prie, entre. Et donne-moi ça.

— C'est superbe ! m'exclamai-je en franchissant le seuil et en me défaisant de mon ciré que je lui tendis.

Pendant qu'elle accrochait mon vêtement dans la penderie, j'avais eu le temps de rester bouche bée. L'intérieur ressemblait à une cathédrale, ample espace couronné par un plafond voûté de neuf mètres de haut. Des passerelles et des galeries reliaient les différents niveaux de la maison entre eux, des faisceaux de lumière zénithale traçant des motifs géométriques sur les dalles de pierre lisse.

Dana me rejoignit.

— Fiona a dû te dire que nous refaisions la maison.

— Elle l'a mentionné au passage, lui répondis-je. Elle m'a dit aussi que c'était toi qui lui avais donné mon nom pour ce travail, ce dont je te remercie.

— C'est bien normal. Je ne t'aimais pas beaucoup à l'époque, je l'avoue, mais tu m'as fait penser à un bon petit terrier, honnête et persévérant, quand il s'est agi de retrouver Wendell. Ton ami Mac Voorhies, de California Fidelity, m'a dit que c'est grâce à toi que j'ai gardé l'argent[1].

— Justement, je me posais la question. La dernière fois que j'en ai entendu parler, les discussions se poursuivaient. Je me réjouis que l'affaire soit enfin résolue. Tu connaissais bien Dow?

— Je le voyais à l'occasion, à cause de Joel, mais nous n'étions pas amis. Comme j'ai fait la connaissance de Fiona après leur divorce, j'ai tendance à épouser sa cause à elle. Je suis polie quand il m'arrive de le croiser, mais sans plus. Joel est au téléphone pour l'instant, mais je te ferai monter au bureau dès qu'il aura terminé. Aimerais-tu que je te fasse visiter?

— Ce serait génial.

— Nous procédons par petits bouts. Ce n'est pas ce que j'aurais souhaité. Fiona et moi voulions tout refaire d'un coup... une installation complète, ce qui est bien plus spectaculaire et infiniment plus amusant, mais Joel a fait acte

1. Voir *J comme jugement*.

172

d'autorité, si bien que nous effectuons la rénovation par tranches. Ici, c'est le séjour, évidemment...

Elle continua de pérorer en me montrant les lieux, tandis que je la suivais docilement.

— Le solarium, la salle à manger d'apparat. La cuisine se trouve là-bas. Joel a son bureau en haut, dans ce que nous appelons le « nid de corbeau ».

Les pièces donnaient indiscutablement dans le style transition. Des tapis d'Orient assez grands pour des palais, sans doute d'un âge vénérable à en juger par la douceur des couleurs et la complication des motifs, couvraient les sols. Le mobilier, que je supposai avoir été choisi par feue Mme Glazer, me parut presque entièrement d'époque, ponctué ici et là d'armoires massives et d'éléments en acajou lustré. Les quelques pièces tapissier, tendues de lin blanc, présentaient des lignes nettes et épurées. On avait jeté différents lés de tissu sur les sièges pour juger de l'effet, et scotché à divers endroits du mur des échantillons de peinture de couleur de cinq centimètres sur cinq. Je n'avais pas revu certains de ces tissus d'ameublement depuis mes jeunes années, lorsque ma tante Gin m'emmenait en visite chez ses amis. Des imprimés déclinant le thème de la jungle, des peaux de léopard qu'on devinait fausses, des bananiers, des bambous, des zigzags et des chevrons dans des tons d'orange et de jaune. La peinture murale à l'étude était du vert délétère qui caractérise la plupart des salles de bains des années trente, lorsqu'on n'avait pas encore opté pour le mélange oh-si-tendance de rose et noir.

— Elle nous a déniché un bureau Ruhlmann à plateau en galuchat pour ce mur, ainsi qu'une glace André Groult. Nous sommes aux anges !

— J'imagine, marmonnai-je.

Certes, la passion pour l'art déco de Fiona n'était pas entièrement déplacée dans ce décor, mais, même la tête sur le billot, je ne pouvais imaginer ces pièces élégantes et harmonieuses refaites en laque noire, plastique, cuir, émail, érable courbé et chrome.

— Ça fait quatre ans que Joel est veuf, poursuivait Dana. Il a vécu ici avec sa femme pendant vingt-deux ans. À vrai dire, je serais ravie de raser la maison, mais lui n'en voit pas l'utilité.

J'accordai un bon point à Joel.

— Comment va Michael ? lui demandai-je.

Je n'osai pas m'enquérir de son cadet, Brian, car la dernière fois que je l'avais vu, il reprenait le chemin de la prison.

— Brendon et lui vont bien. Juliet est partie. A mon avis, elle en avait assez du mariage et des enfants.

— Quel dommage...

— Bon, me dit-elle d'un ton décidé, laisse-moi vérifier que Joel n'est plus au téléphone.

Je me rendis compte qu'elle ne souhaitait pas plus que moi parler de Brian. Elle se dirigea vers un téléphone intérieur installé dans la salle à manger et appuya sur une touche qui permettait de communiquer avec le bureau de Joel.

— Mon bijou, tu es libre ?

J'entendis sa réponse assourdie.

Elle se tourna vers moi avec un sourire.

— Il te dit de monter tout de suite. Je t'accompagne jusqu'à l'ascenseur. On pourrait peut-être bavarder quand tu en auras fini avec lui ?

— Avec plaisir.

CHAPITRE 9

Le bureau de Joel Glazer occupait, au deuxième étage, une sorte de mirador pourvu de baies sur les quatre côtés. Il n'y avait ni voilages ni doubles rideaux, mais j'aperçus des stores étroits remontés jusqu'en haut des panneaux vitrés qui laissaient pénétrer un maximum de lumière. Les quatre baies offraient chacune une vue spectaculaire : l'océan, la côte, les montagnes et la lisière ouest de Horton Ravine. La couche de nuages, qui s'était encore épaissie, assombrissait le paysage, tout en intensifiant le bleu profond des montagnes et le vert foncé de la végétation.

Une table de réfectoire massive lui servait de bureau. Tout le reste du mobilier était d'époque, sauf le canapé de deux mètres recouvert d'un velours façonné rouille et dont les coutures étaient soulignées par un passe-poil. Comme dans les pièces du bas, un immense tapis d'Orient, de bien cinq mètres sur sept, couvrait le sol en toute simplicité. Du fait de la surface accordée aux fenêtres, il n'y avait pas d'œuvres d'art à proprement parler. Des bibliothèques et des meubles de rangement couraient le long des murs sous les appuis. Le bureau n'était pas seulement immaculé, il était aussi parfaitement en ordre : rien ne dépassait. Les bords des papiers et des documents posés sur la table étaient rigoureusement alignés, les crayons et les stylos parallèles au sous-main.

Joel Glazer se leva pour m'accueillir et nous nous donnâmes une poignée de main. Son physique me surprit. J'étais si éprise de la beauté de Dana Jaffe que je lui avais imaginé un compagnon tout aussi séduisant. Ma réaction, en voyant Joel, ressemblait beaucoup à celle que j'avais eue en tombant pour la première fois sur les photographies de Jacqueline Kennedy et d'Aristote Onassis : la princesse et le crapaud. Joel avait la soixantaine, un front haut qui se dégarnissait, et ses cheveux de blond viraient au gris fauve sur ses tempes. Derrière des lunettes sans monture, ses yeux marron s'ornaient de pattes-d'oie prononcées. Des plis profonds marquaient les deux côtés de sa bouche. Au moment où il se leva, je m'aperçus qu'il était plus petit que moi, probablement juste un mètre soixante-cinq. C'était un homme corpulent, et la vue de ses épaules voûtées me rappela de surveiller mes apports en calcium. Son sourire révélait des espaces entre ses dents décolorées et légèrement de travers. Il portait une chemise blanche impeccable à poignets mousquetaire fermés par des boutons de manchettes tape-à-l'œil, et sa veste de costume était posée avec soin sur le dossier de son fauteuil. Je perçus la note légère de citrus de son après-rasage.

— Ravi de vous connaître, madame Millhone. Asseyez-vous. A ce que je comprends, ma femme et vous êtes d'anciennes connaissances.

Je pris place dans un fauteuil en cuir, dont la couleur fauve s'harmonisait parfaitement avec les tons crème, beige, rouille et brun du tapis.

— Ça paraît remonter à des siècles, lui renvoyai-je.

Je ne savais pas trop ce que Dana lui avait raconté de son ancienne vie, et la plus grande partie de cette histoire était trop compliquée pour être résumée dans une simple conversation.

Il s'adossa à son fauteuil, sa main droite posée sur la table devant lui. Son majeur s'ornait d'une chevalière qui accrochait la lumière.

— Peu importe, dit-il. Vous êtes ici pour l'affaire Dow. Fiona nous dit qu'elle vous a engagée pour retrouver sa trace. Je vous répondrai de mon mieux, mais je doute de vous être d'un grand secours.

— Je comprends, lui dis-je. Si nous commencions par les Prairies du Pacifique ? Si j'ai bien compris, il y a eu un problème avec les factures transmises à Medicare.

— Un problème dont je suis entièrement responsable. Je m'en veux. J'aurais dû garder un œil, à titre officieux, sur les opérations courantes. Harvey Broadus et moi-même... je ne sais pas si vous l'avez rencontré... mon associé...

Je secouai la tête et le laissai poursuivre.

— Nous avons mis une foule de projets en chantier ces six derniers mois. Nous sommes associés depuis des années. Je viens du monde des affaires et de la finance, lui de l'immobilier et du bâtiment : le mariage idéal. Nous nous sommes rencontrés au golf il y a quinze ans de ça et avons décidé de nous associer pour nous lancer dans la construction de villages de retraités, maisons de retraite et résidences avec services. Nos parents, les siens comme les miens, étaient déjà décédés à cette époque, mais nous avions eu tous les deux beaucoup de mal à trouver des résidences attrayantes et un personnel infirmier spécialisé dans les soins aux personnes âgées, et pas toujours avec succès. Bref, pour faire court, nous avons créé une chaîne importante d'établissements médicalisés et de résidences offrant des soins de santé. Nous avons acquis les Prairies du Pacifique en 1980. A l'époque, l'établissement ne payait pas de mine et était géré en dépit du bon sens. Nous avions conscience de son potentiel, mais il perdait de l'argent en veux-tu en voilà. Nous avons injecté près d'un million de dollars dans les travaux de rénovation et les transformations, parmi lesquelles la nouvelle annexe. Peu après, nous avons passé un accord de leasing avec Genesis-Gestion financière. Quelqu'un... j'oublie qui pour l'instant... a suggéré le nom de Dow à Genesis pour un éventuel poste d'administrateur. Je l'avais rencontré en société et pouvais me porter garant de sa réputation dans la communauté médicale. Il venait de prendre sa retraite de médecin libéral et cherchait une façon d'occuper son temps. Cet accord semblait propre à satisfaire toutes les parties intéressées.

— Que s'est-il passé ?

— Si seulement je le savais ! Harvey et moi sommes souvent en déplacement aux quatre coins de l'État. Nous avons sans doute pris plus de responsabilités que ne le dictait la sagesse, mais Harvey est comme moi : la pression nous réussit.

Le téléphone placé sur son bureau se mit à sonner. Il lui lança un regard rapide.

— Vous avez besoin de répondre ?

— Dana va prendre l'appel. Je reviens à ce qui nous occupe pour vous expliquer comment l'affaire fonctionne. A la base, il y a trois entités distinctes. Harvey et moi sommes possesseurs du bien par le biais de Century Comprehensive, qui est une société que nous avons créée en 1971. Par « bien », j'entends le terrain et l'immeuble des Prairies. La maison de retraite est exploitée par Genesis, comme je l'ai déjà mentionné. Le crédit-bail porte sur les installations matérielles que nous leur concédons. Genesis s'occupe aussi de toute la facturation : comptes fournisseurs et comptes clients, facturation Medicare et Medicaid, achats EMD, je veux dire d'équipement médical durable, au cas où vous vous poseriez la question. Genesis est chapeautée par une société plus importante, la Millennium Health Care. La Millennium est gérée par l'État et, à ce titre, tenue par la loi de fournir des informations financières à la Sécurité sociale, et par « informations » j'entends des listes de ses avoirs, créances et indices de rentabilité. Un expert-comptable vérifie tous ces chiffres. Il y a dix-quinze ans de ça, le propriétaire et la société d'exploitation

180

étaient souvent une seule et même personne, mais les temps ont changé. La loi exige aujourd'hui que ces fonctions soient indépendantes et distinctes. Un peu comme un système de poids et contrepoids, où tout doit se faire dans les règles.

— Et où le Dr Purcell intervient-il ?

— J'y venais. Au-dessous de la société de gestion, vous avez Dow, ou son équivalent. L'administrateur médical de l'établissement, responsable des décisions de fonctionnement vingt-quatre heures sur vingt-quatre, et c'est à ce niveau qu'il s'est peut-être attiré des ennuis.

— Vous êtes associés tous les trois ?

— Pas vraiment. Dow nous présente ainsi, mais c'est faux. Disons que, pour le profane, c'est la façon la plus simple d'exprimer nos rapports. Nous ne pourrions pas être associés à Dow ou à la société de gestion qui exploite l'affaire. Croyez-moi, l'État voit d'un très mauvais œil tout accord ne résultant pas d'une négociation normale ; en d'autres termes : entre deux parties n'ayant aucun lien entre elles et qui ne soient pas en conflit.

« Dow se trouvait quasiment dans l'impossibilité de prendre des décisions impartiales sur les modes de facturation s'il en tirait profit. Vous faites sans doute allusion à son acquisition d'actions de Millennium Health Care, une chaîne dans laquelle nous avons également des participations. J'imagine que, d'une certaine manière, cela fait de nous des associés. Nous exerçons la même activité : nous rendons des services aux personnes âgées de notre communauté. Certes, nous n'avons pas vraiment voix au chapitre en la matière, mais Harvey et moi pensions que les Prairies du Pacifique seraient un établissement idéal pour quelqu'un ayant l'expérience et la réputation de Dow. Je comprends aujourd'hui qu'il n'avait pas les qualités d'administrateur qu'on m'avait fait augurer. C'est en mai dernier que nous avons pour la première fois entendu parler de cette histoire avec Medicare. Je pensais à l'époque, et j'en reste convaincu, que les points litigieux se réduiraient à de simples erreurs d'écriture, une accumulation de codes erronés et non un gonflement avéré des chiffres relevant de l'intention frauduleuse. Dow Purcell est tout bonnement un homme trop exceptionnel pour s'abaisser à de telles combines. A mon avis, ou bien il n'avait pas une compréhension approfondie du fonctionnement de Medicare, ou bien il n'avait pas de temps à perdre avec toutes ces finasseries absurdes que les bureaucrates vous fichent dans les pattes. Et ce n'est pas moi qui le lui reprocherais ! En sa qualité de praticien, son premier souci sera toujours le bien-être du patient. Peut-être s'est-il rebiffé devant les monceaux de paperasserie grotesque qu'on inflige aux soins de qualité, ou alors il a estimé que l'État n'était pas en mesure de lui dicter quoi que ce soit.

— D'après vous, il aurait fait quelques petites entorses au règlement ?

— Je préfère cette explication à celle que l'inspecteur de la répression des fraudes semble vouloir retenir. Je crois surtout qu'il a été négligent et qu'il a parafé des imputations qu'il aurait dû examiner avec plus d'attention. L'idée de Dowan s'employant à estamper l'État ne tient pas debout.

— Mais admettons qu'il l'ait fait. Je ne vois pas où il prend sa marge. Dans le cas de surfacturation à Medicare ou à Medicaid, il s'agit bien de sommes payées à la société d'exploitation ? C'est elle qui est responsable, non ?

— Absolument ! Mais des fournisseurs extérieurs, comme les sociétés d'ambulances et les entreprises de fournitures médicales, peuvent collecter des milliers de dollars sur des services fictifs, des marchandises non livrées ou des produits surfacturés. Si quelqu'un occupant la position de Dow était de mèche avec eux, les contrats pourraient se monter à des milliers de dollars pour les sociétés concernées. En retour de quoi, il aurait reçu une rémunération... un pot-de-vin... peut-être sous la forme d'une ristourne professionnelle ou d'honoraires. Maintenant que l'AFSS... désolé pour tous ces acronymes, il s'agit de l'Association de financement des soins de santé, qui ajuste les programmes Medicare et Medicaid...

— Ça se complique...

— Je ne vous le fais pas dire ! En tout cas, maintenant, qu'elle a mis son nez là-dedans, l'AFSS réclame les justificatifs de toutes les transactions de cette nature, y compris de l'accord de leasing, et c'est là que nous entrons en jeu.

— Mais vous ne croyez pas vraiment à sa culpabilité.

— Non. En même temps, l'affaire se présente mal pour lui.

— Vous croyez qu'il est parti pour échapper au scandale ?

— Ce n'est pas impossible. S'il s'est senti incapable ou peu désireux de faire face aux accusations... Je ne sais pas comment il réagira à l'humiliation s'ils décident de saisir la justice. Ni comment aucun de nous réagirait, d'ailleurs. C'est un homme aux abois. Mais je me refuse à penser que c'est un lâche.

— Quand l'avez-vous vu pour la dernière fois ? Vous rappelez-vous dans quelles circonstances ?

— Et comment ! Le 12 septembre, le jour de sa disparition. Je l'ai emmené déjeuner à l'extérieur.

— Ce point m'avait échappé. Était-ce à son initiative ou à la vôtre ?

— A la sienne. Il a appelé et demandé à me voir. Bien entendu, j'ai dit oui. A ce moment-là, je le savais déjà en difficulté. Comme j'avais une autre affaire à régler dans le coin, nous nous sommes rencontrés dans un petit restaurant à cinq minutes à pied des Prairies du Pacifique. Un établissement microscopique du nom de Dickens, un faux pub anglais. L'endroit est tranquille et offre une certaine intimité, ce qu'il apprécierait, je le savais.

— Vous a-t-il parlé de ses problèmes avec Medicare ?

— Pas directement. Il s'est certes étendu un moment sur l'enquête en cours. Il était manifestement inquiet. Il voulait, semblait-il, avoir l'assurance que Harvey et moi allions le défendre. J'ai fait de mon mieux pour le tranquilliser, mais je lui ai dit que je ne pouvais pas fermer les yeux sur une opération, quelle qu'elle soit, effectuée en sous-main. Je ne voulais pas me poser en censeur, mais à dire vrai, si les accusations sont fondées, alors Dow n'a pas seulement contrevenu à l'éthique, mais à la loi. Et là, même si j'aime et admire l'homme, il est hors de question que je le couvre, quand bien même je le pourrais.

— Mais pourquoi aurait-il pris un tel risque ? Surtout si l'on songe à son âge et au rang qu'il occupe dans la société. Ne me dites pas qu'il était en mal de fonds...

— Je n'en suis pas si sûr. Dow s'en est toujours bien tiré sur le plan financier, mais Crystal a de gros besoins. Elle lui coûte un paquet. Il a deux maisons sur les bras... vous n'ignorez pas qu'elle a insisté pour qu'il lui achète cette villa. Chez elle, cela tournait à l'idée fixe : elle la voulait ! A quoi s'ajoute la pension alimentaire de Fiona, qui est lourde, c'est le moins qu'on puisse dire. Crystal aime voyager, et sur un certain pied, avec billet d'avion de première classe, y compris pour la nurse de Griffith. C'est le genre de fille à ne laisser passer aucune occasion de se faire couvrir de cadeaux... anniversaires, fêtes, Noël, la Saint-Valentin... et elle attend des bijoux, pas des broutilles. Elle veille au grain, croyez-moi. D'après Dana, elle se constitue activement un capital personnel en cas d'ennuis d'argent.

Le téléphone sonna de nouveau. Comme il ne cillait même pas, j'enchaînai :

— Vous croyez qu'elle l'a épousé pour son argent ?

Il réfléchit un instant à la question, puis secoua la tête.

— Je ne dirais pas ça. Je pense qu'elle l'aime sincèrement, mais elle n'a jamais eu un sou de sa vie. Elle veut être sûre de se tirer d'affaire au cas où quelque chose lui arriverait à lui.

— Et ces rumeurs de liaison extraconjugale ?

— Il faudra que vous interrogiez Dana. C'est elle qui a mis le doigt sur tout ce micmac. Moi, j'aime autant garder mes distances.

— Le Dr Purcell vous a-t-il dit quoi que ce soit laissant présager une fuite ?

Joel secoua la tête.

— Je ne me rappelle rien de ce genre. La police s'oriente-t-elle vers cette thèse ?

— Objectivement, elle ne peut pas l'écarter. Son passeport et une somme d'argent importante auraient disparu.

Joel me dévisagea comme s'il essayait d'assimiler la nouvelle.

— S'il est en fuite, me fit-il remarquer, il sera obligé de le rester sa vie durant.

— On pourrait imaginer pire. D'après ce que vous dites, il vous semblait prêt à tout ?

— Absolument. L'idée d'être confronté à des sanctions pénales l'horrifiait.

— J'en ai parlé à un avocat et, d'après lui, la situation ne serait pas si désespérée. Il devra peut-être rembourser, mais il ne ferait pas de prison.

— Il ne voyait pas les choses de cette façon. Il était effondré. L'État plaisante de moins en

186

moins dans ce genre d'affaires. Il savait qu'on pouvait très bien décider de faire un exemple. Mais il y a surtout le déshonneur et, ça, je ne suis pas sûr qu'il l'aurait supporté.

Il s'interrompit pour déplacer quatre crayons d'un bout de la table à l'autre.

Je le vis détourner les yeux.

— A quoi pensez-vous ?

Il secoua la tête.

— A quelque chose dont je n'ai osé parler à personne. Une idée qui m'a traversé l'esprit... après l'avoir vu ce jour-là... Qu'il songeait peut-être à se supprimer. Il essayait de cacher sa détresse, mais il était peut-être au bout du rouleau. Il n'était pas sûr que Crystal reste avec lui une fois que le scandale aurait éclaté. Il faut peut-être se demander jusqu'à quel point il était découragé et jusqu'où il était prêt à aller pour trouver un peu de répit. J'aurais dû le pousser à parler. J'aurais dû essayer de le rassurer, mais je ne l'ai pas fait.

— Joel ?

Nous nous retournâmes d'un même mouvement et aperçûmes Dana dans l'encadrement de la porte.

— Harvey est sur la deux. C'est la deuxième fois qu'il appelle.

— Excusez-moi, mais je ferais mieux de le prendre.

— Bien sûr, je vous en prie. Merci de m'avoir accordé un peu de votre temps. J'aurai peut-être à vous poser d'autres questions plus tard.

— Quand vous voudrez.

Je me levai, il fit de même et nous nous serrâmes la main par-dessus son bureau. Le temps que j'arrive à la porte, il avait pris l'appel.

Dana me raccompagna jusqu'à l'ascenseur capable d'accueillir deux occupants dans son habitacle grand comme une cabine téléphonique. Il mit si longtemps à descendre que j'aurais eu largement le temps de dévaler les escaliers.

— Parle-moi de cette histoire avec Clint Augustine, lui demandai-je, tandis que l'engin amorçait sa descente en ronronnant.

— Oh, c'est très simple. Pendant les six mois où nous avons loué à Augustine, à peine Dow partait-il au bureau que Crystal sortait en catimini par sa porte de derrière, se faufilait à travers les arbres et se glissait dans le bungalow. Elle y restait à peu près une heure, puis elle rentrait chez elle tout aussi discrètement. Pendant ce temps-là, Rand s'occupait du bébé et le promenait à n'en plus finir dans Horton Ravine. On ne parlait plus que de ça, forcément.

Nous arrivâmes dans le hall au rez-de-chaussée.

— C'est la seule explication possible ?

Dana eut un sourire las.

— Peut-être qu'ils prenaient le thé ?

L'hôpital de Santa Teresa — « Saint-Terry's », comme on l'appelle — est situé dans le haut des quartiers ouest de la ville, un secteur voué naguère à la culture et aux vignobles. On y trouvait aussi des laiteries et des haras, qui bénéficiaient tous d'une vue éblouissante sur les montagnes de la frange nord de la ville. Les premières photographies en noir et blanc de cette zone montrent de grandes routes poudreuses et des cabanes flanquées de bosquets de citrus et de noisetiers qui ont tous été rasés depuis belle lurette. C'était un monde curieusement plat et dégarni, fait de vastes étendues d'herbe des pampas et de pins parasols qu'on aurait pu prendre pour de simples brindilles. Quelques constructions sans prétention y ont subsisté, nichées tels des trésors d'époque au milieu de constructions contemporaines. Le reste — les églises, le premier palais de justice du comté, les maisons en bardeaux, les épiceries, la mission, la remise du tramway et de nombreux hôtels chic à deux étages — a été réduit en miettes par des tremblements de terre et des incendies, les brigades de démolition de la Nature.

Il n'était pas tout à fait 2 heures quand je me garai dans une rue latérale et longeai la rue qui me séparait de l'entrée de Saint-Terry's. Le vent soufflait à nouveau et les arbres semblaient incapables de se tenir tranquilles, comme mus par une sourde inquiétude. De temps à autre, l'agitation des branches hautes déclenchait une averse en réduction. Même l'air paraissait gris, et je fus contente de franchir les portes coulissantes qui s'ouvrirent à mon approche et de pénétrer dans le hall de réception de l'hôpital. Sur ma gauche, la cafétéria abritait quelques employés et visiteurs clairsemés. Je me renseignai à l'accueil — on m'expliqua où trouver le bureau de la directrice des Services infirmiers. En passant devant des toilettes-dames, j'y fis un bref arrêt avant de poursuivre mes recherches.

Je dénichai Penelope Delacorte dans un petit bureau privé, dont l'unique fenêtre donnait sur la rue. Les néons du plafond contrastaient vivement avec la grisaille extérieure. Elle était assise à son bureau et suivait de la pointe de son crayon les lignes imprimées d'un mémorandum photocopié. Lorsque je frappai à l'encadrement de la porte, elle leva les yeux vers moi, au-dessus de ses demi-lunes à monture d'écaille. La cinquantaine naissante, elle en était au stade où l'on hésite encore à teindre ses cheveux grisonnants. Je l'imaginai en train de tenir tête à son coiffeur, moins sûre d'elle lorsqu'on abordait les avantages comparés d'une couleur permanente et de rinçages plus éphémères. Probable qu'ils se chamaillaient aussi sur la longueur, Penelope ne voulant pas démordre de sa coupe « à la page » qu'elle arborait probablement depuis des lustres. Sa frange étant trop courte, je me demandai si elle la taillait elle-même entre deux rendez-vous. Elle ôta ses lunettes et les posa à côté d'elle.

— Oui ?

— Mademoiselle Delacorte ?

— Elle-même.

Elle observait une réserve prudente, à croire que je m'apprêtais à lui notifier une assignation ou je ne sais quoi.

— Kinsey Millhone, lui dis-je. Je suis détective privée et j'enquête sur la disparition du Dr Purcell. Pourriez-vous me consacrer quelques minutes ?

Sans y avoir été franchement invitée, j'entrai, me délestai de mon harnachement de pluie et m'installai dans le fauteuil à côté de son bureau, mon sac et mon imper empilés à mes pieds.

Penelope Delacorte se leva et alla fermer la

porte. Ma présence ne semblait pas la réjouir outre mesure. Elle approchait du mètre quatre-vingts, mince, classique dans ses goûts vestimentaires : robe-manteau bleu marine, égayée sur le devant d'une dégelée de petits boutons de cuivre. Ses escarpins, eux aussi bleu marine et à petits talons, refusaient toute fantaisie et avaient un faux air de chaussures orthopédiques, celles qu'on vous prescrit pour l'affaissement de la voûte plantaire ou une pronation du pied trop accentuée.

Elle se rassit, les mains sur les genoux.

— Je ne sais pas vraiment ce que je pourrais vous dire. J'étais déjà partie au moment de... de sa disparition.

— Combien de temps avez-vous travaillé pour les Prairies du Pacifique ?

— J'y ai exercé les fonctions d'administratrice pendant huit ans, jusqu'au 23 août dernier. J'ai travaillé avec le Dr Purcell pendant quarante-sept mois jusqu'à cette date.

Sa voix de même que son attitude étaient soigneusement étudiées, comme si elle était passée en mode « Agréable ».

— Je croyais que c'était lui l'administrateur ?

— Son titre était directeur médical-tiret-administrateur. J'étais, quant à moi, administratrice adjointe, je suppose donc que vous avez raison.

— Pouvez-vous me préciser les raisons de votre départ ?

— Genesis, la société de gestion qui exploite les Prairies du Pacifique, s'est vu notifier que Medicare procédait à une vérification rigoureuse de nos dossiers...

Je l'interrompis d'un geste.

— Qu'est-ce qui les a incités à le faire ? En avez-vous une idée ?

— Sans doute une plainte.

— Emanant de qui ?

— D'un patient, d'un garde, d'un employé mécontent. J'ignore qui, mais eux, en tout cas, semblaient très renseignés. Apparemment, on soupçonnait la clinique d'une quantité d'infractions, allant de trop-perçus versés à nos fournisseurs à des demandes de remboursement pour des services factices ou surfacturés. Le Dr Purcell s'est affolé et a mis la faute sur le dos de la comptable, Mlle Bart, ce qui était absurde et injuste. Mlle Bart travaillait pour les Prairies avant mon arrivée et ses prestations étaient irréprochables. Je suis intervenue en sa faveur. Il n'était pas question de les laisser se défausser sur elle. Elle n'avait aucun pouvoir de décision. Elle ne réglait même pas les factures : c'est Genesis qui s'en chargeait. Elle s'occupait des ordres d'achat et établissait les factures d'hôtellerie de chacun des résidents, y compris des fournitures, thérapies diverses et tout ce qui ne relevait pas de la pharmacie. Cela pour Medicare, Medicaid, la HMO[1], les mutuelles et les paiements privés. Les mêmes informations passaient par mon bureau. Elle n'était pas à l'origine des écritures. Elle faisait suivre ce qu'on lui donnait.

1. Health Maintenance Organization : système américain de soins intégrés. *(N.d.T.)*

— Pourquoi Genesis n'a-t-elle pas été tenue pour responsable, puisque c'est elle qui règle les factures ?

— Nous leur transmettons les données. En règle générale, ils ne prennent pas la peine de les vérifier, pas plus que Mlle Bart.

— Mais on l'a tout de même congédiée.

— C'est exact, et j'ai donné ma démission le jour même. J'étais décidée à porter l'affaire aux prud'hommes.

— Comment ont-ils réagi ?

— Je ne suis jamais allée jusque-là. J'ai réfléchi et j'ai décidé de m'en tenir là. Tina Bart ne voulait pas faire de vagues. Elle répugnait autant que moi à attirer l'attention sur la situation du Dr Purcell.

— Sa « situation » ?

— Mon Dieu, oui. Nous éprouvons toutes beaucoup d'affection pour lui. C'est un être adorable et un merveilleux médecin. S'il n'était pas doué pour l'administration, cela n'en faisait pas un gibier de potence à nos yeux. Il était juste dépassé par les règles et les réglementations de Medicare : les articles facturables et ceux dont le remboursement serait automatiquement refusé, les paiements conjoints, les modalités du tiers-payant, les tickets modérateurs... Croyez-moi, c'est une vraie galère ! Vous commettez une erreur — n'allez surtout pas inscrire un code au mauvais endroit ni laisser ne serait-ce qu'une case non remplie ! — et le formulaire vous revient aussitôt, habituellement sans la moindre explication !

— Mais le Dr Purcell ne s'occupait pas de la facturation ?

— Non, bien sûr, mais il devait examiner les DPC...

— Les DPC ?

— Les demandes de prise en charge. Il était responsable aussi de la vérification des codes des CPT et c'est lui qui approuvait le coût de n'importe quel service auxiliaire ou DME. Je tiens à souligner qu'il a toujours pris ses fonctions très à cœur et qu'il faisait preuve d'un grand esprit d'innovation dès qu'il s'agissait des soins aux patients et de leur bien-être...

— Ne vous donnez pas autant de mal pour le défendre, lui dis-je. Je vous crois sur parole. Bref, ce que vous me dites, c'est qu'en matière de gestion ordinaire, il était incompétent.

— J'imagine, encore que le mot me paraisse trop fort.

— Glazer et Broadus ne se sont rendu compte de rien ?

— Ce n'était pas leur affaire. Ils ont acheté l'établissement au propriétaire précédent, effectué de gros travaux d'aménagement et financé la construction de l'annexe. Le reste relevait de Genesis et du Dr Purcell. Comprenez bien qu'il s'agit seulement de mon opinion personnelle, mais j'ai travaillé avec de nombreux médecins tout au long de ma carrière. Et c'est à croire que le meilleur praticien est aussi le pire gestionnaire ! La plupart des médecins que je connais admettent difficilement leurs insuffisances en ce domaine. Ils sont habitués à être considérés comme des dieux. Leur discernement est rarement remis en question. Comme ils n'ont absolument pas conscience des limites qui leur sont imposées, il est facile de les duper. Ils possèdent le savoir médical, mais souvent ils n'ont pas un atome de bon sens dès qu'il s'agit de gérer un budget ! Je n'essayais pas de changer de sujet. J'essaie juste de vous montrer comment le Dr Purcell a pu se fourrer dans une telle situation.

— Vous ne lui avez pas expliqué ?

— Maintes et maintes fois ! Il semblait écouter et être d'accord, mais les erreurs continuaient de s'accumuler.

— Mais si vous le soupçonniez de se fourvoyer, n'auriez-vous pas pu en référer vous-même à la société d'exploitation ?

— En le court-circuitant ? Pas si je voulais garder mon emploi !

— Que vous avez perdu quand même.

Elle pinça les lèvres, tandis que ses joues s'enflammaient.

— Je me suis sentie tenue de donner ma démission quand on a licencié Mlle Bart.

— Pensez-vous, lui demandai-je, que le Dr Purcell escroquait l'État en toute connaissance de cause ?

— J'en doute. Je ne vois pas les bénéfices qu'il en aurait tirés, à moins de s'être entendu en sous-main avec Genesis ou les fournisseurs. Simplement, le Dr Purcell se trouvait sur place. Mais pas Genesis, et M. Glazer ou M. Broadus pas davantage. C'était à lui de prendre les décisions, et c'est à lui d'en répondre en dernier ressort.

— Que pensez-vous qu'il lui soit arrivé ?

— Je ne peux pas vous répondre. J'étais déjà partie.

— Je ne comprends toujours pas très bien pourquoi vous n'avez rien intenté. Si le renvoi de Tina Bart était illégal, l'affaire ne pouvait-elle pas légitimement aller aux prud'hommes ?

Elle resta silencieuse, visiblement aux prises avec sa conscience.

— J'imagine que nous hésitions, elle comme moi, à nous battre sur la place publique.

— Vous battre avec qui ?

— Avec tout le monde, me renvoya-t-elle. Les possibilités d'emploi sont limitées à Santa Teresa. Les nouvelles se propagent vite, en particulier dans les milieux médicaux. Malgré le nombre de médecins, la ville ne compte que trois hôpitaux. Il est difficile de trouver un poste à mon niveau de compétence. Je suis profondément enracinée ici. J'habite la ville depuis près de trente ans. Je ne peux pas me permettre d'être qualifiée d'élément perturbateur ou procédurier. Voyez-y de la lâcheté si vous voulez, mais je suis veuve et j'ai une mère vieillissante à ma charge. Bon, et maintenant j'estime vous avoir communiqué toutes les informations dont je disposais et donc, si vous voulez bien m'excuser...

Elle se mit à fourrager dans les papiers sur son bureau, s'emparant d'une pile de feuilles dont elle tapota les bords pour les égaliser. Des

196

plaques rouges, une vraie crise d'urticaire déon-
tologique, envahissaient son cou.

— Une dernière chose. Où Tina Bart a-t-elle
atterri ?

— Vous êtes détective, non ? A vous de trouver.

CHAPITRE 10

En rentrant au cabinet, je trouvai un avis de message sur lequel Jeniffer avait écrit : « Richard Heaven a apellé (*sic*). Prière le rapeller (re-*sic*). » Le temps d'enfiler le couloir et d'ouvrir la porte de mon bureau, j'avais déjà le cœur qui cognait comme un sourd. Je ne m'attendais pas à avoir de ses nouvelles avant le mercredi, au plus tôt. Je lâchai mon sac sur ma table et saisis le combiné. Je fis deux fois un mauvais numéro avant de me rendre compte que Jeniffer avait inversé les deux derniers chiffres de celui qu'elle avait eu tant de mal à noter. Au troisième essai, j'eus enfin Richard au bout du fil.

— Richard ? Kinsey Millhone à l'appareil. J'ai trouvé votre message.

— Ah oui. Merci de me rappeler. Comment allez-vous ?

— Très bien. Que puis-je pour vous ?

— Euh... voilà. J'ai vu les autres candidats et aucun n'a fait l'affaire en fin de compte. Les gens sont plutôt fauchés dans le coin, non ? Le local est à vous si vous en voulez.

— Non ? Supergénial ! Je suis vraiment ravie. Quand puis-je prendre possession des lieux ?

— Justement, j'y vais. Si vous avez quelques minutes, vous pourriez me faire un chèque. Seize cent soixante-quinze dollars en comptant l'avance sur charges. Au nom de Hevener Properties.

— Pas de problème. Je suis juste de l'autre côté de la rue. Dans un immeuble qui donne droit sur le vôtre.

— Tiens, c'est vrai. Passez donc tout à l'heure, et dès que le bail sera signé, je vous donnerai la clé.

Comme beaucoup de gens, il semblait gêné de parler d'argent et je m'interrogeai sur son expérience des rapports propriétaire-locataire.

— Dans combien de temps ?

— D'ici dix minutes, un quart d'heure ?

— A tout à l'heure. Et merci.

Dès que j'eus raccroché, j'entamai une petite danse de joie, mon attention filant déjà vers les détails pratiques du déménagement. Heureusement, je ne m'étais jamais vraiment posée chez Kingman & Ives et c'était autant de gagné. Bureau, fauteuil, canapé, faux ficus, en deux temps trois mouvements le tour serait joué. Je pourrais me garer à ma place réservée, à quinze pas seulement de ma porte de bureau. Prendre mes déjeuners sur la terrasse en séquoia...

J'ouvris ma penderie et descendis deux boîtes de l'étagère du haut, y cherchai mon mètre-ruban et le trouvai au fond de la deuxième boîte. C'était un de ces mètres en métal de professionnel qui se réenroulent assez vite pour vous trancher le petit doigt à la moindre faute d'attention. Je le fourrai dans mon sac, saisis un grand bloc-notes et de quoi écrire, vérifiai que mon répondeur était branché, enfilai mon ciré et partis à pied vers mes nouveaux quartiers refaits à neuf. J'avais l'impression de faire l'école buissonnière, puis un doute me prit : les enfants d'aujourd'hui la faisaient-ils encore ?

En remontant l'allée d'un pas vif, je me sentais déjà des instincts de propriétaire. Je voyais le pavillon depuis le bureau de Lonnie, mais je fus obligée de contourner la moitié du pâté de maisons et de traverser la ruelle pour l'atteindre. Il y avait de la lumière partout et, en sautant juste une fois sur la pointe des pieds, j'entrevis le cabinet d'expert-comptable qui occupait le bureau de devant. Il faudrait que je prenne le temps de me présenter dès que j'aurais une minute. Je contournai le bâtiment et remarquai la présence d'une berline bleu foncé de père de famille, celle de l'expert, sans doute. Le pick-up noir de Tommy stationnait deux places plus loin.

Je franchis la porte de derrière et pris soin de m'essuyer les pieds sur le paillasson hirsute prévu à cette fin. La porte du bureau était ouverte et je humai une odeur de peinture fraîche. En jetant un coup d'œil à l'intérieur, je découvris Tommy à quatre pattes ; armé d'un pinceau et d'un pot de peinture latex blanche, il retouchait les plinthes. Il me décocha un bref sourire et poursuivit son travail. Il portait une combinaison vert kaki et je fus frappée une fois de plus par la vigueur éclatante de son visage. Dans la lumière du jour, ses cheveux roux prenaient des reflets cuivrés, une fine pellicule de taches de rousseur décolorées donnant à sa peau un éclat rubicond.

— Bonjour, lui lançai-je. Comment allez-vous ?

— Bien. Je me suis dit que j'allais finir ça pendant que j'en avais le temps. J'apprends que vous êtes la nouvelle locataire.

— Ma foi, il semblerait. Richard a dit qu'il me retrouvait ici pour signer les papiers.

L'attention qu'il portait à ce qui l'occupait avait un avantage. Elle me permettait d'étudier sa carrure et les fins poils roux de ses avant-bras à l'endroit où il avait retroussé ses manches. Un mince filet de peinture blanche s'accrochait encore à sa peau dans les plis de ses jointures. Il avait besoin d'aller chez le coiffeur, et ses cheveux bouclaient au petit bonheur sur sa nuque.

Il me lança un regard par-dessus son épaule.

— Je vous croyais partie tellement vous êtes silencieuse, dit-il.

— Non, non, je suis toujours là. (J'allai vers la fenêtre, histoire de m'occuper.) La terrasse est une merveille ! (En réalité, je me demandais s'il avait une copine.)

— C'est moi qui l'ai construite. J'avais envie d'ajouter du treillage ou quelque chose, mais ç'aurait fait trop chargé.

— Elle est impeccable. C'est du séquoia ?

— Oui, ma p'tite dame ! Plein cœur ! Je n'aime pas les matériaux bas de gamme. Ça fait râler Richard, mais moi, je dis qu'au final on y gagne. Quand on prend de la camelote, ça tient deux fois moins longtemps.

Je ne vis strictement rien à ajouter. Je manœuvrai la crémone, ouvris la fenêtre, la refermai. D'un geste machinal, je soulevai le combiné du téléphone. J'entendis une tonalité.

— Vous avez un coup de fil à passer ?

— Je me demandais juste s'il marchait. Il va falloir que j'aille à la compagnie de téléphone mettre la ligne à mon nom.

— Le copain va bien ?

— En pleine forme.

Il y eut un autre silence pendant lequel il plongea de nouveau son pinceau dans la peinture.

— J'espère qu'il vous dorlote.

— A vrai dire, il est en déplacement.

Je tiquai en m'entendant : il allait y voir une invite.

— Il fait quoi, dans la vie, ce monsieur ? C'est un mignon petit avocat ?

— Il est détective privé, comme moi. En semi-retraite. Il a été immobilisé pendant une période, une histoire de genou démis.

Je louchai mentalement. A la façon dont je le décrivais, Dietz ressemblait à un vieux schnock à peine capable de mettre un pied devant l'autre. Et puis, Dietz était parti depuis si longtemps qu'en faire mon bonhomme attitré était grotesque.

— Il ne paraît pas de la première jeunesse !

— Détrompez-vous. Il a tout juste cinquante-trois ans.

Tommy eut un sourire entendu.

— Qu'est-ce que je vous disais ? Je savais que

vous étiez du genre à sortir avec un vieux. Vous avez quoi... trente-cinq ans ?

— Trente-six.

— Moi, j'en ai vingt-huit. A mon avis, le bel âge pour un mec, me fit-il remarquer. (Il releva légèrement la tête.) Ah, voilà Richard.

— Vous avez un truc ou quoi ? Je n'ai pas entendu sa voiture.

— Mon radar personnel. (Il se remit debout et resta sur place un moment, parcourant les plinthes d'un œil critique.) Il y a des oublis ?

— Je n'en vois pas.

Il récupéra le couvercle et referma hermétiquement le pot de peinture en tapant sur les bords.

Richard s'encadra dans la porte vêtu d'un long trench-coat noir dont il avait bouclé la ceinture dans le dos. Il était nettement moins séduisant que son frère, et indéniablement moins chaleureux, ne rencontrant mon regard que pour aussitôt en détourner le sien.

— Tu n'avais pas un autre chantier aujourd'hui ? lança-t-il à Tommy.

— Oui, mais je voulais finir ça. Je n'aime pas lâcher un travail avant d'être sûr que c'est impeccable, dit Tommy sans regarder son frère.

On notait une certaine tension entre eux, mais que je n'arrivais pas à définir. Ils semblaient se battre froid, comme s'ils continuaient de se quereller pour quelque chose. Tommy gagna le cabinet de toilette, où je l'entendis faire couler l'eau pour nettoyer son pinceau. Il en ressortit quelques minutes après et entreprit de rassembler ses outils. J'avais l'impression de voir se rejouer la soirée où j'avais visité le local pour la première fois, sauf que maintenant personne ne parlait.

— Et si je vous faisais ce chèque, hein ? lançai-je, désireuse de réchauffer l'atmosphère.

J'attrapai mon sac et en sortis mon chéquier et un stylo, m'appuyant contre le mur pour écrire la date.

— Au nom de Hevener Properties, Inc. ?

— Tout à fait.

Richard ne bougeait pas, les mains dans ses poches de trench, me regardant inscrire la somme l'air ailleurs. Quand Tommy se dirigea vers la porte, je les vis échanger un regard. Ses yeux rencontrèrent les miens et il m'adressa un bref sourire avant de disparaître.

Je détachai le chèque du talon et le tendis à Richard, qui sortit le bail de la poche intérieure de son trench. Il avait déjà rempli les blancs nécessaires. Je me mis en devoir de lire les lignes en petits caractères, tandis que Richard m'étudiait.

— J'espère qu'il ne vous harcèle pas.

— Qui ça, Tommy ? Pas le moins du monde. Nous discutions de la terrasse. Je suis passée pour prendre des mesures. J'aimerais faire poser des étagères.

— Pas de problème. Tout vous paraît comme il faut ?

— Épatant. Il a fait un travail de premier ordre.

— Quand emménagez-vous ?

— Au début de la semaine prochaine, j'espère.

— Parfait. Voici ma carte. C'est moi qu'il faut appeler s'il y a besoin de quoi que ce soit.

Je reportai mon attention sur le contrat, n'omettant aucune ligne. A première vue, c'étaient les stipulations habituelles : pas d'entourloupes, pas de clauses cachées, pas de restrictions inédites.

Richard m'observait.

— De quel genre d'affaires vous occupez-vous ?

— Tout et n'importe quoi. Cela varie. En ce moment, j'enquête sur la disparition d'un médecin qu'on n'a pas revu depuis presque dix semaines. En janvier, j'ai recherché l'héritier d'une succession.

— C'est surtout local, donc ?

— Dans la plupart des cas, oui. Il m'arrive de sortir de l'État, mais en général, le client s'en tire à moindre frais en engageant un détective sur place. Il n'a pas à payer les déplacements, qui peuvent faire vraiment monter la facture. (J'apposai ma signature au bas du bail, lui en tendis un exemplaire et gardai l'autre pour mes archives.) Je le dis toujours, mais c'est un métier moins palpitant qu'il n'y paraît. Pour l'essentiel, des vérifications d'antécédents et des recherches de documents aux services de l'identité judiciaire. A un moment, j'ai travaillé pour une société d'assurances ; je m'occupais des incendies criminels et des fausses déclarations de décès, mais je préfère être à mon compte.

Comme je ne voulais pas l'amener à douter de mes compétences, j'omis de préciser que la California Fidelity m'avait virée en beauté et espérai qu'il ne me poserait pas de questions car je ne voulais pas déjà lui mentir à ce stade de nos relations.

— Bon, et si je vous donnais une clé? me dit-il. (Il plongea la main dans sa poche de trench-coat et en sortit un trousseau, passant en revue dix ou quinze clés avant de trouver celle qu'il cherchait. Il la défit et la laissa tomber dans ma paume.) Il vous en faudrait une de secours au cas où vous perdiez celle-ci.

— Je vais m'en occuper. Merci.

Je sortis mon porte-clés et ajoutai sa clé à ma modeste collection.

Après son départ, je sortis mon mètre et commençai à relever les dimensions de la pièce : l'espace entre les fenêtres, la profondeur de la penderie, la distance jusqu'à la porte. Je traçai un croquis rudimentaire sur mon bloc-notes, puis je m'assis au milieu de la moquette, tapotant ma lèvre avec mon crayon tandis que j'étudiais la pièce. Entre les effluves du tapis neuf et l'odeur de la peinture fraîche, le bureau semblait aussi propre et aussi lisse qu'une voiture qu'on vient d'acheter. Derrière la fenêtre, le temps faisait grise mine, mais à l'intérieur, à l'endroit où je me trouvais, ça sentait le nouveau départ.

Au moment précis où je m'apprêtais à m'en aller, le téléphone sonna. Je faillis me précipiter, puis je contemplai l'appareil. Quelqu'un qui cherchait Richard ou Tommy, sans doute ; certainement pas moi. Je décrochai à la cinquième sonnerie, avec réticence.

— Oui ?

De nouveau l'accent traînant du Sud.

— Hé, c'est moi. Mon frère est toujours là ?

— Non, il vient de partir.

— Je me suis dit qu'on pourrait peut-être aller prendre un pot, tous les deux ?

Sa voix, au téléphone, était feutrée et charmeuse. Je savais qu'il souriait, ses lèvres proches du combiné.

— Pourquoi ?

— Pourquoi ? (Son rire pétilla.) A votre avis ?

— Dites, vous avez un problème, Richard et vous ?

— Comme quoi ?

— Je ne sais pas. J'ai l'impression qu'il n'a pas aimé vous voir discuter avec moi. Vous me demandez de sortir boire un verre, mais je me demande si c'est sage.

— Vous êtes une locataire. Il est très strict. Mais il n'a pas à s'en mêler pour autant.

— Je ne veux pas vous attirer d'ennuis.

Il éclata de rire.

— Vous en faites pas. Je suis assez grand pour veiller sur moi.

— Ce n'est pas ce que je voulais dire. Simplement, je ne veux pas causer de problème.

— Je vous l'ai dit, il n'y en a pas. Arrêtez de vous défiler et laissez-moi vous offrir un verre de vin.

— Il est à peine quatre heures de l'après-midi.

— Et alors ?

— J'ai du travail.

— Quand finissez-vous ?

— Probablement aux alentours de six heures.

— Parfait. On dînera, à la place.

— Non, pas de dîner. Un verre. Et juste un, insistai-je.

— C'est vous qui décidez. Dites-moi où, j'y serai.

Je réfléchis une seconde, tentée par l'idée d'aller chez Rosie, une adresse plutôt confidentielle. Toute cette histoire me paraissait un peu glauque, comme s'il fallait éviter que Richard nous voie ensemble. Mais quel mal y avait-il à boire juste un verre ?

— Il y a un endroit près de la plage, lui dis-je, et je lui donnai l'adresse de Rosie. Vous voyez où c'est ?

— Je trouverai.

— Je risque d'être en retard.

— J'attendrai.

Après avoir raccroché, je me demandai si j'avais commis une erreur. Il n'y a jamais intérêt à mélanger vie professionnelle et vie privée. C'était mon propriétaire maintenant, et, en cas de problème, je devrais me chercher un nouveau local. Cela dit, j'étais amie avec Lonnie Kingman et cela n'avait jamais créé de difficultés. Et, honnêtement, l'idée de le revoir ne me déplaisait pas. Avec un peu de chance, ce serait un vrai pignouf et je déclinerais poliment tout contact ultérieur.

En attendant, l'affaire Purcell exigeait tous mes soins. Je décidai de repartir de la case départ, en commençant par les Prairies du Pacifique et la soirée où le bon docteur avait disparu de la surface du globe.

Cette fois, le parking des Prairies était plein. J'insérai ma Volkswagen dans le tout dernier emplacement, en me serrant contre la haie. Je fermai ma voiture à clé et slalomai entre les flaques peu profondes jusqu'à la porte d'entrée. J'avais le vent dans le dos et mes boots de cuir eurent le temps d'être maculés d'eau avant que je sois à l'abri. Je calai mon parapluie contre le mur et accrochai mon ciré à un portemanteau. Ce jour-là, ça sentait la sauce tomate, les œillets, les chaussettes en laine humides, le terreau et le talc pour bébé. Je jetai un coup d'œil au menu du dîner affiché au mur près des doubles portes de la salle à manger. Côtelettes grillées, ragoût de haricots, panaché de brocolis et de chou-fleur (ça allait faire un malheur!) et, pour dessert, gelée accompagnée d'un cocktail de fruits. J'espérai que ce serait de la gelée à la cerise — c'est la saveur préférée de toutes les tranches d'âge. Comme on était en semaine, les résidents semblaient plus nombreux à déambuler dans le couloir.

La salle de séjour commune était presque pleine. On avait tiré les doubles rideaux et la pièce paraissait plus intime. Un petit groupe regardait une émission d'informations à la télé, tandis qu'un autre s'agglutinait devant un film en noir et blanc avec Ida Lupino et George Raft. Dans un coin, au fond, une femme entre deux âges dispensait à six résidentes, elles du quatrième âge, un cours de gymnastique qui consistait à leur faire lever les bras et effectuer un mouvement de marche avec les pieds tout en restant assises dans des fauteuils pliants. Le corps humain était fait pour bouger et la petite escouade faisait de son mieux pour le maintenir en forme. Vive elles !

Je fis un signe de tête à la réceptionniste de l'entrée, me comportant en habituée des lieux. Ma présence n'ayant suscité aucune protestation, je continuai jusqu'à l'Administration, où je trouvai Merry en train d'étaler une patience. Elle leva les yeux d'un air coupable, rassembla ses cartes et les glissa vite dans son tiroir à crayons.

— Bonjour ! Comment allez-vous ? me lança-t-elle.

Mon visage lui disait manifestement quelque chose, mais elle avait fait l'impasse sur mon nom.

— Kinsey Millhone, lui rappelai-je. J'ai eu l'idée de m'arrêter pour voir si Mme Stegler était là. J'espère qu'elle n'a pas pris sa journée ?

Merry tendit le doigt à droite au moment où une femme sortait du bureau un sécateur dans une main et un bouquet de branches de lierre marronnasses et déplumées dans l'autre.

— Ça fait nettement plus propre. Le Dr P. ne m'aurait jamais autorisée à toucher à ses plantes quand il était là, était-elle en train de dire.

Elle parut légèrement déconcertée de me voir là, mais poursuivit son chemin jusqu'à la corbeille à papier, où elle déposa les fruits de sa taille.

Ses cheveux formaient une masse drue sur le dessus de son crâne, mais ils étaient coupés très court autour des oreilles. Elle portait un blazer marron bien trop grand pour elle, une chemise, une cravate et un pantalon de coupe masculine.

Une pochette de soie jaune bouton d'or gonflait la poche de poitrine de son blazer. Les bouts de ses derbys marron pointaient sous ses jambes de pantalon informes. Elle aurait pu, et largement, lâcher cinq centimètres d'ourlet.

— Madame Stegler ? Kinsey Millhone. J'aimerais que vous me parliez du Dr Purcell.

Elle tira un mouchoir en papier de la boîte qui trônait sur le bureau de Merry et s'essuya les mains avec soin avant de se décider à m'en tendre une.

— Merry m'a dit que vous étiez passée samedi. Je ne suis pas sûre de pouvoir vous aider. J'ai pour principe de ne pas parler de mon employeur sans son autorisation expresse.

— Je comprends tout à fait, lui assurai-je. Je ne vous demande pas de trahir sa confiance. Connaissez-vous Fiona Purcell ?

— Évidemment. La première femme du Dr Purcell.

— Elle m'a engagée en espérant que je pourrais apprendre des choses sur lui. C'est d'ailleurs elle qui m'a suggéré de venir vous voir. Elle jugeait logique de commencer par avoir un entretien avec vous.

Mme Stegler secoua la tête.

— Je regrette, mais j'étais déjà partie au moment où le docteur a quitté l'établissement ce soir-là, me dit-elle, visiblement décidée à ne rien vouloir entendre.

Elle paraissait même ravie de ne m'être d'aucun secours.

— Lui avez-vous parlé ce jour-là ?

Elle m'adressa un regard significatif pour me

faire comprendre que Merry ne perdait pas une miette de nos paroles.

— Vous souhaitez peut-être aller dans son bureau ? me dit-elle enfin. Nous y serons plus tranquilles pour discuter.

Elle m'ouvrit la partie mobile du comptoir pour me permettre d'entrer. Elle avait des petits yeux ronds de perruche, bleu clair délavé avec l'iris cerné de noir.

Comme nous entrions dans le bureau intérieur, elle se tourna vers Merry.

— Veillez à ce qu'on ne nous dérange pas.

— Bien, madame, répondit Merry en levant les yeux au plafond d'un air excédé à l'intention de personne en particulier.

Pour ma part, cette invitation à visiter le domaine du Dr Purcell, une petite pièce impeccablement rangée, m'intéressait. Bureau, fauteuil pivotant pour le directeur, plus deux fauteuils pour les visiteurs, bibliothèque remplie de livres de médecine et d'un assortiment de manuels pratiques. Sur le bord du bureau trônait le lierre récemment tondu, avec de faux airs de cocker rafraîchi pour l'été. J'aurais donné beaucoup pour avoir une chance d'inspecter les tiroirs, mais il ne fallait pas trop y compter.

De toute évidence, Mme Stegler jugeait déplacé de s'asseoir au bureau du docteur. Elle se posa sur le bord d'un des fauteuils réservés aux visiteurs, je m'installai dans l'autre, nos genoux se touchant presque. Elle recula son siège et croisa les jambes, dévoilant une mince section de tibia blanc et glabre au-dessus de sa socquette en laine.

212

— J'espère que ma remarque ne vous paraîtra pas hors sujet, attaquai-je, mais je dois vous dire que je ne supporte pas les commérages. Même dans mon métier, je n'encourage jamais personne à tourner ou à entamer la confiance accordée, surtout dans une affaire de cette nature.

Elle me regarda avec un brin de suspicion, flairant peut-être le mensonge gros comme une maison, mais pas forcément.

— Nous nous rejoignons sur ce point, dit-elle seulement.

— J'aimerais que vous me parliez de sa dernière journée au bureau.

— J'ai déjà expliqué tout ça à la police. Et plus d'une fois, pourrais-je ajouter.

— J'aimerais que vous recommenciez pour moi. L'inspecteur Odessa m'a dit que vous lui aviez été d'un grand secours.

Elle jeta un regard inquiet à mon sac posé par terre, à côté de mon fauteuil.

— Vous n'enregistrez pas, au moins ? me lança-t-elle.

Je me penchai, attrapai le sac et l'ouvris pour qu'elle puisse en inspecter le contenu. La seule chose qui ressemblait, ne fût-ce que de loin, à un magnétophone était mon étui en plastique à tampons périodiques, secrètement équipé d'un puissant micro directionnel fourni par le gouvernement.

— Vous ne me citerez pas hors contexte ?

— Je ne vous citerai pas du tout.

Elle resta silencieuse, à contempler ses genoux.

— Il y a des années que j'ai divorcé, me dit-elle enfin.

Elle se tut de nouveau, et je laissai le thème s'installer entre nous sans remarque de ma part ni explications de la sienne. Je voyais bien qu'elle essayait de parler. Son visage se tordit soudain, ses lèvres s'étirant d'un même mouvement comme manœuvrées par des fils invisibles. Elle parla, mais d'une voix si tendue et si rauque que je la comprenais à peine :

— Le Dr Purcell... était pour moi... ce qui se rapprochait le plus d'un... ami. Je n'arrive pas à croire qu'il ait disparu. Quand je suis arrivée au travail le lundi matin suivant, tout le monde chuchotait qu'il avait... disparu. Ça m'a bouleversée. C'était un... un homme tellement délicieux... je l'adorais... Si j'avais su que je ne le reverrais plus, je lui aurais exprimé... toute ma gratitude... pour ses très, très nombreuses... bontés à mon égard.

Elle respira un grand coup, une inspiration dans laquelle tremblait un chagrin qui se refusait aux mots. Au bout d'une demi-seconde, elle parut se ressaisir, encore que ce calme fût visiblement fragile. Elle prit sa pochette de soie et se moucha bruyamment. La soie ne me parut pas absorber grand-chose. Elle croisa les mains sur ses genoux, tordant le tissu en boule entre ses doigts. Je vis une grosse larme tomber sur sa cuisse, puis une autre, on aurait dit une douchette mal fermée qui gouttait lentement.

Je me rendis compte que c'était la seule personne, hormis Blanche, qui ait manifesté une

214

émotion réelle à la disparition du Dr Purcell. Je me penchai vers elle et saisis ses mains glacées.

— Je sais que c'est dur, lui dis-je. Prenez votre temps.

Elle inspira profondément.

— Pardonnez-moi. Je suis désolée. Je ne devrais pas vous infliger ça. J'espère seulement qu'il est en sécurité. Je me contrefiche de ce qu'il a fait. (Elle s'interrompit, pressant la pochette contre ses lèvres. Et respira de nouveau un grand coup.) Ça va mieux maintenant. Oui, ça va. Je ne sais pas ce qui m'a pris. Toutes mes excuses.

— Je comprends. D'après tout ce que j'ai entendu sur lui, c'était un homme merveilleux. Je n'ai d'autre objectif que celui de vous aider. Il faut me croire. Je ne suis pas ici pour causer des ennuis.

— Que voulez-vous ?

— Juste que vous me disiez ce que vous savez.

Elle hésita ; son principe de « surtout-pas-de-commérages » était trop profondément ancré en elle pour céder du premier coup. Sans doute résolut-elle de me faire confiance, car elle prit une grande inspiration et se jeta à l'eau.

— Ce jour-là, le dernier, il semblait préoccupé. Je crois qu'il était anxieux... et il avait toutes les raisons de l'être, n'est-ce pas ? Mme Purcell... pardon, la première, Fiona... est passée le voir, mais il était sorti pour le déjeuner. Elle a attendu un petit moment, pensant qu'il allait revenir, puis elle lui a laissé un mot. Quand il est rentré, il a passé le reste de la journée à travailler. Je me souviens qu'il avait un verre de whisky sur son bureau. Il était déjà tard.

— Est-il sorti pour le dîner ?

— Je ne crois pas. Il dînait assez tard ou sautait carrément le repas. Bien souvent, il avalait un petit en-cas à son bureau... des crackers ou un fruit... cela quand sa femme sortait et ne voulait pas faire la cuisine. Quand j'ai frappé à sa porte pour lui dire bonsoir, il était là, dans son fauteuil.

— Avait-il des papiers devant lui ? Des dossiers ou des décomptes ?

— Probablement. Je n'ai pas fait attention. Il n'était pas du genre à rester sans rien faire. Je suis bien placée pour le savoir.

— Avez-vous bavardé ?

— Les plaisanteries habituelles. Rien d'important.

— Pas d'appels téléphoniques ni de visiteurs dont vous ayez entendu parler ?

Elle eut un geste négatif.

— Non, pas que je me souvienne. Quand je suis arrivée le lundi suivant, son bureau était vide, ce qui était très peu dans ses habitudes. Il arrivait toujours à sept heures, avant tout le monde. Les langues allaient déjà bon train. Quelqu'un... j'ai oublié qui... a dit qu'il n'avait pas reparu chez lui le vendredi soir. Au début, nous n'y avons pas accordé beaucoup d'importance. Et puis, les gens ont commencé à s'inquiéter, craignant qu'il ait eu un accident ou un malaise. L'arrivée de la police nous a vraiment alarmés, mais nous espérions toujours qu'on le retrouverait dans un jour ou deux. Dieu sait si j'ai tourné et retourné indéfiniment cette histoire dans ma tête, mais je ne vois absolument rien d'autre.

— J'ai cru lire dans le journal qu'il avait échangé quelques mots avec une résidente âgée assise dans l'entrée...

— Il doit s'agir de Mme Curtsinger. Ruby. Elle est ici depuis 1975. Je vais dire à Merry de vous conduire à sa chambre. Mais je vous demande de ne surtout pas la brusquer.

— Je vous le promets.

CHAPITRE 11

Merry m'escorta jusqu'au bout du couloir. Je vis les chariots du dîner qu'on sortait, les tablettes où s'empilaient les plateaux des résidents qui préféraient dîner dans leur chambre. Il n'était même pas encore 5 heures et je soupçonnai que l'horaire avait été conçu de façon à regrouper les trois services en un seul poste.

— Vous vous souvenez de l'infirmière qui se trouvait là quand vous êtes partie samedi ? était en train de me dire Merry. Elle s'appelle Pepper Gray. Toujours est-il qu'elle s'est mise à me poser un tas de questions sur vous. Je ne lui ai absolument rien dit, juste que vous reviendriez interroger Mme S. aujourd'hui. Elle m'a fait tout un sermon, comme quoi je ne devais parler de la clinique à personne. Je l'aurais pilée ! Elle n'a pas à me parler sur ce ton. Elle ne travaille même pas dans mon service !

— Qu'a-t-elle entendu, d'après vous ?

— Aucune importance. Ça ne la regarde pas ! J'ai juste pensé que je devais vous mettre au courant au cas où nous tomberions sur elle.

218

Nous tournâmes à gauche, longeant la salle de repos du personnel, la réserve principale, puis une série de chambres de résidents. De nombreuses portes étaient fermées, décorées à l'extérieur de cartes de vœux ou de couronnes de fleurs séchées. Parfois, le nom de l'occupant s'inscrivait en lettres de papier d'aluminium accrochées d'un air crâne à un mini-fil d'étendage en ruban ou en ficelle. Par les portes restées ouvertes, j'aperçus des lits jumeaux recouverts de jetés à fleurs, des photos de famille en rang d'oignon sur les commodes. Chaque chambre se distinguait par une palette de couleurs différentes, mais toutes donnaient sur une mince bande de jardinets où des arbustes en fleurs frémissaient sous les gouttes pressées de la pluie qui reprenait. Nous croisâmes une vieille femme qui clopinait derrière son déambulateur. Elle avançait rapidement et, arrivée à l'angle du couloir, amorça son virage avec tant d'énergie qu'elle faillit faire un tonneau. Merry tendit la main pour la rattraper. La femme retrouva son équilibre, reprit son virage au plus large et poursuivit sa course.

Rudy Curtsinger était assise dans un fauteuil roulant confortable à côté d'une double porte coulissante, dont une partie était poussée pour laisser pénétrer un peu d'air frais et humide. Ses pieds reposaient sur un tabouret. Dehors, une mangeoire à oiseaux était accrochée à l'avant-toit. De petits oiseaux bistre s'étaient perchés sur le bord de la mangeoire. D'autres oiseaux s'alignaient sur le perchoir horizontal, telles des pinces à linge. Ruby était une petite dame frêle et ratatinée, au visage émacié et aux bras minces comme des baguettes. Il ne lui restait plus qu'une poignée de cheveux blancs, mais ils semblaient avoir fait l'objet d'un shampooing et d'une mise en plis récents. Elle tourna des yeux d'un bleu étincelant dans notre direction et nous adressa un sourire qui révéla les nombreux vides de sa mâchoire inférieure. Merry nous présenta toutes les deux et lui expliqua la raison de ma visite avant de se retirer.

— Vous devriez interroger Charles, me dit Ruby. Il a vu le Dr Purcell juste après que je lui ai dit bonsoir.

— Je ne crois pas avoir entendu parler d'un Charles.

— C'est un garçon de salle de l'équipe de nuit. Il doit se trouver dans les parages. Il aime bien arriver tôt pour voir Mme Thornton et quelques-unes des autres filles. Ils jouent au rami pour des haricots, et vous devriez entendre le raffut qu'ils font ! Quand je n'arrive pas à dormir, je le sonne, il me met dans mon fauteuil et me promène dans les couloirs. Quelquefois, je m'installe dans la salle de repos du personnel et je fais une crapette avec lui. Il adore les cartes. Je prends mes repas ici, dans ma chambre. A la salle à manger, il y a des gens que je préfère éviter. Il y a une femme qui mange la bouche ouverte. Je ne veux pas voir un spectacle pareil pendant que je mange. C'est répugnant !

« Le soir dont vous me parlez... celui où j'ai vu le docteur pour la dernière fois... j'avais pris mes pilules habituelles, mais rien ne semblait y faire. J'ai sonné Charles, et il m'a dit qu'il allait

220

m'emmener faire le « Grand Huit », comme il dit. En réalité, il avait envie d'une cigarette. Il m'a garée dans le hall d'entrée et il est sorti. Ce qui explique que je me trouvais là. Charles est allé fumer en douce. En ce moment il essaie d'arrêter et il doit croire que, si personne ne sait qu'il en grille une, elle compte pour du beurre. Le Dr Purcell ne permet à personne de fumer à l'intérieur. Il dit que trop de gens ont déjà assez de problèmes respiratoires comme ça. C'est une des choses dont nous avons parlé ce soir-là.

— Quelle heure était-il ?

— Neuf heures moins cinq environ. On n'a pas discuté longtemps.

— Vous souvenez-vous d'autre chose ?

— Il m'a dit que j'étais belle. Il me fait toujours des compliments, même si je pense parfois qu'il en rajoute un petit peu. Je lui ai demandé des nouvelles de son fils. J'ai oublié son prénom.

— Griffith.

— C'est ça. Le docteur demandait à sa femme de nous amener le petit garçon à peu près toutes les semaines. Naturellement, elle ne l'a même pas amené une seule fois depuis que son papa a disparu ! J'ai remarqué que ce môme ne mettait jamais le pied par terre. Ils passaient leur temps à l'avoir dans les bras et, s'il voulait quelque chose, il le montrait du doigt en couinant. J'ai dit au docteur : « Il ne saura jamais parler si vous le traitez comme un demeuré », et il m'a pleinement approuvée. Après, on a parlé du temps. Dehors, il faisait une nuit délicieuse. On se serait cru au printemps, et je crois que la lune était presque pleine. Il a passé la porte et je ne l'ai plus revu.

— Pourriez-vous me dire de quelle humeur il était ? Furieux ? Triste ?

Elle posa un index sur sa joue et réfléchit. L'arthrite lui ayant donné un bec-de-perroquet, l'angle de son doigt avec sa main faisait peine à voir.

— L'esprit ailleurs, je dirais. J'ai dû lui demander deux fois s'il ne voulait pas nous organiser une sortie. Ici, la nourriture est bonne. Ce n'était pas pour me plaindre, mais c'est plus amusant de manger dehors et ça nous remonte le moral à tous. Le moindre petit changement fait une telle différence !

Une Hispanique en blouse s'encadra dans la porte.

— J'ai votre plateau, mademoiselle Curtsinger, dit-elle. Voulez-vous dîner devant la télé pour regarder votre émission ? Elle commence dans cinq minutes et ce serait dommage de rater le début. Vous m'avez dit que c'était le plus intéressant.

Elle alla jusqu'au fauteuil de Ruby et posa le plateau sur une petite table roulante, qu'elle rapprocha. Elle ôta le couvercle en aluminium, révélant la côtelette rôtie présentée avec tout ce qui l'accompagnait. La Jell-O était verte, et une pincée de cocktail de fruits avait sombré dans ses profondeurs luisantes.

— Merci, lui dit Ruby, puis elle me sourit. Reviendrez-vous me voir, ma belle ? J'aime bien bavarder avec vous.

— Je ferai de mon mieux. Vous savez quoi ?

La prochaine fois, je vous apporte un Quarter Pound au fromage.

— Et un Big Mac ! Je vois leur pub à la télé et ils ont toujours l'air tellement bons !

— Croyez-moi, c'est à se lécher les babines. Je vous en apporterai un aussi.

Je repartis dans le couloir jusqu'à la salle de repos du personnel, où je passai la tête.

— Je cherche Charles, annonçai-je.

L'homme que j'aperçus assis à la table avec le journal du soir avait la cinquantaine et portait une blouse, comme la préposée aux plateaux-repas. Il avait des cheveux châtain clair, des épaules étriquées et des bras maigrichons et dépourvus de poils. Il repoussa son journal et se leva poliment pour se présenter.

— Charles Biedler, dit-il. En quoi puis-je vous être utile, mademoiselle ?

Je lui expliquai qui j'étais et ce que je voulais, lui répétant en gros ce que Ruby Curtsinger venait de me dire.

— Je sais que vous avez déjà répondu à ces questions, poursuivis-je, mais cela m'aiderait vraiment que vous me disiez de quoi vous vous souvenez.

— Je peux vous montrer l'endroit où il était garé et où moi je me tenais ce soir-là.

— Oui ? Ce serait génial.

Il saisit un supplément plié du journal et le prit avec lui tandis que nous gagnions l'entrée. Je récupérai au passage mon parapluie et mon ciré, que je tins au-dessus de ma tête comme une tente en plastique jaune. Charles se servit de son journal en guise de chapeau et nous fonçâmes dehors, courbant le dos pour nous protéger des rafales de pluie qui nous arrivaient dans la figure.

— Vous voyez l'endroit où la petite Volkswagen bleue est garée ? C'était la place du docteur. Je l'ai vu traverser le parking, ensuite il est monté dans sa voiture et il a fait une marche arrière jusqu'ici.

— Vous n'avez vu personne d'autre ?

— Non, mais dans ce coin du parking il faisait plus noir à neuf heures qu'en ce moment. La nuit était tiède. J'étais en bras de chemise comme maintenant, mais je n'avais pas la chair de poule. J'ai discuté avec lui comme d'habitude, vous savez ce que c'est, je lui disais un truc et il me répondait, on plaisantait...

— Il n'y avait rien d'inhabituel ?

— Pas que je me rappelle.

— J'essaie de voir la scène comme vous l'avez vue. Ruby dit qu'il avait sa veste de costume sur le bras. Portait-il autre chose ?

— Je ne crois pas. En tout cas, je n'en ai pas gardé le souvenir.

— Et ses clés de voiture ?

— Il devait les avoir dans la main. Je ne le revois pas chercher dans sa poche.

— Donc, il ouvre la portière. Et ensuite ?

— Aucun souvenir.

— L'éclairage intérieur s'est-il allumé ?

— Probable que oui. Après être monté, il est resté un moment sans bouger, puis il a mis le contact et a fait marche arrière jusqu'ici pour sortir sur le devant.

— Était-ce sa façon habituelle de procéder ?

Charles cligna des yeux et secoua la tête.

— En général, oui.

Voyant son journal trempé, je compris qu'il était temps de battre en retraite sous l'auvent.

— On se met à l'abri ! lui lançai-je.

Nous repartîmes sous l'auvent, faisant de nouveau halte juste devant la porte d'entrée.

— Y a-t-il eu autre chose ? N'importe quoi, même si ça vous paraît insignifiant...

— Il ne m'a pas crié bonsoir comme il ne manquait jamais de le faire en passant. Il m'a adressé un geste de la main et m'a grondé du doigt pour me taquiner parce que je lui avais dit que j'arrêtais de fumer.

— La vitre était-elle baissée ?

— Je ne pourrais pas en jurer.

— Vous n'avez vu personne dans la voiture avec lui ?

Il me fit signe que non.

— Vous en êtes sûr ?

— Sûr et certain. Et, sincèrement, c'est tout ce que je sais.

— Merci de m'avoir accordé un peu de votre temps. Si quoi que ce soit vous revenait, pourriez-vous m'appeler ? (Je sortis une carte de mon sac et la lui tendis.) On peut me joindre à ce numéro. Il y a un répondeur si je suis absente.

En quittant l'auvent pour aller vers le parking, je me retournai pour lui faire un signe de la main. Il n'avait pas bougé et gardait les yeux fixés sur moi.

Je montai dans ma voiture et restai un moment songeuse : j'étais garée exactement au même endroit que le Dr Purcell le soir du 12 septembre. En tournant la tête, je procédai à un examen des lieux. Que lui était-il arrivé ? La pluie tombait sur le toit de ma voiture ; on aurait dit des doigts impatients qui tambourinaient sur une table. Personne ne l'avait agressé. Il était monté dans sa voiture et n'avait pas démarré tout de suite... Que faisait-il ? Je mis le contact et sortis en marche arrière, pour rejoindre, comme l'avait fait Purcell, Dave Levine Street. Je jetai un coup d'œil au bâtiment. Charles avait disparu. L'allée était vide, la pluie qui tombait en oblique bouchait la lumière, et l'entrée paraissait lugubre.

Je tournai à droite, inspectant les deux côtés de la rue. C'était un quartier résidentiel. Saint-Terry's ne se trouvait que quatre rues plus loin. On notait alentour des bâtiments à vocation médicale, des immeubles d'appartements et quelques maisons individuelles, mais pas grand-chose d'autre. Aucun bar ni restaurant dans les parages où il aurait pu s'arrêter boire un verre. Au carrefour suivant, personne n'aurait pu dire dans quelle direction il avait continué.

Je revins à mon bureau et à 5 h 30 dactylographiais déjà un premier brouillon du prochain épisode de mon rapport. C'était stimulant d'être obligée de tout remettre à plat par écrit. Cela me faisait quatre heures de travail de plus, que je déduisis de l'avance, ce qui me laissait encore corvéable à merci à hauteur de onze cent vingt-cinq dollars. Un friselis d'anxiété me traversa jusqu'à la moelle. Je n'étais pas plus avancée qu'au début, et sans doute pas plus près de mettre la main sur le Dr Purcell. Je n'avais même pas de plan ! Aucune stratégie subtile ne me dictait mon prochain mouvement. Quoi faire de plus ? Fiona voulait des résultats. Je bougeais mais n'arrivais nulle part. Je consultai ma montre. 6 h 02. Je bondis. Impossible d'être à l'heure chez Rosie : j'étais déjà en retard. Eh bien, tant pis ! Je fourrai mon rapport dans mon sac, avec l'idée de le reprendre plus tard si nécessaire.

Dans les rues luisantes de pluie, la circulation était dense. Coincée à un feu rouge, je tournai le rétroviseur pour voir à quoi je ressemblais. Comme je me maquille rarement, j'avais à peu près la même tête que d'habitude : le teint cireux sous l'éclairage public, une épaisse tignasse brune. Je ne me sentais pas terriblement affriolante en jean et col roulé, eh bien, re-tant pis ! Je n'avais pas le temps de rentrer à la maison pour me changer. Et pour mettre quoi, d'ailleurs ? Je n'ai rien d'autre. Et c'est mon style et puis zut.

Je garai ma voiture devant l'appartement et fis d'un pas vif la distance qui me séparait de chez Rosie. Je poussai la porte de l'établissement, me débarrassai de mon parapluie et abandonnai mon ciré sur un portemanteau. Alors que, le vendredi précédent, le mauvais temps avait vidé l'endroit, ce soir-là, on s'entassait. Le juke-box et la télévision braillaient à plein volume, « Votre soirée football du lundi » ayant aggluttiné au bar un auditoire captif et bruyant d'inconditionnels du sport. Une épaisse fumée voilait l'atmosphère et toutes les tables étaient prises. J'aperçus William qui sortait de la cuisine avec un plateau à la hauteur de l'épaule, tandis que Rosie décapsulait les bouteilles de bière à un rythme accéléré. Je scrutai la cohue, étonnée d'avoir réussi à devancer Tommy Hevener. Je sentis qu'on me tirait par la manche, baissai les yeux et le vis qui levait les siens vers moi dans le premier box à droite.

Doux Jésus !

Il était rasé de frais et avait passé une chemise blanche et un pull en laine ras du cou bleu ciel. Il me dit quelque chose que je ne compris pas. Je me penchai vers lui, absorbant une bouffée d'Aqua Velva. Quand il répéta, sa voix quasiment dans mon oreille éveilla en moi un frisson de fille chatouillée qui me fila jusqu'au bout des orteils.

— On va ailleurs ! me dit-il.

Il se leva et attrapa son trench-coat sur le siège en face de lui.

J'acquiesçai et entrepris de me frayer de nouveau un passage en direction de la porte. Je le sentais qui me suivait, une main sur mon dos. Son geste sous-entendait une intimité contre laquelle j'aurais dû m'insurger, mais je ne réagis pas. Nous fîmes halte dans l'entrée, le temps pour moi de récupérer mon ciré et mon parapluie. Il enfila son trench et en remonta le col.

— Où va-t-on ? me demanda-t-il.

— Je connais un endroit à une rue d'ici. « Émile-à-la-plage ». On peut y aller à pied.

Comme il avait le plus grand parapluie, il leva et le tint au-dessus de ma tête pour affronter le déluge. Je gardai ma main sur la tige à une fraction de pouce de la sienne, et nous avançâmes avec la démarche de canard des individus qui marchent en tandem. Il pleuvait si fort que l'eau traversait le tissu du parapluie, créant une sorte de brume. Une voiture passa en soulevant une gerbe d'eau qui s'écrasa juste à nos pieds.

Tommy pila net.

— C'est idiot. J'ai ma voiture juste là.

Il sortit ses clés et ouvrit la portière d'une Porsche flambant neuve, rouge pomme d'api, immatriculée HEVNER 2. Je descendis du trottoir pour y monter, manœuvre pour le moins délicate compte tenu du châssis surbaissé et des torrents d'eau qui dévalaient dans le caniveau. Il referma la portière sur moi et fit le tour de la voiture pour ouvrir la sienne. Les garnitures intérieures étaient en cuir caramel et dégageaient une odeur de sellerie prenante et charnelle.

— Et votre camion ? lui demandai-je.

— Lui, c'est pour le boulot. Elle, pour la récré. Vous êtes superbe. Et vous m'avez manqué.

On parla de tout et de rien, le temps de faire le court trajet jusque chez Émile. Tommy me laissa devant la porte. J'entrai et fis valoir mes droits sur une table, tandis qu'il cherchait une place. On nous installa à une table pour deux près de la fenêtre, dans la petite salle de côté. L'air embaumait l'ail et l'oignon frit, le poulet rôti et la sauce marinara. L'atmosphère était intime, la moitié des tables seulement étant occupées à cause de la pluie. Il flottait un bourdonnement de conversations tamisé, parfois rompu par le cliquetis des couverts. Des photophores projetaient des cercles lumineux dans la pénombre ambiante. Le serveur nous apporta deux menus ; après y avoir jeté un coup d'œil rapide, Tommy commanda une bouteille de chardonnay californien. Tandis que nous attendions, il se mit à jouer avec une fourchette, traçant des sillons le long des bords d'une serviette en papier. Il portait une montre en or blanc et une gourmette en or, jaune cette fois, dont les lourds maillons luisaient sur sa peau rougie par le soleil.

— En rentrant, j'ai lu le formulaire que vous avez rempli, me dit-il. Vous êtes divorcée.

Je levai deux doigts.

— Moi, je n'ai jamais été marié, me dit-il. J'ai trop besoin de bouger.

— J'attire les types incapables de tenir en place, lui dis-je.

— Peut-être que je vous étonnerai. Où habite votre famille ?

— Mes parents sont morts dans un accident de voiture quand j'avais cinq ans. J'ai été élevée par la sœur de ma mère, ma tante Gin. Elle aussi est morte.

— Pas de frère et sœur ?

Je fis signe que non.

— Et les maris ? Ils faisaient quoi ?

— Le premier était policier... Je l'ai rencontré quand je faisais mes classes...

— Vous avez été flic ?

— Deux ans.

— Et le second ?

— Il était musicien. Très doué. Moins doué en matière de fidélité, mais il avait d'autres qualités. Il faisait la cuisine et jouait du piano.

— Des talents que j'admire. Et il fait quoi maintenant ?

230

— Aucune idée... Vous disiez que vous aviez perdu vos parents ?

— C'est bizarre d'être un orphelin adulte, mais pas aussi moche qu'on pourrait le croire. Votre père travaillait dans quoi ?

— Il était facteur. Mes parents étaient mariés depuis quinze ans quand je me suis manifestée.

— De sorte que vous n'avez que cinq ans de vie de famille.

— Il faut croire. Je n'y avais jamais réfléchi sous cet angle.

— Pauvre bébé.

— Pauvre nous. C'est la vie...

Le serveur revint avec notre chardonnay et nous le regardâmes poliment procéder au rituel : débouchage de la bouteille, dégustation, remplissage des verres. Comme nous n'avions pas encore consulté le menu, on nous accorda quelques minutes de sursis pour choisir. J'optai finalement pour le poulet rôti, et Tommy commanda une pasta puttanesca. Nous prîmes tous les deux une salade en entrée.

— Parlez-moi donc de votre copain, reprit-il une fois les entrées sur la table. Quels sont vos rapports, exactement ?

Je posai ma fourchette, prête à sortir mes griffes pour défendre Dietz.

— Pourquoi devrais-je vous parler de lui ?

— Ne vous fâchez pas. Je voudrais juste savoir ce qui se passe. Entre nous deux.

— Mais, rien du tout ! Nous dînons, c'est tout.

— Moi, je crois qu'il y a autre chose.

— Tiens donc ! Et quoi ?

— Aucune idée. D'où ma question.

— On est là pour quoi, pour définir nos relations ? Je vous connais depuis une heure.

Il me sourit, prenant tout son temps. Ma rogne, que je n'arrivais pas à réprimer, n'avait aucune prise sur lui.

— Si on calcule bien, je dirais que ça fait plutôt près de deux heures. Je vous ai vue deux fois au local, et ici maintenant.

Il termina son verre et le remplit de nouveau après avoir rajouté du vin dans le mien. Ses yeux étaient d'un vert fabuleux.

— Écoutez, je ne vous connais pas depuis assez longtemps, lui dis-je. Et puis vous êtes trop jeune.

Il leva les sourcils et je me sentis rougir.

— Pourquoi avez-vous décidé de vous installer à Santa Teresa ? lui demandai-je.

— Vous détournez la conversation.

— Je n'aime pas être brusquée.

— Parlons sexe. Dites-moi ce que vous aimez au lit si jamais l'occasion se présente.

J'éclatai de rire.

— Parlons plutôt de l'école primaire. J'ai détesté. Vous en gardez un bon souvenir, vous ?

— Excellent. Je me suis bien amusé. J'ai été délégué de classe deux ans de suite. Je suis allé dans quatre universités différentes, mais je n'ai pas passé mon diplôme de fin de premier cycle. Peut-être que je retenterai le coup un jour. J'aimerais bien l'avoir.

— Moi, j'ai fait deux semestres de fac et je n'ai pas aimé du tout. Je me suis inscrite en espagnol en cours du soir, mais j'ai tout oublié sauf « *ola* » et « *buenos dias* ».

— Vous êtes bonne en cuisine ?

— Non, mais je suis une petite fée du logis.

— Moi aussi ! Mon frère est un vrai porc. On ne le croirait jamais, à le voir. Toujours tiré à quatre épingles, mais sa voiture est un vrai bordel.

— Il m'arrive de transporter des boîtes d'huile sur mon siège arrière.

— Ça fait partie de votre boulot, dit-il, m'accordant les circonstances atténuantes.

La conversation se poursuivit sur ce ton badin, et je m'aperçus que son visage ne me déplaisait pas. Et puis, son corps nerveux et musclé ne me laissait pas indifférente. Je me demandai où était Dietz ce soir-là. Pas à portée de main, en tout cas. Alors, hein... Peu d'hommes m'attirent. Non que je leur cherche toujours la petite bête, mais comment dire... je me protège. Bref, aucun, enfin presque... ne fait l'affaire, mais... ? Je n'arrivais jamais à savoir pourquoi certains hommes avaient raison de mes défenses. Simple question d'attirance physique, j'imagine. Je reportai mon attention sur le découpage de mon poulet, goûtant la purée de pommes de terre, qui atteignait dans ce restaurant les mêmes sommets que le beurre de cacahuète. A mon sens en tout cas.

Tommy m'effleura la main.

— Où étiez-vous passée ?

Je levai les yeux et le vis qui me dévisageait. Je dégageai mes doigts.

— Vous voudriez qu'on sorte ensemble ?

— Oui.

— Je ne sors avec personne.

— Ça saute aux yeux.

— Sérieusement, insistai-je. Je ne suis pas bonne à ce genre de petit jeu.

— Ça m'étonnerait. Vous avez été deux fois mariée et là, vous avez encore un copain en réserve.

— J'ai connu d'autres hommes dans l'intervalle. Ce qui ne signifie pas que je sache m'y prendre.

— Vous vous y prenez comme un chef. Et vous me plaisez. Inutile de vous crisper. Détendez-vous...

— D'accord, marmonnai-je, mortifiée.

Lorsque nous quittâmes le restaurant à 9 heures, la pluie avait cessé, mais les rues restaient luisantes. J'aperçus sa Porsche garée en face. Le jardin d'enfants était sombre et les bateaux de la marina ressemblaient à des lucioles oscillant au rythme de la houle. J'attendis qu'il m'ouvre et me fasse monter.

— J'aimerais vous montrer quelque chose, me dit-il après avoir mis le contact. Il est encore tôt. Vous êtes d'accord ?

Il s'éloigna du trottoir et effectua un demi-tour dans Cabana Boulevard. Nous prîmes vers l'ouest, laissant le port de plaisance à notre droite, puis le collège de la Ville de Santa Teresa à notre gauche. Sea Shore, ensuite la colline. Après quoi, à gauche à la première grande intersection. Sans qu'il me l'eût précisé, je compris que nous nous dirigions vers Horton Ravine. Il m'adressa un sourire.

— Je veux vous montrer la maison.

— Et Richard ? Il n'y verra pas d'objection ?

— Il est descendu à Bell Garden ce soir pour faire un poker.

— Que se passera-t-il s'il perd et qu'il revient ?

— Il ne rentrera pas avant le matin, quoi qu'il arrive.

La voiture passa entre les deux piliers de pierre de l'entrée de derrière. La route était large et plongée dans l'ombre. De part et d'autre, de nombreuses propriétés non clôturées recréaient un paysage rural, avec des prairies et des écuries, des maisons dont les lumières clignotaient à travers les arbres. Il prit une route en lacets et je le soupçonnai de vouloir me prouver la puissance et la maniabilité de la Porsche. Il finit par tourner à droite et remonta une courte allée, jusqu'à un parking fermé en arc de cercle. J'eus le temps d'avoir une vue complète de la maison : murs en stuc, lignes massives, toiture en tuiles rouges. Un éclairage extérieur spectaculaire badigeonnait de lumière toutes les arcades et les balcons. Il saisit la télécommande du parking, pressa un bouton, puis donna un coup de volant et franchit la porte grande ouverte d'un garage à quatre places. Nous nous retrouvâmes dans un espace sépulcral absolument immaculé, dont le mur en Placoplâtre blanc flambant neuf sentait l'enduit. Trois places étaient vides. Je m'imaginai Richard au volant d'une voiture aussi neuve et voyante que celle de Tommy. J'ouvris la portière de mon côté et m'extirpai du véhicule, tandis que Tommy sortait et cherchait sa clé de maison. Le garage était vierge d'étagères, d'outils, de bric-à-brac ; pas de transats, pas de boîtes portant la mention DÉCORA-

TIONS DE NOËL. Nous entrâmes dans l'office attenant à la cuisine. Le panneau du système d'alarme fixé à côté de la porte était éteint. Un cabinet de toilette et des chambres de service s'ouvraient à gauche, une lingerie à droite. Des imprimés s'accumulaient sur les plans de travail de la cuisine, à côté de catalogues et de prospectus. Les modes d'emploi du répondeur, du four à micro-ondes et du Cuisinart, manifestement jamais utilisé, formaient une pile à part. Le sol était revêtu de dalles mexicaines d'un rouge assourdi, étanches et polies à mort. Tommy jeta son trousseau de clés sur le plan de travail en carrelage blanc étincelant.

— Alors, qu'en dites-vous ?

— Pas de système d'alarme ? Ça paraît curieux pour une aussi grande maison.

— C'est le flic qui parle, hein ? A vrai dire, on l'a fait installer, mais il n'est pas branché. Quand nous avons emménagé, Richard passait son temps à le déclencher, au point que la société de gardiennage s'est mise à nous compter cinquante dollars par fausse alerte et que les flics ne se dérangeaient même plus. Alors on s'est dit : à quoi bon ?

— Espérons que les cambrioleurs ne vous ont pas entendus !

— On est assurés. Venez, je vais vous faire la visite guidée.

Il me montra toute la maison, s'arrêtant pour m'expliquer leurs projets de décoration. Au rez-de-chaussée, des parquets en chêne à larges lattes couvraient uniformément les salle de séjour, salle à manger, salle de jeu, bureau lambrissé et les

236

deux chambres d'amis. A l'étage, le sol était entièrement revêtu d'une moquette de laine crème : deux chambres de maître, une salle de musculation et assez de placards et de penderies pour dix. On se serait cru dans la maison témoin d'un nouveau lotissement, mobilier et fanfreluches en moins. De nombreuses pièces étaient nues, et celles qui avaient des meubles paraissaient tout aussi vides. Je compris que Tommy voyageait léger, comme moi : pas de mômes, pas d'animaux, pas de plantes vertes. Dans la salle de jeu, un bar entièrement approvisionné disputait l'espace à une profusion de cuir noir et à un téléviseur grand écran pour les émissions de sport. Je n'aperçus aucun livre d'art, mais peut-être attendaient-ils encore d'être déballés.

Les chambres... il ne faisait aucun doute qu'ils avaient acheté les ensembles complets du magasin d'exposition. Tous les meubles étaient assortis. Du bois clair dans la chambre de Tommy — style « moderne ». Dans celle de Richard, les tête de lit, commode, armoire et les deux tables de chevet, sombres et massives, donnaient dans le genre vaguement hispanique, tout étant agrémenté de poignées en fer forgé. Ça reluisait tellement de propreté qu'on pensait : trois techniciennes de surface au moins une fois par semaine.

Nous terminâmes le circuit par la cuisine dont nous étions partis. Nous avions tous deux conscience du temps qui coulait. Malgré la nonchalance désinvolte dont il avait fait preuve jusque-là, il semblait tout aussi conscient que moi du fait que Richard risquait de débouler à

237

n'importe quel moment. Même s'il ne rentrait pas avant des heures, je sentais sa présence fantomatique dans toutes les pièces. Tommy n'avait pas épilogué sur l'attitude réfrigérante de son frère et je ne souhaitais pas lui poser de questions là-dessus. A mon avis, la tension entre eux deux n'avait rien à voir avec moi.

— Voulez-vous boire quelque chose ? me demanda Tommy dans une ultime démonstration de bravoure.

— Merci, mais non. J'ai du travail. Encore merci pour la visite. La maison est vraiment somptueuse.

— Il reste encore pas mal de choses à faire, mais elle nous plaît. Il faut la voir de jour. L'aménagement paysager est de toute beauté. (Il consulta sa montre.) Je ferais mieux de vous ramener.

Je saisis mon sac et le suivis, l'attendant dans la voiture le temps qu'il ferme la maison. Dans l'espace confiné de la Porsche, j'étais consciente de la charge électrique entre nous. Nous bavardâmes durant le trajet, mais je m'appliquai surtout à lui cacher qu'il m'attirait. Il trouva une place à côté de chez Rosie, à un demi-pâté de maisons de chez moi. Il se rangea le long du trottoir, puis il fit de nouveau le tour de la voiture pour m'ouvrir la portière. Il me tendit la main pour m'aider, je sortis aussi élégamment que je pus. Les voitures de sport devraient être équipées de sièges éjectables.

Le bruit qui s'échappait de chez Rosie était assourdi, mais j'avais conscience du contraste entre le vacarme à l'intérieur et le silence qui nous entourait. Des résidus de pluie gouttaient des arbres voisins et l'eau gargouillait dans le caniveau comme un petit torrent citadin. Nous restâmes un moment indécis, ne sachant trop ni l'un ni l'autre comment nous dire bonsoir. D'un geste machinal, il ferma l'agrafe en métal sur le devant de mon ciré.

— N'allez pas vous mouiller. Je peux vous raccompagner ?

— J'habite à deux pas. On voit presque la maison d'ici.

Il me sourit.

— Je sais. J'ai vu l'adresse sur le formulaire et j'ai jeté un coup d'œil tout à l'heure. Ça paraît sympa.

— Vous êtes bien curieux !

— Quand il s'agit de vous, oui.

Il me sourit de nouveau et je me rendis compte que je détournai les yeux. Nous dîmes « Bon, eh bien » tous les deux en même temps et éclatâmes de rire. Je m'écartai de quelques pas et le regardai ouvrir la portière et se glisser derrière le volant. La portière claqua, quelques secondes plus tard le moteur vrombissait. Les phares s'allumèrent et il démarra dans un rugissement. Je fis demi-tour en direction du coin de la rue, tandis que le bruit de sa voiture décroissait au bout du pâté de maisons. Je sentis, je l'avoue, que ma petite culotte était toute chaude et un tantinet humide.

CHAPITRE 12

Le mardi matin commença dans un bain d'humidité où le jour perçait à peine. J'effectuai ma mise en train habituelle, dont un jogging expédié à un rythme soutenu qui me laissa en nage et les joues vermeilles. Après le petit déjeuner, je travaillai chez moi, mettant une dernière main à mon rapport pour Fiona. Avec un peu de chance, ces pages impeccablement dactylographiées lui donneraient l'impression qu'on progressait. Il m'était rarement arrivé d'entrevoir la possibilité d'un échec, et cette perspective me terrifiait. J'attendais son retour avec autant d'enthousiasme que les piqûres quand j'étais petite.

Je quittai l'appartement à 9 h 35. Profitant de l'accalmie de la tempête, de larges bandes de ciel bleu avaient fait leur apparition entre les nuages. L'herbe avait viré au vert émeraude et les feuilles de tous les arbres luisaient d'une vigueur nouvelle. J'avais rendez-vous à 10 heures avec le meilleur ami du Dr Purcell, Jacob Trigg. Un coup d'œil au plan de la ville me permit de localiser sa rue, au cœur de Horton Ravine. Je suivis Cabana Boulevard vers l'est et quittai le bord de mer pour entamer la montée sinueuse de la colline. Je tournai à gauche dans Promontory Drive et suivis la route qui longeait le promontoire parallèlement à la plage. Après un nouveau virage à gauche, j'entrai dans Horton Ravine par l'arrière. Le souvenir de Tommy me traversa l'esprit et m'arracha un sourire niais et rougissant tout à fait gênant.

Au bout d'un bon kilomètre de route, j'aperçus la rue que je cherchais. Je tournai à droite, traversai un dédale d'avenues tortueuses et continuai vers le haut de la colline. L'eau coulait tumultueusement le long du bas-côté et l'on aurait dit que des allées entières de graviers s'étaient déversées sur la chaussée. Un arbre à racines courtes s'était renversé, emportant avec lui une demi-lune de terre. Malgré les nombreuses maisons du secteur, la Nature s'employait à faire valoir ses droits. Je scrutai les boîtes aux lettres sur ma droite en roulant au ralenti. Je tombai enfin sur le numéro que Jacob Trigg m'avait indiqué. Je franchis un énorme portail noir en fer forgé grand ouvert et remontai une longue allée en courbe entre deux murets de pierre. La petite côte déboucha sur un plat, où un immense terrain légèrement ondulé se déployait dans toutes les directions. La maison était une construction d'un étage de style italien, simple et élégante, où la symétrie des fenêtres mettait en valeur un petit porche agrémenté d'une balustrade circulaire sur le devant.

Je me garai et descendis de voiture. Les

fenêtres du rez-de-chaussée me parurent toutes étrangement obscures. Il n'y avait pas de sonnette, et personne ne répondit après que j'eus frappé avec insistance. Je fis le tour de la maison, cherchant de la lumière ou d'autres indices me signalant une présence. L'air était immobile, seulement troublé par l'eau qui gouttait par intermittence des avant-toits. Trigg m'aurait-il posé un lapin ? Je pris le temps de me repérer. Des jardins bien entretenus s'étendaient de part et d'autre de la maison, mais il n'y avait pas un seul jardinier en vue. La terre détrempée ne permettait sans doute pas de faire grand-chose.

Je m'engageai sur la pelouse en pente en espérant tomber sur quelqu'un qui pourrait me dire si Trigg était là. Cinq minutes durant, je déambulai au hasard dans la propriété, l'herbe cédant sous mes pas avec un bruit de succion à l'endroit où de petites sources souterraines avaient soudain refait surface. Au bout d'une rangée de poiriers d'ornement, j'aperçus une serre avec un petit abri de jardin attenant. Une voiturette de golf stationnait à proximité. Je partis avec précaution dans cette direction, veillant à ne pas m'enliser dans la boue qui aspirait mes semelles de boots.

J'avisai un homme qui travaillait devant un établi surélevé, juste à l'entrée de l'abri. Malgré le froid, il était en short kaki et chaussures de jogging maculées de terre. Ses jambes étaient prises dans des appareils orthopédiques fixés par des sortes d'écrous des deux côtés du genou. Les muscles de ses cuisses portaient des signes d'atrophie. Une paire de cannes anglaises était appuyée contre le plan de travail à côté de lui. Sa casquette à visière recouvrait une épaisse crinière de cheveux gris. Cinq ou six plantes en pot à des stades divers de dépérissement s'alignaient sur le plan en séquoia de l'établi.

Je m'immobilisai dans l'encadrement de la porte, attendant qu'il réagisse à ma présence avant d'entrer. La porte du fond donnait dans la serre, mais, d'où j'étais, on ne voyait pas les verrières en pente du toit. La plupart des panneaux latéraux étaient badigeonnés d'un blanc opaque, mais le verre apparaissait par endroits et laissait pénétrer des carrés de lumière vive. L'air était tiède et sentait le terreau et la mousse des marais.

— Bonjour ! Excusez-moi de vous déranger, mais êtes-vous monsieur Trigg ?

Il leva à peine les yeux.

— Pour vous servir. Vous cherchez quelque chose ?

— Je suis Kinsey Millhone.

Il se retourna et me regarda d'un air vague, un nœud de plis perplexes se formant entre ses yeux. Il avait une moustache gris fer et des sourcils de poils blancs et noirs en bataille. Avec son nez rubicond, ses bajoues et son torse massif qui s'épaississait en confortable bedaine, je lui donnai une petite soixantaine.

— Je souhaitais vous poser quelques questions au sujet du Dr Purcell, lui rappelai-je.

Son incompréhension parut se dissiper.

— Ah oui ! Désolé ! J'ai oublié que vous deviez passer. Sinon, je vous aurais attendue à la maison.

— J'aurais dû téléphoner pour vous le rappeler. Merci infiniment de m'accorder un peu de votre temps.

— En espérant pouvoir vous être utile, me renvoya-t-il. On m'appelle « Trigg », laissez tomber le « monsieur ». Ça fait bizarre. (Il prit appui contre le plan de travail en séquoia brut et mélangea une petite giclée d'eau de Javel dans l'un des deux seaux d'eau placés côte à côte. Il saisit un rosier miniature déplumé et festonné de toiles d'araignée. Puis, en plaçant sa main sous la motte de terre des racines, il retourna la plante la tête en bas et la plongea dans l'eau.) Vous avez dû avoir du mal à me trouver ! Ma fille vit avec moi, mais elle est absente ce matin.

— Je vous avoue que j'ai un peu tourné en rond. Heureusement que vous n'avez pas une meute de chiens dressés à l'attaque !

— Elle est enfermée pour l'instant.

J'espérai sincèrement que c'était seulement un échantillon d'humour à froid. Difficile à dire car il conserva le même ton de voix et la même expression du visage.

— Au cas où vous vous demanderiez ce que je fiche, autant vous dire tout de suite que je ne suis pas horticulteur. Ma fille a une entreprise de garde de plantes d'intérieur pour les résidents de Horton Ravine. Elle travaille aussi pour des hôtels, l'Edgewater, le Montebello Inn, ce genre d'établissements. Uniquement les plantes vertes, pas les fleurs coupées. Ils doivent s'adresser ailleurs pour les grandes compositions florales. Elle me rapporte les petits malades et je les remets sur pied. (Il redressa le rosier dégoulinant, puis le transvasa dans le seau d'eau claire. Après quoi, il le ressortit, le secoua un bon coup et examina le résultat.) Le marmot était infesté d'araignées rouges. Ces bestioles ne mesurent que seize millimètres, mais regardez-moi un peu les dégâts ! Il avait un feuillage vigoureux et il reste juste les branches. Je vais le mettre en quarantaine. Nous voyons aussi beaucoup de rouille. Les gens les arrosent trop, croyant leur rendre service entre deux visites de Susan. Vous avez les doigts verts ?

— Pas vraiment. J'ai eu une fougère ornementale, mais j'ai fini par la jeter.

— Elles sentent les pieds, me dit-il d'un air réprobateur. (Il mit le rosier de côté et attrapa un plant de maïs dans un pot en terre cuite. Je le regardai éponger un poudrage gris foncé déposé sur les feuilles.) Oïdium, me dit-il, comme si je lui avais posé la question. De la bonne eau savonneuse, ça vous soigne un tas de maladies. Je ne suis pas ennemi des fongicides, mais en cas de pucerons, je préfère d'abord essayer un pesticide de contact. Du malathion ou du sulfate de nicotine, autrement dit les composants de base de votre bon vieux Black Flag-40[1]. Mon côté conservateur, sans doute. Susan n'est pas toujours d'accord, mais elle ne peut contester les résultats que j'obtiens.

— A ce que je comprends, vous êtes un vieil ami du Dr Purcell ?

— Un ami de vingt ans ! Je l'ai eu comme médecin. Il a témoigné en ma faveur au procès, après mon accident de voiture.

1. Sorte de bouillie bordelaise. (N.d.T.)

— C'était avant qu'il se spécialise en gériatrie ?

— J'espère bien ! s'exclama-t-il.

Je lui souris.

— Quelle profession exerciez-vous ?

— J'étais représentant, visiteur médical. Je couvrais les trois comtés, je passais voir les médecins exerçant en libéral. J'ai fait la connaissance de Dow quand il avait encore son cabinet à côté de Saint-Terry's.

— Vous deviez être convaincant. Cette propriété est superbe !

— Les indemnisations obtenues au procès l'étaient aussi. Encore que ça ne compense rien. Avant, je courais et je faisais du tennis. On prend son corps pour acquis jusqu'au jour où il se déglingue. Une vraie saloperie, mais j'ai eu plus de chance que d'autres. (Il s'interrompit et me lança un coup d'œil inquisiteur.) Si je comprends bien, vous avez interrogé Crystal ? Elle a téléphoné pour me prévenir que vous alliez sans doute me contacter. Comment ça se présente ?

— Ce n'est pas encourageant. J'ai rencontré une foule de gens, mais je n'ai récolté que des théories alors qu'il me faut des faits.

Ses sourcils broussailleux se rejoignirent en une ligne continue.

— J'ai bien peur d'ajouter seulement à la confusion générale. J'ai beaucoup pensé à lui et je me suis repassé des tas de choses dans la tête. La police m'a interrogé la semaine même de sa disparition, et j'étais aussi abasourdi que tout le monde.

— Vous le voyiez souvent ?

— Une ou deux fois par semaine. Il s'arrêtait pour boire un café le matin en allant aux Prairies du Pacifique. Je sais bien que vous, les filles, vous croyez que les hommes ne se font pas de confidences... qu'ils parlent sport, voitures et politique. Dow et moi, c'était différent. Peut-être parce qu'il m'avait vu souffrir comme un damné. Et sans me plaindre, pourrais-je ajouter. C'était un homme qui ne se livrait pas, et je pense qu'il appréciait cette qualité chez les autres. Il avait juste huit ans de plus que moi, mais je le considérais comme un père. Je pouvais lui parler de tout. Il s'était établi une grande confiance entre nous et, avec le temps, il était devenu plus communicatif aussi.

— Les gens l'admirent.

— Et ils ont raison. C'est quelqu'un de bien... ou c'était. Je ne sais pas vraiment à quel temps on doit parler de lui. Au présent, j'espère, mais ça reste à voir. Crystal me dit que Fiona a fait appel à vos services ?

— En effet. Elle est à San Francisco pour affaires, mais elle rentre cet après-midi. Je cherche une piste, j'interroge tous les gens que je peux, en espérant la persuader que son argent est bien dépensé.

— Je suis sûr que oui. Fiona est exigeante. A part moi, qui avez-vous sur votre liste ?

— Eh bien, j'ai interrogé un de ses deux associés...

— Lequel ?

— Joel Glazer. Je n'ai pas vu Harvey Broadus. J'ai interrogé des gens à la clinique, et sa fille Blanche, mais pas Melanie.

Il haussa les sourcils en m'entendant mentionner son nom, mais ne fit aucun commentaire.

— Et Lloyd Muscoe, l'ex-mari de Crystal ? me demanda-t-il. Vous lui avez parlé ?

— L'idée ne m'est pas venue, mais pourquoi pas ? Je l'ai vu chez Crystal vendredi après-midi, quand il est passé prendre Leila. Il pourrait être mêlé à l'affaire ?

— Peut-être que oui, peut-être que non. Il y a quatre mois environ, Dow m'a confié qu'il était allé le voir. J'ai pensé que ç'avait un rapport avec Leila, mais rien ne le prouve. Vous savez, Leila a vécu avec Lloyd pendant quelque temps. Elle a clamé sur tous les toits qu'elle était assez grande pour choisir. Comme Crystal en avait assez de leurs bagarres continuelles, Leila est allée vivre avec Lloyd. Elle a entamé sa cinquième dans une école du coin. En moins de deux mois, ç'a été la débandade. Ses notes ont chuté, elle a séché les cours, elle a tâté de l'alcool et de la drogue. Dow a jugé que ça suffisait, ils sont intervenus et l'ont inscrite à Fitch. Maintenant, elle est strictement embrigadée et en veut à Dow. Elle le considère comme un tyran... entendons par « tyran » toute personne l'empêchant de n'en faire qu'à sa tête.

— J'ai l'impression qu'elle est furieuse aussi contre Lloyd. Quand j'étais là-bas, elle a refusé de le voir, mais Crystal a insisté.

— Elle lui en veut à mort ! Elle estime que c'est à lui de la sortir de là. Sa conduite à elle

248

n'entre pas en ligne de compte. A son âge, on met toujours tout sur le dos des autres.

— Que s'est-il passé quand Dow est allé voir Lloyd ? Ils ont eu des mots ?

— Pas que je sache, mais s'il voulait nuire à Dow, Lloyd se garderait bien de dévoiler son jeu.

Je cherchai dans mon sac de quoi écrire et dénichai une enveloppe qui n'avait rien à y faire.

— Pouvez-vous me donner son adresse ?

— Comme ça, non, je ne m'en souviens pas. Mais je peux vous dire où c'est. Une grande maison, avec des bardeaux jaunes et un toit pentu. Juste à l'angle de Missile et d'Olivio. Lloyd loue un petit atelier derrière.

— Je crois connaître, oui, lui dis-je. A ce que je comprends, Crystal et lui sont restés en bons termes ?

— Plus ou moins. Elle a encore tendance à lui lécher les bottes. Crystal a toujours fait les quatre volontés de Lloyd.

— Comment ça ?

— Il vivait de ce qu'elle gagnait quand elle était strip-teaseuse à Las Vegas. Ils formaient un couple assez explosif ; ils n'arrêtaient pas de boire et de se bagarrer. Un des deux finissait par appeler la police en criant au meurtre. Crystal voulait voir Lloyd sous les verrous, mais le lendemain elle avait changé d'idée et refusait de porter plainte. Lui l'accusait de voies de fait, après quoi ils s'embrassaient et faisaient la paix. L'histoire est vieille comme le monde. Après sa rencontre avec Dow, elle a tout laissé tomber et s'est installée à Santa Teresa avec sa fille. A mon avis, elle a vu en Dow le moyen d'en sortir, en quoi elle n'avait pas entièrement tort. Le problème, c'est que Lloyd l'a suivie et qu'il était fou de rage : il n'arrivait pas à croire qu'elle le plaquerait après tout ce qu'ils avaient vécu ensemble. Ou plutôt non... qu'il ne l'avait plus à sa botte.

— Comment savez-vous tout cela ?

— Je le tiens de Dow, me dit-il. A mon avis, il craignait que Lloyd trouve le moyen de la reprendre sous son emprise. Crystal a l'air forte, mais dès qu'il s'agit de Lloyd, le sentiment de culpabilité domine. Il prétend qu'elle lui doit réparation pour avoir saccagé son existence.

— Il ne fait rien dans la vie ?

— Pas grand-chose. Il a travaillé dans le bâtiment pendant un temps, après quoi il a prétendu s'être esquinté le dos. Il va vivre sur son indemnité d'accident du travail jusqu'à ce qu'il n'ait plus un sou. C'est comme ça qu'il raisonne. Pourquoi se donner du mal quand on peut obtenir ce qu'on veut en manipulant les autres ?

— Mais Crystal n'est sûrement plus sous sa coupe.

— Ce genre de femme reste toujours sous la coupe d'un homme.

Je rangeai l'enveloppe, essayant de voir quel autre terrain explorer.

— Et ce livre qu'écrivait Dow ? C'est une des raisons pour lesquelles Crystal est convaincue qu'il lui est arrivé quelque chose. Elle dit qu'il n'aurait jamais tout plaqué comme ça : d'abord à cause de Griffith, ensuite à cause du livre qu'il avait en chantier.

Une expression peinée parut traverser le visage de Trigg.

— Au début, ce projet le passionnait, mais la tâche s'est révélée infiniment plus ardue qu'il ne le croyait. Je dirais qu'il était plus découragé qu'emballé. Et puis, Fiona le démolissait. Elle n'arrêtait pas de lui réclamer de l'argent. Il savait qu'elle s'était mis dans la tête qu'il lui reviendrait, et ça le mettait au quatrième dessous. C'est d'ailleurs pour cette raison qu'il y allait.

— Comment ça, « qu'il y allait » ?

— Qu'il allait voir Fiona... pour clarifier la situation.

— Le soir où il a disparu ?

— En tout cas, c'est ce qu'il m'a dit. On a pris un petit déjeuner ensemble ce fameux vendredi matin, et il m'a confié qu'elle exigeait de le voir. Elle exigeait toujours quelque chose. Une emmerdeuse de première, si vous me permettez d'être franc. Moi, je lui ai dit ce que je ne cessais de lui répéter : qu'elle lui suçait le sang. Elle n'a pas pu l'empêcher de la plaquer, mais elle était bien décidée à le lui faire payer.

— Pourquoi diable pensait-elle qu'il pourrait abandonner Crystal pour lui revenir ?

— D'après lui, elle avait monté tout un roman. Comme quoi elle était la seule à le comprendre, pour le meilleur et pour le pire. A mon avis, elle mettait le paquet sur « le pire ».

— Fiona m'a dit que Dow avait déjà disparu à deux reprises. Vous sauriez où il était allé ?

— Se mettre au sec. Dans un établissement spécialisé dans les cures de désintoxication.

— L'alcool ?

— Exact. Il ne voulait pas que ça se sache, il craignait que ses patients ne lui fassent plus confiance s'ils le savaient incapable de maîtriser sa consommation.

— J'ai entendu dire, de deux sources différentes, qu'il s'était remis à boire.

— Sans doute à cause de Fiona. Elle conduirait n'importe quel bonhomme à sombrer dans l'alcool.

— Peut-être a-t-il entamé une nouvelle cure ?

— Je l'espère. De toute mon âme. Mais là encore, on le saurait à l'heure qu'il est.

— Fiona dit que, les autres fois, il n'avait prévenu personne.

— Ce n'est pas tout à fait exact. Il me l'avait dit.

— Que savez-vous de cette histoire, aux Prairies du Pacifique ?

Trigg secoua la tête.

— Pas grand-chose. Je sais que ça se présentait mal. Je lui ai conseillé de prendre un avocat, mais il voulait attendre encore. Il avait des soupçons sur ce qui se trafiquait, mais il voulait les vérifier par lui-même avant de prendre des mesures.

— Quelqu'un m'a dit qu'il redoutait que Crystal abandonne le navire en cas de scandale.

Il jeta son éponge dans un seau.

— Peut-être que Fiona comptait là-dessus, lâcha-t-il.

J'arrivai au bureau à 11 h 25 et trouvai Jeniffer penchée sur un tiroir de classeur, dans une jupe si mini qu'elle dévoilait les deux croissants rebondis de son postérieur. Elle avait de longues jambes nues, bronzées par tous les jours de congé qu'elle avait pris pour aller à la plage avec ses copains.

— Jeniffer, lui dis-je, il va falloir songer, et sérieusement, à porter des jupes plus longues. « Je vois Londres, je vois la Manche, je vois une petite culotte blanche »...

Elle se redressa vivement et tira d'un geste gêné sur l'ourlet de sa jupe. Au moins avait-elle eu la décence de paraître confuse. Elle regagna son bureau en clopinant dans ses sabots à semelles de bois. Elle s'assit, exhibant une telle surface de cuisse nue que je fus obligée de détourner les yeux.

— Pas de messages ? lui demandai-je.

— Juste un. Mme Purcell a dit qu'elle était rentrée et qu'elle vous attendait à 2 heures.

— Quand ça ? Aujourd'hui ou demain ?

— Euh...

— Ne vous inquiétez pas. Je me débrouillerai. Rien d'autre ?

— Ça au courrier, me dit-elle en me tendant une enveloppe postée en express.

Je la décachetai : Fiona me retournait le contrat signé en bonne et due forme. Et merde ! Je ne supportais pas de me sentir liée à elle.

— Il y a aussi quelqu'un qui veut vous voir. Je l'ai mise dans votre bureau et je lui ai apporté un café.

Je sursautai.

— Vous l'avez laissée seule dans mon bureau ?

— J'ai du travail. Je ne pouvais pas lui tenir compagnie.

— Qu'est-ce qui vous dit qu'elle n'est pas en train de fouiller dans mes tiroirs ? m'exclamai-je, sachant que je ne m'en serais pas privée si j'avais été à sa place.

— Oh, ce n'est pas le genre à faire une chose pareille. Elle a l'air de quelqu'un de bien.

Je sentis mon indicateur thermique monter dans la zone « danger ».

— Moi aussi, j'ai l'air de quelqu'un de bien, lui renvoyai-je. Ça ne signifie pas grand-chose. Depuis combien de temps est-elle là ?

D'accord, je reportais sans doute sur elle les sentiments que m'inspirait Fiona, mais j'en avais ma claque.

Jeniffer fit une grimace pour montrer qu'elle réfléchissait vraiment dur.

— Pas longtemps. Vingt minutes. Peut-être un peu plus.

— Je la connais au moins ?

— Je crois, m'affirma-t-elle sans conviction. Elle s'appelle Marion quelque chose. Je me suis dit qu'elle serait mieux installée là-bas que si je la faisais attendre ici.

— Jeniffer ! En vingt minutes elle aura eu le temps de me voler tout ce que je possède.

— Vous me l'avez déjà dit. Je suis désolée.

— Inutile d'être désolée. Ne me refaites jamais ce coup-là ! (Je partis vers le couloir intérieur. Puis je me retournai.) Et trouvez-vous un collant ! lui ordonnai-je d'un ton sec.

Comme je passais devant son bureau, Ida Ruth s'appliqua à éviter mon regard, sûrement ravie de me voir soumise à un échantillon de la bêtise obstinée de Jeniffer.

La porte de mon bureau était fermée. J'entrai vivement et découvris une femme dans le fauteuil réservé aux visiteurs. Elle avait posé sa tasse à café vide sur le bord du bureau devant elle. J'inspectai mes dossiers, prête à jurer qu'ils avaient été très, très légèrement déplacés. Je lui lançai un regard un rien sarcastique, regard qu'elle me rendit, les yeux aussi inexpressifs et bleus que ceux d'un chat siamois.

Elle n'avait certainement pas plus de vingt-six ans, mais ses cheveux étaient d'un gris argent étonnant, lisses et luisants comme l'étain. Malgré un maquillage très discret, sa peau prenait un ton chaud par contraste avec la couleur froide de ses cheveux coiffés en arrière et coincés derrière ses oreilles. Elle avait une mâchoire à l'architecture élégante, un nez affirmé et des sourcils finement brossés. La jupe de son tailleur croisé en lainage gris était courte, et un collant noir extra-fin mettait en valeur le modelé de ses genoux, dont l'un gardait la trace d'une ancienne cicatrice. Une serviette noire était posée par terre, à gauche de son siège. Je flairai une avocate aux honoraires faramineux, travaillant pour une grosse société. Faisais-je l'objet d'une plainte ?

Je passai prudemment derrière mon bureau et m'assis. Elle retira sa veste avec aisance et l'arrangea sur le dossier du fauteuil de façon à ne pas la froisser. A en juger par la ligne des épaules et des bras, elle travaillait nettement plus sa musculation que moi.

— Je m'appelle Mariah Talbot, me dit-elle.

Le débardeur de soie noire bruissa doucement lorsqu'elle tendit la main par-dessus le bureau pour serrer la mienne. Elle avait des ongles longs et ovales, vernis d'un ton naturel. L'effet était élégant ; il n'y avait rien de vulgaire chez cette femme. Une méchante cicatrice blanche, probablement une brûlure, sur le dessus de l'avant-bras droit attirait automatiquement le regard.

— Avions-nous rendez-vous ? lui demandai-je, incapable de réprimer l'irritation de ma voix.

— Non, mais je suis ici pour une affaire qui, je pense, vous intéressera, me répondit-elle sans se départir de son calme.

Mes états d'âme, elle n'en avait rien à faire, elle. Elle projetait une image de maîtrise de soi, de grande compétence, d'efficacité et de détermination. Son sourire, lorsqu'il voulut bien apparaître, adoucit à peine son visage.

— De quoi s'agit-il ?

Elle se pencha en avant et déposa sa carte de visite professionnelle sur le bureau, devant moi. On y lisait MARIAH TALBOT, UNITÉ D'ENQUÊTES SPÉCIALES, GUARDIAN CASUALTY INSURANCE, le tout accompagné d'une adresse et d'un numéro de téléphone sur lesquels je ne m'attardai pas. Le logo consistait en un trèfle à quatre feuilles, les mots *Habitation, Auto, Vie* et *Santé* s'inscrivant dans chaque foliole.

— Il faut que nous ayons une petite conversation au sujet de votre propriétaire.

— Henry ?

— Non. Richard Hevener.

Je ne sais pas à quoi je m'attendais, mais certainement pas à ça.

— Je vous écoute.

— Vous ne le savez peut-être pas, mais Richard et Tommy sont de faux jumeaux.

— Ah bon ? dis-je, en pensant : « Et qu'est-ce qu'on en a à foutre, hein ? »

— Vous ignorez peut-être un autre détail. Richard et Tommy ont assassiné leurs parents au Texas en 1983.

Je sentis mes lèvres s'entrouvrir, comme si j'attendais la chute d'une bonne plaisanterie.

Le mélange yeux bleus et cheveux argent était si étonnant que j'avais du mal à ne pas la dévisager.

— Ils avaient engagé quelqu'un pour s'introduire dans la maison, poursuivit-elle avec le plus grand naturel. Pour autant que nous puissions l'affirmer, le cambrioleur devait percer le coffre et repartir avec une somme substantielle en espèces, plus des bijoux évalués à près d'un million de dollars. La mère des garçons, Brenda, était l'aînée de deux filles appartenant à une famille texane fabuleusement riche, les Atcheson. Brenda a hérité d'une collection de bijoux exceptionnels, qu'elle a laissés par testament à son unique sœur, Karen. Ce sont des pièces qui se transmettent dans la famille depuis des années.

Plongeant le bras dans sa serviette, elle en sortit un gros dossier accordéon marron, dont elle retira une chemise en kraft qu'elle me tendit.

— Vous avez ici les coupures de presse. Plus une photocopie de chacun des deux testaments.

J'ouvris la chemise et jetai un coup d'œil aux premières coupures, datées des 15, 22 et 29 janvier 1983. Les trois articles s'accompagnaient de la photo de Richard et Tommy, l'air emprunté et le visage fermé, flanqués de leur avocat en costume trois-pièces. Les manchettes précisaient que tous deux étaient interrogés dans le cadre de l'enquête en cours sur le double meurtre de Jared et Brenda Hevener. Des coupures complémentaires couvraient les progrès de l'enquête sur toute l'année. Je ne m'intéressai pas aux testaments.

— Vous remarquerez, reprit Mariah Talbot, que le nom de leur tante Karen apparaît dans certains articles. Le cambrioleur était un jeune voyou dénommé Casey Stonehart, qui avait déjà fait de la prison à six reprises pour des délits divers et variés, allant du vol simple à l'incendie criminel, une de ses petites spécialités. Nous pensons qu'il a ouvert le coffre en utilisant la combinaison qu'ils lui avaient donnée. Ensuite, il a dévissé les détecteurs de fumée et mis le feu pour couvrir le crime. Apparemment — mais c'est une simple supposition — le plan prévoyait qu'il garderait la majeure partie des bijoux, qu'il était en position de fourguer. Les garçons, eux, récupéreraient les espèces et peut-être quelques pièces de choix, puis se feraient rembourser par la compagnie d'assurances la maison, son contenu, les bijoux et je ne sais quoi encore. Ah oui... les voitures. Deux Mercedes-Benz qui avaient brûlé dans l'incendie. M. et Mme Hevener ont été retrouvés ligotés et bâillonnés dans la penderie de la chambre de maître. Ils étaient morts par asphyxie, ce qui est moins horrible que d'être brûlé vif... et on ne peut que s'en réjouir. Aucun des garçons ne se trouvait sur les lieux. Comme par miracle, ils étaient tous les deux absents de la ville et avaient des alibis en béton. Stonehart, le gamin qui avait fait le sale boulot, a disparu peu de temps après ; probablement mort et enterré quelque part, encore que nous ne disposions d'aucune preuve. Comme il n'a pas reparu depuis, il y a fort à parier qu'ils l'ont liquidé. Le complice est toujours le maillon faible dans ce genre d'affaires.

— Il pourrait se cacher, non ?

— Admettons. Mais il aurait contacté sa famille. Un ramassis de parasites et de clochards, mais qui fait bloc. Eux ne lui auraient pas demandé de comptes.

— Comment savez-vous que leur sens de la famille leur interdit de dire à sa maman où il est ?

— Le bureau du shérif filtre le courrier, et le téléphone est sur écoutes. Croyez-moi : silence de mort. C'était un jeune qui avait de gros problèmes de dépendance affective. S'il était vivant, il ne supporterait pas la séparation.

Je m'éclaircis la gorge.

— Et les faits remontent à quand, déjà ?

Je savais qu'elle me l'avait dit, mais je ne parvenais pas à assimiler.

— 1983. Hatchet, Texas. Les soupçons se sont vite portés sur les deux garçons, mais ils avaient diablement bien monté leur coup. On manquait d'éléments pour démontrer le rôle qu'ils y avaient joué... hormis ce qui tombait sous le sens, bien sûr. Sur le plan financier, ils ramassaient un joli paquet. Sûrement plus que s'ils avaient touché le gros lot. Selon toutes les apparences, il n'existait aucune animosité entre parents et enfants, pas de disputes devant témoins, pas d'augmentation récente des risques couverts par l'assurance. Il était également très difficile d'établir un lien entre eux et Casey Stonehart. Pas de relevé de téléphone révélant des appels entre les frères et lui. Les comptes bancaires n'ont fait apparaître aucun retrait inhabituel indiquant qu'un acompte aurait été versé à Casey pour ses services. Le type était trop marginal pour avoir un compte en banque. Il gardait son argent sous son matelas, la caisse d'épargne et de crédit qu'on ne braque pas, c'est bien connu. En revanche, tous les trois avaient fréquenté le même lycée. Casey était dans la classe au-dessous de celle des Hevener, mais ils ne se voyaient pas spécialement. Ce n'est pas comme s'ils avaient fait partie de la même équipe de bowling ou traîné ensemble...

Tout ce que j'avais pu éprouver pour Tommy s'était évaporé.

— Et les testaments des parents ? Pas de point intéressant ?

Mariah secoua la tête.

— Aucune modification des clauses puisque le document a été rédigé à la naissance des garçons. Le notaire s'est montré un peu négligent à cet égard. Les jumeaux avaient atteint leur majorité et des codicilles auraient dû être rajoutés. Leur tante Karen figurait encore comme tutrice au cas où il arriverait quelque chose aux parents.

— Qu'est-ce qui a attiré l'attention de la police sur eux ?

— D'abord, ni l'un ni l'autre ne savent jouer la comédie. Ils ont affiché l'émotion qui s'imposait, mais c'était du cinéma, strictement des larmes de crocodile. A l'époque, ils vivaient encore tous les deux chez leurs parents. Tommy était l'éternel étudiant, sa façon à lui de refuser de grandir et de voler de ses propres ailes. Richard, lui, s'était pris pour un créateur d'entreprises, autrement dit il avait emprunté des capitaux qui lui avaient aussitôt filé entre les doigts. Jared était profondément écœuré par leur comportement. Il les considérait comme des parasites et en avait assez. Brenda aussi. Ce sont des amis intimes du couple qui nous l'ont appris par la suite.

— J'imagine que les frères ont été mis en accusation ?

Mariah eut un geste négatif.

— La police n'a pas pu réunir assez de preuves pour convaincre le procureur. Naturellement, la compagnie d'assurances a freiné des quatre fers quand il s'est agi de payer, mais les garçons lui ont fait un procès et l'ont forcée à s'exécuter. Étant donné qu'ils n'avaient été ni arrêtés, ni inculpés, ni reconnus coupables d'un quelconque délit ou crime, la Guardian Casualty n'a pas eu d'autre choix que de casquer.

— Combien ?

— Deux cent cinquante mille dollars chacun d'assurance vie. Les indemnisations pour l'habitation et les voitures se sont montées à un peu plus de sept cent cinquante mille dollars. Nous sommes au Texas, ne l'oubliez pas. Rien à voir avec les valeurs immobilières auxquelles vous êtes habitués par ici. Malgré son flair d'homme d'affaires, Jared n'avait pas réussi à amasser une vraie fortune. Une grande partie de ses activités se faisaient en sous-main, donc impossible de les localiser. Toujours est-il que, outre l'assurance, vous ajoutez les espèces gardées au coffre — qui représentaient probablement cent mille dollars de plus — et les bijoux par-dessus le marché, et vous voyez qu'ils s'en sortent plutôt bien. Guardian Casualty et Karen Atcheson, la tante des garçons, s'apprêtent à leur intenter un procès au civil pour récupérer leurs pertes. Nous sommes convaincus que les garçons sont toujours en possession des bijoux, mais il faudrait pouvoir justifier nos affirmations. On m'a confié l'enquête préliminaire.

— Pourquoi maintenant, alors que les meurtres remontent à trois ans ? Je sais que la preuve est plus facile à établir au civil, mais encore faut-il que l'accusation tienne.

— Quelqu'un s'est présenté... un indicateur... enfin, c'est très confidentiel. Il s'agit d'un incendiaire, un professionnel, qui a parlé deux fois à Casey : une fois avant l'incendie et une autre fois juste après. Casey comptait sur son savoir-faire, car il s'attaquait à bien plus gros que tout ce qu'il avait pu commettre dans sa carrière de petit malfrat.

— Qu'obtenait l'incendiaire en échange ?

— Une partie du butin de Casey. Une fois que l'incendiaire en question a appris qu'il y avait eu meurtre, il n'a plus voulu avouer la moindre

262

implication dans l'affaire. Il craignait qu'on l'accuse d'assassinat ou pire : que les frères le liquident. Aujourd'hui, il a décidé de parler, et c'est pour ça que nous pensons pouvoir tenter le coup.

— Pourquoi ne va-t-il pas voir la police pour lui laisser faire le travail ?

— Il le fera si la Guardian Casualty arrive à avoir les preuves.

Je repoussai la chemise.

— Et pourquoi êtes-vous ici ?

Elle eut un petit sourire intérieur, comme amusée.

— J'ai mené ma petite enquête personnelle et il semblerait que les fonds sont bas et que les garçons se portent mutuellement sur le système. Nous tablons sur le fait qu'ils ont des problèmes de liquidités. C'est la raison pour laquelle Richard a accepté de vous louer le local, au cas où vous ne l'auriez pas compris. Vous avez proposé six mois de loyer d'avance et il a besoin de l'argent.

— Comment l'avez-vous découvert ?

— Nous avons mis sur les rangs un candidat bidon, un écrivain en quête d'un bureau indépendant de son domicile. Richard s'est retranché derrière la question du paiement cash pour l'évincer. Quoi qu'il en soit, l'existence de frictions entre les frères pourrait travailler pour nous. J'espérais toujours que l'un des deux finirait par craquer et vendre l'autre. Ça fait trois ans que nous les avons dans le collimateur et nous n'avons jamais été aussi près du but.

— Et qu'est-ce que j'ai à voir là-dedans ?

— Nous aimerions vous confier un petit travail.

— De quelle nature ?

— Nous voulons que vous leur donniez le nom d'un receleur à Los Angeles. Il s'agit d'un joaillier. Son entreprise a toutes les apparences de la légitimité, mais c'est une façade. Il fourgue de la marchandise volée quand la qualité ou la quantité valent la peine de courir le risque. Maintenant qu'ils sont à court d'argent, les garçons pourraient être tentés de puiser dans le magot, auquel nous ne pensons pas qu'ils aient encore touché.

— Mais ils n'obtiendront jamais un prix qui approche la valeur réelle des bijoux en passant par un receleur !

— Ils auraient une autre solution ?

— N'auraient-ils pas plutôt intérêt à mettre en vente certaines pièces chez Christie's ou Sotheby's ?

— Christie's ou Sotheby's exigeraient d'en connaître la provenance — d'avoir la preuve que les bijoux leur appartiennent —, preuve qu'ils ne peuvent pas fournir. Ils peuvent essayer de les vendre à un particulier, et c'est encore une des raisons pour lesquelles nous voulons faire vite.

— Soit. Je leur transmets le nom du joaillier. Et ensuite ?

— Nous attendons de voir s'ils mordent à l'hameçon et nous les ferrons. Le procureur de Houston a déjà contacté le bureau du procureur d'ici, et ils sont prêts à marcher. Dès que nous savons les bijoux dans la maison, nous demandons un mandat et nous faisons irruption.

— Un mandat fondé sur quoi ?

— Nous aurons le receleur et il aura en main au moins une partie des bijoux. Et ça, les garçons auront du mal à l'expliquer.

— Et s'ils ne le contactent pas ?

— Nous avons réfléchi à un autre plan, dont je ne tiens pas à parler pour l'instant. En attendant, vous aimeriez peut-être voir les bijoux en question. (Elle chercha de nouveau dans sa serviette et en sortit cette fois une chemise double beige renfermant ce qui semblait être des estimations et une série de polaroïds. Elle choisit plusieurs photos, les posant l'une après l'autre sur le bord de mon bureau tandis qu'elle les décrivait sans prendre le temps de souffler.) Rivière de diamants en collier, valeur d'estimation 120 000 dollars. Bracelet art déco en diamants et saphirs, 24 000 dollars. Une bague avec diamant de 7,63 carats, 64 000 dollars. Et jetez un coup d'œil à ceci : collier comportant quatre-vingt-six diamants de grosseur croissante. Valeur d'estimation entre 43 000 et 51 000 dollars... Désolée pour la qualité des clichés. Ce sont des polaroïds. Toutes les bonnes photos des estimations circulent actuellement dans tout le sud de la Californie.

Elle termina la présentation de ses polaroïds, débitant les prix avec la volubilité d'un camelot reconverti dans le porte-à-porte.

— Qu'est-ce qui vous garantit qu'ils les ont toujours ?

— Supposition éclairée, me répondit-elle. Nous savons qu'ils ont acheté un coffre à un serrurier du coin. D'après nous, ils l'ont installé dans un endroit de la maison où chacun peut surveiller l'autre. Le problème, c'est que nous n'avons aucun moyen légitime d'entrer.

— C'est drôle que vous disiez ça. J'y étais pas plus tard qu'hier soir.

— Comment vous êtes-vous débrouillée ?

— Richard était sorti. Tommy m'y a amenée et m'a fait visiter.

— Je ne pense pas que vous ayez repéré le coffre, si ?

— Hélas, non. Il n'y a quasiment pas de meubles et aucun tableau sur les murs. Je peux néanmoins vous donner une précision : le système d'alarme n'est pas branché. D'après Tommy, Richard l'avait déclenché si souvent qu'ils ont fini par résilier leur abonnement. Maintenant, ce n'est plus qu'une protection de façade.

— Intéressant. Il va falloir que j'y réfléchisse. Quand le revoyez-vous ?

— Mais jamais plus ! Après ce que vous m'avez raconté ?

— Dommage. Nous aurions vraiment pu tirer parti de votre concours. Ce n'est pas la première fois qu'il s'intéresse à une femme et Richard y a toujours mis le holà. Son frère parle trop, il s'en méfie. Je ne pense pas que Richard comprenne à quel point vous êtes dangereuse.

— Dangereuse ? Moi ?

— Évidemment ! Tommy vous poursuit de ses assiduités, ce qui vous donne un certain pouvoir... pas des masses, mais suffisamment. Vous avez accès à la maison, par exemple.

— Ne comptez pas sur moi pour m'y glisser

subrepticement. Je n'ai aucune raison de refaire le tour du propriétaire. D'ailleurs, à supposer que je trouve le coffre, je serais bien en peine de l'ouvrir !

— Nous n'irions pas jusqu'à vous le demander. Tout ce qu'il nous faut, c'est son emplacement, ce qui ne doit pas être sorcier à trouver. Une fois que nous aurons le mandat, nous ne tenons pas à ce que les garçons se débarrassent des preuves.

Je m'accordai quelques instants de réflexion.

— Il n'est pas question que je fasse quoi que ce soit d'illégal.

Elle sourit.

— Allez, allez... D'après ce qui nous est revenu aux oreilles, vous n'hésitez pas à prendre des raccourcis quand cela vous arrange.

Je la dévisageai.

— Vous avez effectué une recherche me concernant ?

— Nous devons savoir avec qui nous traitons. Tout ce que nous vous demandons, c'est de transmettre le nom du receleur.

— L'affaire ne me plaît pas. Trop dangereux.

— Là où il n'y a pas de danger, il n'y a pas de joie. Je me trompe ?

— Parlez pour vous.

— Je vous l'ai dit, nous avons l'intention de vous défrayer du temps que vous y passerez.

— Ce n'est pas une question d'argent. Je ne tiens pas à michetonner.

— C'est-à-dire ?

— A vendre mes fesses pour vous permettre d'arrêter ces types. Dieu sait que j'aime la justice, mais je ne vais pas payer de ma personne pour les faire coffrer.

— Nous ne vous demandons pas de coucher avec lui. Ce que vous faites en privé ne concerne que vous.

Elle se tut, manœuvre que j'ai souvent employée moi-même pour permettre à l'intéressé de vaincre ses hésitations.

Je saisis un crayon et tapotai le bureau, laissant mes doigts glisser sur la longueur du crayon avant de le retourner.

— Je réfléchis et je vous tiens au courant.

— Ne tardez pas trop. (Elle posa sur le bureau une petite feuille où étaient inscrits un nom et une adresse.) Voici le nom du joaillier. A vous de voir comment transmettre l'information. Vous pouvez nous facturer vos heures et vos frais d'essence. Si vous estimez ne rien pouvoir faire, tant pis. De toute façon, nous comptons sur votre discrétion.

Je saisis le papier et lus le nom qu'elle y avait écrit.

— Vous avez un numéro de téléphone où je puisse vous joindre ?

— Je vais passer mon temps à bouger. En cas d'urgence, vous pouvez utiliser celui porté sur ma carte, mais je crois préférable de vous appeler moi-même. Je vous téléphonerai d'ici un jour ou deux pour faire le point. En attendant, je ne tiens pas à ce que les garçons me repèrent. Ça fait des années que je les évite, et avec mes cheveux je ne passe pas spécialement inaperçue. S'ils découvrent que nous nous sommes vues, vous êtes mal partie. Alors, faites attention.

CHAPITRE 13

A 1 h 45, après avoir eu confirmation de mon rendez-vous avec Fiona, je me retrouvai une fois de plus dans Old Reservoir Road. Le ciel était gris acier, des nuages épais ayant à nouveau recouvert les échappées de bleu apparues un peu plus tôt. Je glissai un coup d'œil en biais sur ma droite, embrassant la vue sur le lac Brunswick. Des rafales de vent ricochaient comme des cailloux sur la surface de l'eau et les arbres du rivage secouaient leurs cimes échevelées. Comme précédemment, je me garai sur le bas-côté de la petite route. J'attrapai mon sac et l'enveloppe en kraft marron qui contenait mon rapport. Et je levai la tête vers la maison : solidement arrimée au flanc de la colline, elle semblait conçue pour résister à une attaque. Quatre jours s'étaient écoulés, mais du fait des pluies excessives, des mauvaises herbes pointaient un peu partout sur le terrain.

L'entrevue ne m'enthousiasmait guère, mais au moins m'empêcherait-elle de penser à Richard et à Tommy Hevener. Cette histoire me restait en travers de la gorge comme une arête. Si je m'étais écoutée, j'aurais annulé mon bail séance tenante et coupé net tout lien avec eux, mais (près de mes sous comme je suis) l'idée de dire adieu à seize cents dollars me révoltait. L'affaire était épineuse. Sans parler de moralité, il n'est pas correct, aux yeux de la société, de copiner avec un duo de tueurs dénués de toute sensibilité. Mais comment dénoncer le contrat qui me liait à eux ? Même en Californie, les règles du savoir-vivre laissaient rêveur. Fallait-il rester courtoise ? Avouer les motifs qui empêchaient de faire affaire ? Je pensai à la petite lumière tendre dans les yeux de Tommy, puis l'imaginai en train de ligoter patiemment les mains de sa mère avant que le brasier ne se déchaîne. S'il me rappelait, devais-je faire allusion à l'assassinat de ses parents ou bien invoquer un prétexte quelconque ? Je voulais agir sans traîner. Mais là encore, en coupant tout contact, je refusais, en réalité, d'aider Mariah Talbot. Je me dérobe rarement devant le danger et, comme elle avait eu la grossièreté de me le rappeler, je n'hésite pas à prendre des raccourcis au besoin.

Comme je fermais à clé ma portière, j'aperçus Trudy, le berger allemand que j'avais croisé lors de ma dernière visite. Il déboulait à toute vitesse sur la route ; c'était une jeune chienne pleine de vitalité, qui n'avait probablement pas encore un an et était tout émoustillée de sortir dans l'air glacé de novembre. Elle s'accroupit pour un petit pipi, puis colla son museau au sol, suivant la trace désordonnée d'une bestiole qui était passée par là un peu plus tôt... un lapin ou un opossum, peut-être même un raton laveur en goguette. La maîtresse de la chienne arrivait sur ses talons, surveillant sa progression au cas où son animal serait tombé sur quelque chose de beaucoup plus gros qu'elle. Le temps que j'escalade les marches jusqu'à la porte d'entrée de Fiona, la femme et l'animal avaient disparu. Henry et Rosie me tannaient pour que je me prenne un corniaud, mais je n'en voyais pas l'utilité. Pourquoi se charger d'une créature incapable de tirer une chasse d'eau ?

Fiona devait m'attendre car j'avais à peine effleuré la sonnette qu'elle m'ouvrait la porte. Sa tenue dernier cri consistait en un chemisier à manches longues en crêpe qui s'inspirait de la vareuse militaire d'Eisenhower, ceinturé à la taille. Elle le portait avec une jupe droite en lainage noir qui lui arrivait à mi-mollet, dévoilant, ce faisant, la partie la moins affriolante de la jambe de n'importe quelle femme. Elle avait des chaussures à talons hauts carrés, dont les brides s'entortillaient autour de ses chevilles. Une version en velours à paillettes du calot des unités féminines de l'armée américaine était piquée sur ses bouclettes de fausse brune. Je humai une odeur de cigarette et de Shalimar et me souvins brusquement du pot de déodorant Mum, dont ma tante s'enduisait délicatement les aisselles du bout des doigts.

— Vous auriez dû vous garer sur le parking de derrière au lieu de monter toutes ces marches, me fit remarquer Fiona.

La phrase était anodine en soi, mais l'agressivité perçait dans le ton. Elle me cherchait ou quoi ?

— J'ai besoin d'exercice, lui dis-je, refusant de mordre à l'hameçon.

En s'écartant pour me laisser entrer, elle tripota sa montre avec un regard subreptice pour voir si j'étais en retard. Comme d'habitude, j'étais d'une ponctualité irréprochable et pensai à part moi Bien-fait-pour-toi-ma-vieille tout en lui emboîtant le pas.

Dans le hall d'entrée, l'échafaudage du peintre n'avait pas bougé ; des bâches protégeaient le sol comme une mince couche de neige. On n'avait touché à rien depuis notre entrevue du vendredi précédent, j'en déduisis qu'elle ne faisait pas confiance aux ouvriers pour continuer le travail sans elle. Ou alors ils savaient qu'il était inutile de suer sang et eau pendant son absence : elle était du genre à leur faire tout recommencer dès qu'elle aurait passé la porte. Le mur exhibait toujours ses échantillons de trois tons de blanc différents.

Quand je lui tendis l'enveloppe en kraft, on aurait pu croire que je lui offrais un cafard sur un plateau.

— C'est quoi, ça ? me demanda-t-elle.

— Vous m'avez dit que vous vouliez un rapport.

Elle ouvrit l'enveloppe et vit les feuillets.

— Ah, merci. Je vous sais gré de vos notes, me dit-elle, prenant acte de mon dur labeur d'un bref regard. Vous ne voyez pas d'inconvénient à ce que nous discutions dans la chambre ? J'aimerais défaire mes bagages.

— Absolument pas.

A dire vrai, j'étais curieuse de voir le reste de la maison.

— Le vol de retour a été tuant, un de ces cageots d'oranges de trente sièges bourré de courants d'air ! Je me moque des trous d'air, mais le tangage, je ne vous dis pas. J'ai bien cru ne jamais rentrer !

— Sans doute les derniers remous de la tempête.

— On ne me refera jamais voler dans ces fichus avions de poche. Je prendrai le train, même s'il met une demi-journée !

Elle s'empara d'un nécessaire de maquillage qu'elle avait laissé dans l'entrée.

— Aidez-moi, me lança-t-elle en regardant à peine une valise plus importante.

Je pris la valise aux parois rigides en me sentant une vraie bête de somme, une mule tant qu'à faire, tandis que je la suivais dans l'escalier. Cette connerie pesait des tonnes. J'observai les jambes de Fiona devant moi tandis qu'elle montait les marches. Elle portait des bas à couture. Vu ses affinités avec les années quarante, je m'étonnai qu'elle n'ait pas dessiné la couture sur le dos de chaque jambe nue comme le faisaient les femmes pendant les rationnements de la Seconde Guerre mondiale. Nous tournâmes à droite sur le palier et entrâmes dans une chambre de maître blanc cassé, dotée d'une immense baie vitrée surplombant la route. Je laissai choir sa valise. Pendant que Fiona partait dans la salle de bains avec son nécessaire de maquillage, je m'approchai de la baie pour jouir de la vue.

Le brouillard enveloppait entièrement la côte ; des colonnes d'orage se dressaient telles des montagnes menaçantes dans le lointain. La pluie avait suscité un brusque regain de la flore, et les collines étaient saturées de vert. Sous le ciel couvert, le lac Brunswick avait pris une teinte argentée et offrait à la vue une surface plate et piquetée ; on aurait dit un miroir ancien. Je me retournai. Le lit à baldaquin de Fiona était placé de façon à lui faire profiter d'une bonne partie de la vue, le soleil se levant à sa gauche et se couchant à sa droite. J'essayai d'imaginer l'impression que cela faisait de dormir dans une chambre aussi gigantesque. A un bout de la pièce, des doubles portes ouvertes révélaient un dressing de la taille de mon loft. A l'autre bout se dressait une cheminée devant laquelle on avait disposé des chauffeuses et une table basse. Je me représentai Fiona et Dow en train d'y boire un verre les soirs où il s'arrêtait au passage. Avaient-ils recouché ensemble, juste en souvenir du bon vieux temps ?

Fiona ressortit de la salle de bains et s'approcha du lit, où une seconde valise à parois rigides béait déjà sur le couvre-lit virginal. Elle entreprit d'en retirer les vêtements qu'elle y avait rangés avec un soin maniaque.

— Parlez-moi de votre enquête en commençant par le début, me lança-t-elle.

J'entamai mon récitatif en improvisant un pot-pourri d'entretiens, lui présentant le contenu de mon rapport en une série d'exposés au phrasé remarquable. Je commençai par l'inspecteur Odessa, enchaînai sur ma visite à Crystal Purcell,

274

puis j'abordai la séquence des Prairies du Pacifique et lui modulai les difficultés auxquelles Dow Purcell se heurtait. Je n'avais pas encore achevé ma mise en voix qu'un couac me déstabilisa.

— Vous feriez mieux de me suivre ! m'envoya-t-elle. (Elle n'avait pas cessé d'aller et venir entre le lit et le dressing, trimbalant des chemisiers et des jupes qu'elle accrochait à des cintres assortis en satin blanc matelassé.) Sinon, je ne vous entends pas et ça vous obligera à répéter. J'ai encore les oreilles bouchées ; raison de plus de prendre le train !

J'allai vers le dressing et me plantai dans l'encadrement de la porte pour poursuivre mon récital.

— Toujours est-il que, samedi après-midi, je suis passée voir Blanche peu après son coup de téléphone...

Elle se tourna vers moi.

— Vous êtes allée voir Blanche ? Au nom du ciel, qu'est-ce qui vous a pris !

— Elle m'a téléphoné chez moi. J'ai eu l'impression que vous l'aviez prévenue.

— Pas le moins du monde ! Et je n'arrive pas à croire que vous ayez pris une telle initiative sans me consulter ! Personne ne doit être mêlé à cette affaire sans instruction expresse de ma part. Je vous paie au temps passé. Si j'avais voulu que vous voyiez Blanche, je vous aurais donné son numéro.

— J'ai cru que vous l'aviez fait !

— Je vous ai donné celui de Melanie, pas le sien. Que vous a-t-elle dit exactement ?

— Je ne m'en souviens pas. Sincèrement, je suis navrée, mais comme elle avait l'air d'être parfaitement au courant de mon existence, j'ai pensé qu'elle vous avait parlé, ou alors à Melanie. Elle m'a dit qu'elles étaient toutes les deux très soulagées car elles vous pressaient d'engager quelqu'un depuis que leur père avait disparu.

— C'est secondaire. Je transmettrai l'information aux filles si je le juge utile, mais j'estime inopportun que cela vienne de vous. Est-ce clair ?

— Limpide, répliquai-je, piquée au vif.

Ayant versé à Richard Hevener l'intégralité des quinze cents dollars que m'avait donnés Fiona, il n'était plus dans mes moyens de lui rembourser l'avance sur honoraires. Déduction faite des cinquante dollars représentant le temps passé avec Trigg, je lui devais à présent mille soixante-quinze dollars de bons et loyaux services et, si je lâchais l'affaire, je ne pourrais pas lui rendre son argent, sauf à piocher dans mon compte d'épargne.

— Je vous écoute, maugréa-t-elle en revenant à ses activités.

Mon indignation douloureuse laissa vite place à une bouffée de colère et je dus me mordre la langue au sang pour ne pas lui préciser où elle pouvait se la mettre. Détermination qui flancha dès que j'ouvris la bouche.

— Vous savez quoi ? C'est curieux, mais j'en ai déjà marre d'écouter vos conneries. Je me suis cassé le cul pendant tout le week-end et si mes méthodes ne vous conviennent pas, je me tire !

Pour la deuxième fois en quelques minutes, j'avais réussi à la prendre de court et à la stupéfier. Elle parut sincèrement émue, faisant au plus vite marche arrière.

— Je me suis mal exprimée, dit-elle. Si je vous ai blessée, je vous fais toutes mes excuses. Telle n'était pas mon intention.

Rien de plus efficace que des excuses pour me faire choir de mes grands chevaux. Je battis en retraite aussi vite qu'elle et nous passâmes les quelques minutes suivantes à nous lisser mutuellement les plumes avant de reprendre.

Puis elle m'interrogea sur ma stratégie. Comme si j'en avais une!

— Comment comptez-vous procéder pour le retrouver?

— Ah! lâchai-je. Eh bien, j'ai d'autres personnes à interroger avant d'aviser, ensuite nous ferons le point.

En réalité, j'étais dans la purée de pois.

Un éclair traversa ses yeux et je crus qu'elle allait me jeter le gant, mais elle parut juger préférable de s'abstenir.

— Deux questions, lui dis-je. Quelqu'un pense que Dow aurait suivi une cure de désintoxication lors de ses deux disparitions précédentes. Se peut-il qu'il ait quitté le pays, cette fois?

Elle hésita.

— Cela changerait quoi?

— Lonnie Kingman se posait la question. C'est l'avocat à qui je loue un bureau. D'après lui, Dowan aurait très bien pu transférer des fonds sur des comptes à l'étranger en prévision d'une fuite.

— Je n'ai jamais songé à cette possibilité.

— Moi non plus, mais la première fois que nous nous sommes vues, vous paraissiez croire qu'il se trouvait en Europe ou en Amérique du Sud.

— En effet, mais je ne peux pas imaginer qu'il ait planifié toute cette histoire des années à l'avance !

— Avez-vous jeté un coup d'œil à son passeport ?

— Non, bien sûr. Pourquoi l'aurais-je fait ?

— Juste une idée, lui dis-je. Ça expliquerait sa disparition : il l'a emporté afin d'empêcher qu'on remonte la piste de ses précédents voyages.

— Vous parliez de deux questions.

J'attendis qu'elle veuille bien me regarder dans les yeux.

— Pourquoi ne m'avez-vous pas dit qu'il venait vous voir ce soir-là ?

Sans y penser, elle porta la main à sa gorge — geste d'autodéfense, comme pour détourner un coup de couteau à la carotide.

— Il n'est jamais arrivé... J'ai cru à un malentendu. J'ai essayé de l'appeler à son bureau le lendemain, mais il avait déjà disparu.

— Pourquoi venait-il ?

— Qu'importe, puisqu'il ne s'est jamais manifesté.

— Y avait-il quelqu'un d'autre avec vous ce soir-là ? lui demandai-je.

— Pour confirmer mes dires ?

— Ce ne serait pas plus mal, non ?

— Je crains de ne vous être d'aucun secours. C'est une petite ville et on y jase. Je ne le laissais même pas garer sa voiture dans le parking. Je l'obligeais à rentrer dans le garage vide. Personne n'était au courant de ses visites.

— Enfin... personne qui vous l'ait dit.

Je me sentis aussitôt une vraie garce en voyant son expression de femme trahie.

— Il avait juré de ne pas en parler à Crystal. Il disait que ça ne servirait qu'à lui faire du mal, ce que ni lui ni moi ne souhaitions.

— Je n'ai pas dit qu'il en a parlé à Crystal. Il s'agit de quelqu'un d'autre.

— Trigg.

— Oui, lui confirmai-je. (Après tout, c'était son argent. Elle avait le droit de savoir. Mes scrupules, quoique rares, présentent aussi des lacunes.) Et Lloyd Muscoe ? Dow vous a-t-il jamais parlé de lui ?

— Un peu. Ils se détestaient cordialement et évitaient tout contact dans la mesure du possible. Au début, il s'agissait d'une question de territoire... de vrais singes se disputant la même femelle... ce qui a dû ravir Crystal. Plus tard, leurs frictions ont surtout tenu aux rapports de Leila avec Lloyd.

— A ce qu'on m'a dit, Dow estimait que Lloyd avait une mauvaise influence sur la gamine.

— Je ne connais pas vraiment Lloyd, aussi je ne tiens pas à aborder le sujet.

— Essayez tout de même. Je suis sûre que vous trouverez bien un détail ou deux.

— D'abord, c'est quelqu'un d'ordinaire.

— Dieu merci, ce n'est pas un crime dans cet État, sinon je serais moi-même sous les verrous !

— Vous savez très bien de quoi je parle. Ils dépensent des fortunes pour qu'elle soit dans une école privée. Et je n'en vois vraiment pas l'intérêt alors qu'elle passe ses week-ends avec un individu de ce genre.

— Mais Lloyd est le seul père qu'elle ait connu. Crystal tient sûrement à ce que Leila garde des liens avec lui.

— Admettons. A moins qu'elle ne préfère avoir du temps pour elle. La conduite de Leila est très éloignée de la norme pour une enfant de son âge. Il saute aux yeux que cette fille est profondément perturbée. Je suis sûre que Lloyd en voulait à Dow d'être intervenu. Au lieu de perdre du temps avec Blanche, c'est lui que vous deviez interroger !

Trigg m'avait dit que Lloyd vivait dans l'atelier situé derrière la grande maison de bardeaux jaunes, au coin des rues Missile et Olivio. Je me garai devant et descendis à pied la petite allée. Des haies non entretenues débordaient de part et d'autre sur le chemin, formant des murs de feuillage mouillé qui lâchèrent des petites averses de gouttes à mon passage. Une Chevrolet de 1952 stationnait dans l'herbe au bout de l'allée. Des feuilles humides s'étaient collées au toit, sinon elle paraissait propre et bien entretenue. La végétation envahissait le jardin, et le petit atelier à pans de bois avait peut-être servi de resserre à outils en d'autres temps. Je gravis les deux marches incurvées du perron de bois et frappai au montant de la porte-moustiquaire.

Personne. Je pris quelques minutes pour faire le tour de l'atelier, allant de fenêtre en fenêtre et essayant de voir à l'intérieur. Je comptai quatre petites pièces : un séjour, une cuisine et deux chambres minuscules séparées par une salle de bains, tout cela entièrement vide. Je revins à l'entrée et ouvris la porte-moustiquaire. A tout hasard, je tournai la poignée de la porte. Elle céda sous ma main. Je me retournai pour observer la résidence principale, mais personne ne semblait m'épier. J'entrai, le bruit de mes pas résonnant contre les murs en plâtre nus.

Tout sentait l'humidité. Un linoléum fatigué aux motifs passés recouvrait uniformément le sol. Dans la première chambre, des cintres traînaient un peu partout. Rien dans la penderie. Dans la seconde, des matelas jumeaux sans literie reposaient à même le sol et, en ouvrant la penderie, je découvris deux tapis de couchage rangés à l'abri des regards, à droite. On avait laissé la fenêtre de la chambre entrebâillée, détail qui m'avait échappé quand j'avais fait le tour des lieux à l'extérieur. Peut-être Lloyd venait-il dormir à l'occasion sans se faire voir. La salle de bains, avec sa baignoire à pieds et sa cuvette de toilette rouillée, ne contenait aucun objet. Dans la cuisine, les placards béaient. Sur le plan de travail, j'aperçus un gobelet jetable au fond duquel traînait un dépôt non identifiable. Cela sentait le bourbon-Coca, ou quelque autre breuvage tout aussi fruste. J'ouvris tous les tiroirs de la cuisine. Optimiste incorrigible, j'espère toujours découvrir un indice, de préférence un bout de papier déchiré avec une adresse à laquelle faire suivre le courrier.

J'effectuai un rapide deuxième tour des lieux — au total aussi peu éclairant que le premier. Fermant la porte derrière moi, je traversai le jardin jusqu'à la grande entrée à l'arrière de la maison. La moitié supérieure de la porte était vitrée, et j'aperçus une vieille femme en blouse d'intérieur qui s'affairait auprès d'une assemblée de chats. Sept, si le compte était bon : deux à pelage moucheté, un noir, deux tigrés gris, un tigré orange et un persan à poils longs de la taille d'un carlin. Je frappai au carreau. La vieille femme leva la tête et me fit une grimace pour m'indiquer qu'elle me savait là.

Elle était grande et anguleuse, avec des cheveux blancs nattés en queues de souris tout autour de la tête. Elle devait s'occuper de nourrir sa nichée car les animaux l'entouraient d'un air attentif, se frottant contre ses jambes, ouvrant la gueule pour pousser des miaulements que la vitre m'empêchait d'entendre. Je la vis qui leur répondait, leur dispensant sans doute une homélie pour leur faire comprendre à quel point ils étaient gâtés-pourris. Elle posa des bols par terre. Tous les matous se mirent aussitôt au travail, leurs sept têtes inclinées comme en prière. La femme vint vers la porte et l'ouvrit. Une bouffée de litière pour chats s'échappa de la pièce.

— C'est pas à louer, m'annonça-t-elle d'une voix de stentor. Je vous ai vue visiter, mais c'est pas libre. La prochaine fois, demandez d'abord avant d'entrer comme une voleuse.

— Excusez-moi. Je n'avais pas vu qu'il y avait quelqu'un.

— Pas la peine de le préciser, me renvoyat-elle. Pendant seize ans je l'ai loué deux cents dollars par mois. J'ai rien eu que de la racaille. Ça n'arrêtait pas de tourner et y en avait qui valaient pas mieux que des clodos. C'est Paulie qui m'a dit qu'à ce prix-là il fallait pas que je m'attende à mieux. Maintenant, je demande huit cent cinquante et le local reste vide. Vous parlez d'un progrès !

— Je cherche Lloyd Muscoe. Il habitait bien là ?

— Oui, à un moment. Comme deux fois il a été en retard et qu'une autre il a pas payé du tout, je l'ai fichu dehors.

— Bravo ! (« Paulie »... Où avais-je entendu ce nom ? Chez Crystal, pendant qu'elle se bagarrait avec Leila à la villa lors de notre première entrevue.) Paul, c'est votre petit-fils ?

— Ma petite-fille. Et le nom, c'est Pauline. Je l'ai élevée depuis le jour où sa poivrote de mère l'a déposée sur mon paillasson quand elle avait six ans.

— C'est une amie de Leila ?

— De qui ?

— Leila, la fille de Lloyd.

— C'est de la vieille histoire ! La mère de Leila a veillé au grain. Paulie était un vrai cheval échappé, qu'elle a prétendu. Si vous voulez que je vous dise, c'est celle de Lloyd qui est pas tenable. Comme je suis vieille et sourde comme un pot, il a cru qu'il allait m'embobiner, mais je l'ai bien eu ! Je l'ai fichu dehors vite fait bien

283

fait, et j'ai fait venir un capitaine de la police pour être sûre qu'il filerait sans faire d'histoires. C'est le genre de gars à tout casser si on le contrarie.

— Vous savez où il est allé ?

— Non, et je m'en moque bien. Vous êtes agent de recouvrement ?

— Non. Détective privée.

— Il a des ennuis ?

— Pas à ma connaissance. J'ai besoin de lui parler.

— C'est pas moi qui vous renseignerai. Il doit traîner quelque part en ville, mais j'en sais pas plus. Comme je peux même pas lui faire suivre ses factures, je suis obligée de les jeter aux ordures. Oh, il est joli garçon, mais avec un poil dans la main grand comme ça !

— C'est ce qu'on m'a dit. En tout cas, merci.

— De rien, me lança-t-elle, et elle referma la porte.

Ayant réintégré ma voiture, j'étudiai mes options. La plus simple consistait à demander à Crystal où se trouvait Lloyd. Étant donné qu'ils avaient la garde alternée, elle le savait sûrement. Je mis le moteur en marche et repris la direction de Horton Ravine.

La maison du Dr Purcell se dressait sur un petit tertre boisé à la végétation opulente, d'où on apercevait une étroite bande d'océan en se mettant sur la pointe des pieds. La construction en soi n'avait rien d'impressionnant, malgré les talents d'architecte que s'attribuait Fiona. Fidèle à elle-même, elle avait empilé des boîtes jusqu'à un toit plat en béton. Une piscine s'étendait devant, offrant une image en miroir de la maison au cas où elle vous aurait échappé lors de votre première visite. Le style, bien que futuriste, datait curieusement et reprenait les idées d'architectes plus doués qu'elle. La maison ne correspondait manifestement pas aux goûts de Crystal, et je comprenais l'aversion qu'elle lui avait inspirée. Vu son amour pour la villa et son style Cap Cod tout en bois et vitrages, elle devait lui avoir fait l'effet d'une prison. La Volvo blanche et le coupé Audi stationnaient dans l'allée, à côté d'une élégante petite Jaguar noire que je n'avais pas vue la dernière fois.

Je sonnai, n'entendis rien, mais moins d'une minute plus tard, Crystal m'ouvrait. Elle portait des boots, un pantalon souple en lainage noir et un gros pull, lui aussi en laine noire. Ses cheveux mousseux lui dégageaient le visage dans un fouillis de mèches blondes dégradées.

— C'est vous ? Merci, mon Dieu ! Vous allez peut-être pouvoir nous aider. Nica, c'est Kinsey ! Entrez, entrez, me dit-elle, l'air tourmenté.

Je franchis le seuil.

— Que se passe-t-il ?

— Anica arrive de Fitch, m'expliqua-t-elle. Leila a quitté le campus sans autorisation et nous essayons de la retrouver avant qu'elle bousille tout. Elle va être fichue à la porte de l'école dès qu'ils s'apercevront qu'elle a fugué. Ne vous inquiétez pas pour moi. C'est juste que je deviens folle. Rand a emmené Griff au zoo.

Anica arriva de la cuisine en pantalon marine et blazer rouge, un écusson brodé de la Fitch Academy sur sa poche de poitrine. Sa chemise ajustée était d'un blanc pimpant, et elle portait des escarpins marine à talons bas. Ses manières étaient directes, et elle réussit à m'adresser un grand sourire malgré la détresse visible de Crystal.

— Vous tombez toujours en pleine crise ! Bonjour, Kinsey. Cela me fait plaisir de vous revoir. Comment allez-vous ?

Elle me tendit la main, j'en fis autant.

— Bien. Je suis désolée pour Leila. Vous croyez qu'elle va venir ici ?

— Espérons-le, dit Crystal. (Elle passa à côté de nous pour aller à la cuisine, continuant à nous parler par-dessus son épaule.) Je fais du café pendant que nous avisons. Elle sait qu'elle n'a pas le droit de faire d'auto-stop. Je le lui ai formellement interdit...

— C'est sans doute pour ça qu'elle en a fait, lui renvoya Anica.

— Je serais malade d'inquiétude si je n'étais pas si furieuse contre elle ! Comment vous le prenez, Kinsey ?

— Noir, ce sera parfait.

En la suivant à la cuisine avec Anica, je procédai à une rapide inspection visuelle du séjour, à ma droite. L'intérieur de la maison surprenait : escaliers en pierre, murs d'un blanc cru, pas de rideaux, tout en angles et lumière froide, bref, l'empreinte indiscutable de Fiona. Sur laquelle Crystal avait greffé son style personnel : tapis d'Orient fatigués juxtaposés comme des morceaux de puzzle et canapés défoncés recouverts de housses en chintz aux couleurs passées. Les tables en bois et les chaises tapissier étaient peintes en blanc vieilli, relevé par les assises à carreaux vert et blanc. On remarquait quelques pièces disparates en bois courbé, et de gros sièges arrondis en branches tressées. D'énormes coussins dépareillés garnissaient une méridienne en fer forgé, elle aussi peinte en blanc. Des livres s'empilaient sur une table basse, et l'on remarquait çà et là de grands vases de fleurs. Il se dégageait de l'ensemble une impression de confort et de décontraction avachie, le tout formant un endroit où les enfants pouvaient courir partout sans abîmer grand-chose car tout semblait déjà l'être.

La cuisine affichait des modifications analogues. Je reconnus le parti pris dépouillé de Fiona : surfaces froides et épurées aux angles arrondis art déco. Crystal avait introduit des placards aux portes vitrées et un vaisselier où était exposée sa collection d'assiettes en porcelaine. La pièce avait un aspect vieillot, l'endroit où mamie aurait adoré préparer ses bocaux de pêches et de tomates. Les appareils ménagers donnaient en revanche dans l'ultramoderne. La cuisinière était une Viking à six brûleurs. Je repérai deux lave-vaisselle, quatre fours et un îlot central indépendant recouvert de granit gris moucheté. Des herbes séchées pendaient aux chevrons, à côté d'une crémaillère pour les casseroles et les poêles en cuivre. Tout au bout de la pièce, une cheminée en brique rouge semblait avoir été rajoutée après le départ de Fiona. Trop rustique pour son goût.

Nica s'assit sur un des tabourets hauts alignés le long de l'îlot central, tandis que Crystal sortait des tasses et des soucoupes du placard le plus proche.

— Elle va prendre une de ces raclées ! était-elle en train de dire. Je vous jure qu'elle sera consignée pendant des mois ! A quelle heure a-t-elle fichu le camp ?

— Neuf heures et quart, y a des chances, dit Nica. Elle s'est présentée au cours d'éducation physique à neuf heures, mais elle s'est plainte de crampes et a dit qu'elle allait à l'infirmerie. Elle avait rendez-vous avec moi à dix heures. En ne la voyant pas, j'ai intercepté l'élève qui partage sa chambre, Amy, qui m'a dit l'avoir vue quitter le campus avec son sac à dos.

Crystal regarda sa montre.

— Mais bon Dieu, où peut-elle bien être ?

— J'espère seulement qu'Amy aura la bonne idée de ne pas alerter les autorités scolaires, reprit Nica en se démarquant des autorités en question.

— Ça vous ennuierait que je jette un coup d'œil à sa chambre ? J'y relèverai peut-être un indice permettant de savoir où elle pourraît se trouver.

— Allez-y tout de suite ! s'exclama Crystal. C'est la deuxième porte à droite en haut de l'escalier.

Je montai. La porte de Leila était fermée, mais pas à clé, et j'entrai. Je restai un moment immobile, laissant la pièce venir à moi. Les tons pastel dominaient. Quelqu'un avait visiblement pris ses désirs pour des réalités. Leila abordait la phase de développement (ou d'immaturité) où les affiches de stars du rock à moitié nues voisinaient avec les peluches de son enfance. Des bibelots et diverses babioles couvraient le moindre centimètre carré de surface. Il s'agissait pour la plupart de ces petits cadeaux que se font les adolescentes : tasses décorées de maximes humoristiques, figurines, bijoux, flacons d'eau de Cologne. Son pêle-mêle montrait un collage de souches de billets, de programmes de concerts et d'instantanés en couleurs : des mômes à des réunions animées, des filles faisant les idiotes, des garçons buvant de la bière, fumant un joint et se livrant avec application à d'autres expériences enrichissantes. Pour quelqu'un qui professait ne pas avoir d'amis, elle comptait une collection de souvenirs impressionnante. Des vêtements jonchaient le sol, couvraient des chaises, étaient accrochés à la porte de la penderie ou traînaient sur la banquette au-dessous de la fenêtre et sur deux petits fauteuils tendus de tissu.

Je procédai à une fouille rapide, mais complète, de ses tiroirs. La plupart de ses sous-vêtements étaient déjà par terre, ce qui me simplifiait la tâche. J'inspectai sa penderie... bourrée à craquer de vieux jeux de société, d'équipements de sport et d'articles de sa garde-robe d'été. Je me mis à quatre pattes et fis le tour de la pièce, vérifiant sous les sièges, le lit et la commode. La seule découverte digne d'intérêt consista en une petite boîte en métal fermée à clé, cachée entre le matelas et le sommier. Je la secouai, mais n'entendis que des bruits très amortis. Sans doute sa réserve d'herbe. Je n'avais pas le temps de forcer la serrure, la boîte regagna sa cachette. Même bredouille, je me sentais plus tranquille d'avoir effectué cette fouille.

En regagnant la cuisine, je m'arrêtai au coin-téléphone pour étudier le calendrier familial grand ouvert sur le bureau, à la page du mois de novembre. Un mois par page et illustré d'une série de photographies de chiens habillés de vêtements d'enfants. Novembre se voyait gratifié d'un cocker spaniel en costume marin. L'animal avait de grands yeux marron et semblait mort de honte.

Chaque jour avait droit à une case, un carré de trois centimètres carrés. Trois personnes différentes y avaient noté des sorties ou autres activités. A ce qu'elle avait noté et à la nature des manifestations signalées, je devinai que l'écriture la plus affirmée — elle était pleine de T anguleux et de I distendus — appartenait à Leila. Celle de Crystal consistait en une cursive élégante à l'encre rouge. Et celle de Rand en un gribouillis au stylo-bille bleu. Les pense-bêtes personnels allaient de réunions à des cours de tennis, rendez-vous de dentiste et de médecin, et garderies hebdomadaires pour Griff. L'Audi s'offrait une révision en début de mois. Plusieurs numéros de téléphone figuraient en marge. Des notes, un week-end sur deux, signalaient les retours de Leila. On ne l'attendait visiblement pas ce week-end-là, peut-être parce qu'elle avait passé le précédent avec Crystal.

Derrière moi, Crystal et Nica faisaient le procès de Leila en l'absence de l'accusée. Je feuilletai trois mois à rebours pour arriver à juillet et août, et remarquai la présence d'une quatrième écriture : des majuscules en gras et en noir. Celle (déduisis-je) du Dr Purcell, dont la présence s'affirmait jusqu'au lundi 8 septembre, quatre jours avant sa disparition. Il avait noté rapidement deux réunions du conseil d'administration, un colloque médical à l'UCLA et un parcours de golf au country club. Aucune de ces entrées ne semblait importante, et puis la police avait sûrement exploité ces pistes.

— J'aurais dû m'y attendre, disait Crystal. Je me demande même pourquoi je prends la peine de me ronger les sangs. C'est exactement ce qu'elle cherche !

— Elle a dû aller chez Lloyd, répondit Nica. Ce serait assez dans son genre de filer droit chez lui.

— Parfait. Qu'il s'en occupe ! Moi, j'en ai ma dose. Si elle ne se presse pas de rappliquer, j'appelle les flics. J'ai juste à dire qu'elle est mineure et que je n'arrive pas à la tenir, et l'affaire est entendue.

— A quoi cela servirait-il ? répliqua Anica. Je sais que vous êtes furieuse, mais ça reviendrait à la déférer devant des tribunaux et vous le regretterez.

— C'est elle qui va le regretter ! Paulie est sûrement dans le coup. Je vous parie cent dollars contre un caramel mou !

— Oubliez Paulie, lui dit Anica. Cela ne sert à rien.

Je pris le calendrier et me dirigeai vers l'îlot central, où je réclamai ma tasse de café.

— Je peux vous demander quelque chose ?

Crystal me jeta un bref coup d'œil, l'esprit ailleurs.

— Oui, il vous faut quoi ?

Je posai le calendrier sur le bloc et tapotai la page.

— A ce que je comprends, Leila ne revient pas tous les week-ends ?

— En général, si. Elle partage son temps entre Lloyd et moi, mais elle a parfois d'autres activités.

— Quoi, par exemple ?

Crystal examina la page et me désigna la deuxième semaine de juillet.

— Ce week-end-là, elle était invitée chez son amie Sherry, à Malibu Colony. Le père de Sherry est dans le cinéma et il emmène les filles aux grandes premières.

Je lui montrai le week-end du 12 septembre, celui de la disparition du Dr Purcell.

— Et là ? demandai-je.

— Pareil, mais chez une autre amie. La famille d'Emily possède des chevaux. Ils ont un ranch à Point Dume. Leila adore l'équitation. En fait, le week-end a été annulé... je crois qu'Emily était malade... et Leila a atterri chez Lloyd. Pourquoi ces questions ?

J'eus un geste d'ignorance, feuilletant les mois à rebours. L'emploi du temps de Leila variait, mais elle semblait sortir avec ses amies de classe en moyenne une fois par mois.

— Je me demandais si elle aurait pu quitter le campus avec une autre élève de Fitch.

— C'est une possibilité, mais j'en doute. La plupart de ses amies prévoient d'aller en fac.

Elles ne voudraient jamais risquer de se faire renvoyer. (Elle se tourna vers Nica.) Qu'en pensez-vous ?

— On ne perd rien à vérifier. Comme j'y avais songé moi aussi, j'ai pris avec moi l'annuaire des élèves au cas où nous aurions besoin d'appeler d'autres parents. (Elle plongea la main dans un grand sac de marin posé par terre, à côté de ses pieds, et en sortit un répertoire à spirale portant le logo de l'école en couverture.) Voulez-vous que je contacte ceux-ci, au cas où j'obtiendrais une information ?

— Attendez une seconde, j'essaie encore Lloyd, lui dit Crystal. (Elle gagna le coin-téléphone et saisit l'appareil. Elle pressa sept touches et attendit un moment, plus reposa le combiné.) Toujours rien... C'est le beau-père de Leila, ajouta-t-elle à mon intention.

— Je sais. Je l'ai vu à la villa le jour où j'ai fait votre connaissance.

— J'essaie de le joindre depuis que Nica est arrivée. Il est là, je le connais. Comme il a toujours des créanciers sur le dos, il refuse de décrocher. Je lui ai laissé six messages, il sait donc que c'est grave. Il aurait tout de même pu me rappeler !

— Écoutez, lui dis-je. J'ai besoin d'un prétexte pour l'interroger de toute façon. Si j'allais chez lui, voir si Leila s'y trouve ? Dans le cas contraire, je peux commencer à patrouiller les routes.

— Ce n'est pas une mauvaise idée. Nica et moi restons ici au cas où elle se déciderait à se manifester. (Elle prit un crayon pour noter des numéros sur un bloc-notes et arracha la page.) Ce sont mes numéros, et l'adresse et le téléphone de Lloyd.

— Vous avez deux lignes ?

— Oui. Ce numéro est celui de notre ligne personnelle. L'autre, c'est la ligne profession- nelle.

Je désignai le premier.

— Pourquoi ne pas libérer celle-ci ? Vous pouvez utiliser l'autre pour appeler des amies de Leila.

— Si vous trouvez Lloyd, vous pouvez lui dire que j'en ai marre de gérer ça toute seule. Il est temps qu'il assume sa part de responsabilités !

Je regagnai ma voiture en me demandant com- ment les gamins de parents divorcés survivent à toutes leurs chamailleries.

CHAPITRE 14

Lloyd habitait dans Gramercy Lane, une rue qui décrivait des méandres au pied des collines et progressait par tronçons discontinus. J'en repérai les coordonnées sur mon plan de Santa Teresa. J'allais devoir couper Gramercy à un moment quelconque, et vérifier ensuite les numéros des maisons pour voir où je me trouvais par rapport à l'adresse de Lloyd. Laissant le plan ouvert sur le siège passager, je mis le contact. La pluie reprenait, des gouttes énormes qui rebondissaient sur mon capot avec la violence de gravillons giclant d'un bas-côté. J'enclenchai mes essuie-glaces et regardai ma montre : 3 h 15 très exactement. Entre les courtes journées de novembre et la grisaille de la pluie, on aurait dit que le crépuscule commençait à tomber à 4 heures de l'après-midi. J'avais plus envie de rentrer chez moi que de patrouiller la ville à la recherche d'une ado qui fuguait.

Je franchis le portail en pierre signalant l'entrée principale de Horton Ravine et suivis la route qui décrivait une courbe sur la droite. Au premier feu rouge, je me penchai de nouveau sur mon plan. Gramercy Lane, en tout cas des sections de cette voie, se trouvait quelque part dans un rayon de trois kilomètres depuis la maison des Purcell à Ravine. Si elle avait fait du stop depuis Malibu en passant par la 101 direction nord, elle avait probablement demandé qu'on la dépose à Little Pony Road, c'est-à-dire à une des sorties sud. Le feu passa au vert, je serrai à droite et me glissai dans le flot des voitures qui roulaient vers le sud. Je croiserais Little Pony Road à un petit kilomètre de là.

L'idée de Leila faisant de l'auto-stop me tordait l'estomac.

Selon toute vraisemblance, ce serait un honnête citoyen qui lui offrirait ses services, mais il restait toujours l'infime possibilité qu'elle ait fait le mauvais choix. Tous les automobilistes ne lui voulaient pas forcément du bien. A quatorze ans, elle se sentait encore invincible. Pour elle, les voies de fait, viol, sévices et meurtre relevaient des faits divers que rapportent les journaux, en admettant qu'elle en lût. Les termes « vice » et « déviance » étaient des mots de vocabulaire qu'on apprenait au lycée, et non des conduites perverses ayant un rapport quelconque avec elle. J'espérai que ses anges gardiens ne la lâcheraient pas d'une aile.

Je sortis à Little Pony. En haut de la bretelle, je tournai à gauche et pris la direction des montagnes, examinant les deux côtés de la route à quatre voies. Mes essuie-glaces cognaient avec allégresse, barbouillant le pare-brise d'un va-et-vient de crasse. Je dépassai un couple blotti sous un parapluie. Ils marchaient sur mon côté de la route et me tournaient le dos. Comme je cherchais une Leila solitaire, je ne leur prêtai pas spécialement attention. Je voyais juste qu'ils étaient jeunes. Ce fut seulement après les avoir dépassés et aperçus dans mon rétroviseur que je reconnus les mèches filasse de Leila et ses longues jambes de pouliche. Le garçon à côté d'elle était grand et mince, harnaché d'un sac à dos dont les bretelles s'arrimaient n'importe comment sur les épaules de son blouson de cuir noir. Tous deux portaient des jeans cigarette et des chaussures de randonnée, et baissaient la tête pour se protéger de la pluie. J'aurais pu jurer qu'ils se partageaient un joint. Je ralentis et m'arrêtai le long du trottoir, juste devant eux. Dans le rétroviseur, je vis Leila hésiter, puis laisser tomber à terre quelque chose qu'elle écrasa. Au moment où ils arrivaient à ma hauteur, je baissai la vitre du côté passager.

— Je vous dépose quelque part ?

Leila se pencha devant son compagnon pour me regarder. Lorsqu'elle m'aperçut, son visage prit une expression d'incertitude signalant qu'elle m'avait déjà vue, mais où ? Elle me connaissait, mais ne me remettait pas. Le jeune à côté d'elle me lança un regard hostile et méprisant. Un coup d'œil me suffit pour enregistrer le teint délicat, les cheveux bruns raides et trempés de pluie, le simple tee-shirt blanc visible sous le col ouvert de son blouson de cuir. Les nichons m'étonnèrent, car j'étais partie du principe que l'intéressée était de sexe masculin. Ce devait être Paulie. Je vis qu'elle serait une beauté plus tard, même si elle affichait pour l'instant une tenue débraillée et si le moindre centimètre de son corps longiligne exprimait la provocation et le défi. Sans être franchement jolie, elle avait un air farouche, celui d'une fille à qui on ne la fait pas : immenses yeux sombres et pommettes rehaussées par une alimentation insuffisante. Un photographe à l'œil exercé aurait pu faire fortune en exploitant l'image de sexualité agressive qu'elle projetait.

Je revins sur Leila.

— Bonjour, lui dis-je. Je m'appelle Kinsey Millhone. On s'est vues vendredi dernier à la villa. J'arrive de chez ta mère. Elle se fait un sang d'encre à ton sujet. Tu aurais dû la prévenir que tu partais.

— Je vais très bien, mais remerciez-la de se soucier de moi.

Elle avait adopté le ton moqueur. Son attitude désinvolte avait pour objet d'impressionner sa copine, mais elle avait du mal à garder un air insolent sous la pluie qui lui ruisselait sur le visage. Deux mèches de cheveux s'étaient collées sur sa joue et le mascara qui lui alourdissait les cils s'était dilué en traînées noires.

— Pourquoi ne pas le lui dire toi-même ? Elle a besoin de savoir que tout va bien.

Leila et Paulie échangèrent un regard. Paulie glissa quelque chose à Leila à voix basse : deux conspiratrices essayant de tirer le meilleur parti de la situation alors qu'elles viennent de se faire prendre. Paulie se débarrassa du sac à dos et le passa à Leila. Après avoir murmuré quelques mots à son adresse, elle s'éloigna en direction de l'autoroute avec une nonchalance étudiée.

Leila se pencha plus près de la vitre à moitié ouverte. Un trait épais d'eye-liner soulignait ses yeux, et elle avait forcé sur l'ombre à paupières bleu turquoise. Son rouge à lèvres marron foncé tuait son teint fragile de fausse blonde.

— Vous ne pouvez pas m'obliger à rentrer à la maison.

— Je ne suis pas là pour t'obliger à quoi que ce soit, lui rétorquai-je. Tu n'aimerais pas te mettre à l'abri de la pluie ?

— A condition que vous promettiez de ne pas dire à maman avec qui j'étais.

— Paulie, je suppose ?

Leila ne disant rien, j'y vis un assentiment.

— Allez, monte. Je te dépose chez ton père.

Elle réfléchit un instant, puis elle ouvrit la portière et se glissa sur le siège passager, insérant tant bien que mal son sac à dos dans l'espace exigu à côté de ses pieds. A force de décolorations, ses cheveux semblaient synthétiques ; comme la dernière fois, ils étaient coiffés en dreadlocks et huppes qui devaient faire le désespoir des instances dirigeantes de la pension — à moins que Fitch ne soit un établissement libéral, où l'on autorisait les élèves à « s'exprimer » par des tenues barbares et des comportements excentriques. Dans l'espace confiné de la voiture réchauffée par la chaleur des corps, des effluves d'eau-de-marijuana se mêlaient à l'odeur musquée de sous-vêtements féminins portés plusieurs jours de trop.

Je jetai un regard par-dessus mon épaule pour surveiller les voitures qui arrivaient derrière moi, puis je m'engageai sur la route dès que la voie fut libre. Dans mon rétroviseur, je vis la silhouette de Paulie qui s'éloignait, pas plus haute maintenant qu'un soldat de plomb.

— Quel âge a Paulie ?

— Seize ans.

— Si je comprends bien, ta mère ne l'aime pas beaucoup. Que lui reproche-t-elle ?

— Maman n'aime rien de ce que je fais.

— Pourquoi as-tu quitté la pension sans autorisation ?

— Comment saviez-vous où j'allais ? me demanda-t-elle, faisant l'impasse sur le problème d'absentéisme scolaire.

— C'est ta mère qui y a pensé. Au premier téléphone en vue, je veux que tu l'appelles et que tu lui dises où tu es. Elle est malade d'inquiétude.

Inutile d'ajouter qu'elle était aussi excédée au-delà de toute expression.

— Faites-le vous-même ! De toute façon, vous repartirez discuter avec elle.

— Absolument. Tu es mineure. Je ne veux pas être complice de ta conduite répréhensible. (Nous roulâmes un moment sans rien dire.) Je ne vois pas ce qui te met tellement en rogne, finis-je par lui dire.

— Je déteste Fitch ! C'est ça qui me met en rogne, au cas où ça vous regarderait.

— Je croyais qu'on t'avait envoyée à Fitch parce que tu avais fait des conneries à l'école publique.

— Je ne supportais pas non plus. Un tas de tire-au-flanc et de débiles... je m'ennuyais à mourir. Les cours étaient de la foutaise. J'ai mieux à faire.

Nous traversâmes State au carrefour et prîmes la direction du quartier résidentiel de South Rockingham.

— Que reproches-tu à Fitch ?

— Les filles sont snobs à chier ! La seule chose qui les intéresse, c'est le fric que se font leurs gros-culs de pères !

— Je croyais que tu avais des copines.

— Eh bien, non.

— Et Sherry ?

Elle me coula un regard en biais.

— Quoi « Sherry » ?

— Je me demandais juste si tu avais aimé Malibu.

— Super. On s'est bien amusées.

— Et Emily ?

— Mais pourquoi vous me posez toutes ces questions ?

— Ta mère m'a dit que tu aimais faire du cheval là-bas.

— Emily est sympa. On ne peut pas en dire autant de tout le monde.

— Qu'avez-vous fait d'autre ?

— Rien. Des croque-monsieur au barbecue.

L'aiguille de mon compteur de conneries bascula dans la zone « danger ». Je mentais nettement mieux à son âge.

— Moi, je vais te dire. Je parie que, les deux fois, tu as raconté des histoires et que tu as passé le week-end avec Paulie.

— Très drôle, me dit-elle.

— Arrête et avoue. Ça change quoi ?

— Rien ne m'oblige à répondre si je n'en ai pas envie.

— Leila, tu m'as demandé de la boucler. Tu pourrais au moins me dire la vérité.

— Et puis quoi, si j'ai vu Paulie ? C'est un crime ?

— Et tous les autres week-ends que tu étais censée passer avec tes amies de classe ?

Nouveau silence boudeur. Je jetai un autre hameçon :

— Comment vous êtes-vous rencontrées, toutes les deux ?

— Au tribunal.

— Au tribunal pour enfants ? Quand ça ?

— Il y a un an, en juillet. On a été plusieurs à se faire prendre.

— En train de faire quoi ?

— « Vagabondage et violation de propriété privée », d'après les flics. On ne faisait rien, on traînait juste.

— Où était-ce ?

— Je ne sais pas, me dit-elle d'un ton rogue. Juste une vieille bicoque fermée par des planches clouées en travers.

— Il était quelle heure ?

— Vous êtes quoi, procureur ? Il était tard, dans les deux heures du matin. La moitié des mômes ont filé. Comme ils n'étaient même pas fichus de leur courir après, les flics nous ont coincés à l'intérieur. Maman et Dow sont venus me récupérer. Ils étaient furieux.

— Et Paulie ? Avait-elle des problèmes avec la justice ?

— Vous venez de rater la rue de mon père, me dit Leila.

Je ralentis et entrai dans l'allée suivante, puis ressortis en marche arrière. Je refis en sens inverse le demi-pâté de maisons jusqu'à Gramercy et tournai à gauche. Cette section ne comportait qu'un pâté et demi de maisons, un fouillis de pavillons de mauvaise qualité où devaient loger autrefois les saisonniers itinérants qui travaillaient dans les vergers d'avocatiers voisins. Ce morceau de route n'était pas goudronné et il n'y avait pas de trottoirs. Je comptai un seul et unique réverbère pour tout le pâté. Leila me désigna une maison sur une petite butte ; elle avait la forme d'un A et son toit pointu se continuait jusqu'au sol. C'était la seule construction de ce genre : un chalet en bois sans prétention entouré de cabanes. Je m'engageai dans l'allée et coupai le moteur.

— Tu veux bien aller voir s'il est là ? J'aimerais lui poser quelques questions.

— A quel sujet ?

— Au sujet du Dr Purcell, si tu n'y vois pas d'inconvénient, lui renvoyai-je.

Leila ouvrit vivement la portière et se pencha pour attraper son sac, que je retins d'une main.

— Tu me le laisses. Je me ferai un plaisir de te l'apporter s'il est chez lui.

— Pourquoi je ne peux pas le prendre ?

— Question de sécurité. Je ne tiens pas à ce que tu files. Tu as déjà assez d'ennuis comme ça.

Elle poussa un soupir excédé, mais s'exécuta. Je décidai d'ignorer la vigueur avec laquelle elle claqua la portière. Je l'observai tandis qu'elle se précipitait vers la maison sur un chemin plein de gravillons. Des ruisseaux de pluie dévalaient de la colline, aplatissant les longues tiges d'herbe laissées à elles-mêmes. Elle arriva à la porte, juste protégée par un petit V inversé en bois. Elle frappa, puis se recroquevilla, les bras étroitement croisés, me rendant mon regard tandis qu'elle attendait. La maison me paraissait bien obscure. Elle frappa de nouveau, puis revint en courant dans les flaques et monta.

— Il ne va sûrement pas tarder. Je sais où il met la clé et je peux l'attendre.

— Très bien. J'attends avec toi. Le temps qu'il revienne, on restera à bavarder dans la voiture.

Cette perspective ne parut pas la ravir. Elle malmena son sac à dos du bout de ses chaussures de randonnée couvertes de boue.

— Je veux aller à l'intérieur. J'ai envie de faire pipi.

— Bonne idée. Moi aussi.

Nous sortîmes de la voiture. Je fermai les portes à clé et la suivis sur le chemin. Arrivée devant la maison, elle souleva un pot de géraniums crevés et sortit la clé de sa cachette d'une rare originalité. J'attendis qu'elle ouvre la porte et nous fasse entrer.

— Il est locataire?

— Euh... non. Il garde la maison pour un de ses copains. Un type qui est parti en Floride, mais il revient la semaine prochaine.

L'intérieur consistait pour l'essentiel en une grande pièce. Le plafond filait vers le haut et se terminait en pointe. A droite, un escalier étroit

304

conduisait à une mezzanine qui accueillait un lit. Dans l'espace séjour, au-dessous, de fausses couvertures indiennes recouvraient le mobilier en bois de facture grossière. Le plancher était nu. Je sentis le sable crisser sous les semelles de mes chaussures. Une odeur de cendres froides se dégageait du vieux poêle noir ventru. Au fond, un comptoir délimitait l'espace cuisine, qui paraissait crasseux, même de loin.

J'avisai le téléphone sur une petite table d'angle.

— Tu veux appeler ta maman ou je dois m'en charger ?

— Appelez-la, vous. Je vais aux toilettes, et ne vous inquiétez pas, je ne vais pas me barrer.

Tandis qu'elle utilisait les commodités des lieux, je passai le coup de téléphone à Crystal. Provisoirement liée par l'honneur, j'omis toute allusion à Paulie.

— Je reste ici jusqu'au retour de Lloyd. S'il tarde trop, j'essaierai de convaincre Leila de revenir chez vous.

— Franchement, je suis si furieuse contre elle que je n'ai vraiment pas envie de la voir ! Ça ira mieux tout à l'heure, dès que j'aurai bu quelque chose. Anica est en train d'appeler l'école. Je n'ai aucune idée de ce qu'elle va leur raconter. Si Leila est renvoyée pendant quelques jours ou définitivement, ça lui servira de leçon.

— Je vous ai comprise, lui dis-je. Je vous tiens au courant de la suite des événements. Souhaitez-moi bonne chance.

J'entendis la chasse d'eau, et Leila sortit de la salle de bains lilliputienne logée sous l'escalier.

— Elle a dit quoi ?

— Pas grand-chose. Elle n'est pas franchement contente de toi.

Leila se dirigea vers le canapé défoncé. Sans faire attention à moi, elle ouvrit son sac à dos et en retira une trousse à fermeture Éclair bourrée de produits de maquillage. Elle en sortit un poudrier qu'elle ouvrit pour vérifier l'étendue des dégâts. Elle nettoya les traces de mascara, puis se regarda de plus près.

— Et merde ! Une saloperie de bouton ! lâcha-t-elle.

Elle rangea le poudrier. Puis elle s'empara de la télécommande et alluma la télévision, coupant le son après m'avoir jeté un regard de côté.

— J'étais exactement comme toi à ton âge, lui fis-je remarquer.

— Génial. Je peux fumer ?

— Non.

— Pourquoi ? Ce sont juste des cigarettes au clou de girofle.

— Leila, ne me cherche pas. L'endroit sent assez mauvais comme ça sans y ajouter l'odeur du girofle. Parle-moi de Dow. Et inutile de faire la tête. J'en ai assez de cette comédie.

— Quel genre de choses voulez-vous savoir ?

— Quand l'as-tu vu pour la dernière fois ?

— Comme si je m'en souvenais !

— Je vais t'aider. Le 12 septembre était un vendredi. Emily était malade et elle a appelé pour annuler ta visite, donc tu devais être chez toi. Étais-tu à la villa ?

— Euh... non. J'étais ici.

— Te rappelles-tu ce que tu as fait ce soir-là ?

306

— J'ai dû mettre une cassette. C'est ce que je fais en général. Pourquoi ?

— Je voudrais savoir quand tu as parlé à Dow pour la dernière fois.

— Comment voulez-vous que je le sache ? J'essaie de ne pas lui parler du tout si je peux m'en passer !

— Tu dois bien lui dire quelque chose de temps en temps. Après tout, c'est ton beau-père.

— Comme si je ne le savais pas ! me renvoyat-elle. Je croyais qu'on n'avait pas le droit d'interroger un enfant hors de la présence de ses parents.

— Seulement si on est arrêté par la police.

— Qui êtes-vous, d'abord ?

— Un privé. Phillip Marlowe en travelo. (A voir son expression, elle pensait à tous les coups que Phillip Marlowe était un orchestre de rock, mais elle eut l'intelligence de ne pas creuser le sujet.) Quel âge avais-tu quand Dow et ta mère se sont mariés ?

— Onze ans.

— Tu l'aimes bien ?

— Ça va.

— Vous vous entendez bien ?

— Aussi bien qu'on peut s'y attendre. Il est vieux. Il a un dentier. Son haleine sent le moisi et il a un tas de règles idiotes : « Je veux que tu sois couchée à dix heures. Je ne veux pas que tu traînes au lit le matin. Aide ta mère à s'occuper de ton frère », récita-t-elle en l'imitant. Moi, je le lui ai dit tout de suite : « Rand est là pour ça, non ? Je ne suis pas la bonniche de ma mère ! » Mes notes doivent être top, sinon je suis privée de sortie. Il ne me permet même pas d'avoir un téléphone à moi !

— Le salaud, opinai-je. Où est-il d'après toi ?

— Au Canada.

— Intéressant. Qu'est-ce qui te fait dire ça ?

Elle fixa l'écran de télévision, zappant d'une chaîne à l'autre.

— Leila ?

— Quoi !

— Je t'ai demandé pourquoi tu le croyais au Canada ?

— Parce que c'est un emmerdeur, me lança-t-elle. Il n'a jamais eu qu'une chose en tête : faire bonne impression. Je l'ai entendu qui parlait à une femme au téléphone. Il y a six mois, je crois, des types sont venus à la clinique et ont pris des livres comptables et un tas de dossiers de patients. Il en chiait dans son froc. Je ne sais pas de quoi il s'agit, mais j'imagine qu'il peut aller en prison pour ça, alors je pense qu'il s'est tiré.

— A qui parlait-il ?

— Je ne sais pas. Pas une fois il n'a dit son nom et, elle, je n'ai pas reconnu sa voix. Et juste là, il s'est rendu compte que j'étais sur la ligne et il a attendu que je raccroche avant de continuer.

— Tu écoutais ?

— J'étais en haut, dans ma chambre. Je voulais passer un coup de téléphone. Comment pouvais-je savoir qu'il était sur la ligne ?

— Ça s'est passé quand ?

— Une quinzaine de jours avant son départ.

— En as-tu parlé à la police ?

— Personne ne m'a posé de questions et puis,

c'est juste une supposition. Je peux regarder la télé maintenant ?

— Bien sûr.

Elle pressa de nouveau le bouton du son, qui revint à plein volume. MTV.

J'allai dans la salle de bains, qui se révéla moins moche que je ne me l'étais imaginé. Lloyd semblait avoir fait un petit effort pour garder propres le lavabo et la baignoire. Un bloc de quelque chose à l'odeur âcre accroché dans le réservoir garantissait un bleu permanent à l'eau de la cuvette. Après avoir fait pipi et tiré la chasse, j'inspectai l'armoire à pharmacie et farfouillai dans son panier de linge sale.

Lorsque je revins dans la pièce principale, Leila avait sombré dans l'état d'hypnose qu'induit la télévision. L'obscurité gagnait la pièce. J'allumai quelques lumières. Comme elle se désintéressait totalement de ma personne, j'en profitai pour explorer le dessus du bureau et le contenu des tiroirs. La plupart semblaient remplis du fouillis du copain. Je ne cherchais rien de spécial. Simplement, j'étais incapable de résister au besoin de fourrer mon nez là où il n'avait rien à faire. Je feuilletai une série de factures au nom de Lloyd, toutes en souffrance. Incapable de tenir en place, je gagnai la cuisine. Le réfrigérateur ne livra pas grand-chose, mais le placard se révéla nettement mieux approvisionné que le mien. Des paquets de nouilles, des sauces en bocaux, des potages en boîte, des condiments, du beurre de cacahuète et ces drôles de macaronis orange au fromage emballés dans une boîte en carton et que seuls les enfants et les chiens peuvent avaler. Je m'ennuyais ferme et commençais à avoir faim.

Je traversai la grande pièce et montai dans la mezzanine, jetant un coup d'œil par-dessus la balustrade. Je vis que Leila était toujours absorbée par les images qui dansaient sur l'écran. Je n'en revenais pas qu'elle me laisse fureter à mon gré. Le lit de Lloyd était défait. Sur la table de nuit, il y avait une photographie de Lloyd et Leila, format 20×25 et encadrée. Je m'en emparai et l'examinai. Elle avait dû être prise à l'occasion d'un anniversaire. Ils étaient assis tous les deux à la table de la cuisine devant un gâteau au chocolat d'allure instable et couronné de bougies. Leurs deux têtes penchées l'une contre l'autre, ils souriaient et faisaient les idiots à l'intention du photographe. L'oreille droite de Lloyd était percée. On voyait un paquet fraîchement déballé et Lloyd tenait à la hauteur de son oreille une boucle-breloque... un petit crâne sur des tibias croisés... en or... apparemment, un cadeau d'elle. Difficile de dire à quand remontait le cliché; sans doute moins d'un an, à en juger par les cheveux de Leila.

L'inspection des tiroirs de la commode ne révéla rien, sinon une ample collection de boxer-shorts tape-à-l'œil. Je me retournai et procédai à l'examen du périmètre. Un télescope placé sur un trépied près de la fenêtre attira mon attention. Je m'approchai et commençai par étudier la vue à l'œil nu pour me repérer. Je ne connaissais pas ce secteur, et je n'avais aucune idée de ce que Lloyd pouvait voir de là. J'eus un petit choc en m'apercevant que son lieu de résidence actuel était situé juste en face de chez Fiona Purcell, de l'autre côté du réservoir. Les contours dénudés de sa maison m'apparurent à travers la brume et la pluie, saillant comme une forteresse de la colline au loin. La maison de Lloyd donnait sur les montagnes, tandis que la vue qu'avait Fiona, exactement à l'opposé, embrassait l'océan et les îles à trente kilomètres au large. Je me penchai sur l'oculaire et essayai de voir quelque chose. Noir intégral. J'ôtai le bouchon d'objectif, ce qui améliora nettement la visibilité, même si je ne vis d'abord que la surface de mon œil. Le paysage se réduisait à une grande tache floue : des objets déformés par le grossissement.

Je relevai la tête et découvris la bague de mise au point, puis je regardai de nouveau dans l'objectif et tournai le bouton. Le bord le plus éloigné du réservoir m'apparut brusquement avec un relief d'une précision étonnante. Je distinguai même les crevasses d'un rocher qui se détachait aussi nettement que si je l'avais eu à un pas de moi. L'eau du réservoir faisait des ronds à l'endroit où les gouttes s'écrasaient. Le ciel se reflétait à la surface comme une nappe d'argent martelé. Je perçus un mouvement à droite et déplaçai d'un rien le viseur.

C'était Trudy qui aboyait devant un bout de bois, un de ces comportements stupides qui semblent si bien réussir aux chiens. Je la voyais ouvrir et fermer la gueule comme une marionnette de chien dans laquelle on aurait enfilé les doigts. Tout son corps vibrait de la passion qu'elle mettait, mais la vitre de la fenêtre interceptait presque complètement le son. Elle avait les pattes couvertes de boue, et je distinguais nettement les gouttes de pluie qui roulaient sur son pelage. Derrière elle, une large bande de broussailles avait été arasée, et j'aperçus du blanc à l'endroit où une rangée de jeunes arbres avait été cassée ras. Une remorque à bateau avait dû s'approcher du bord en marche arrière pour mettre un hors-bord à l'eau. J'entendis très faiblement la maîtresse de Trudy siffler, puis son « Trudy ! *Truuudy !* » à peine audible.

Trudy jeta un regard derrière elle avec regret, prise entre son obsession de l'instant et son besoin d'obéir. L'obéissance l'emporta. Elle partit en bondissant vers la pente et disparut en haut de la colline. Je relevai mon viseur vers la maison de Fiona, où les lumières clignotaient par intermittence, sans doute branchées sur des minuteurs. Je zoomai sur la fenêtre de sa chambre, mais ne vis aucun mouvement. Curieux qu'elle semblât habiter si près, au point que je faillis tendre la main pour toucher une vitre. En voiture, sa maison se trouvait en réalité à deux kilomètres de là, en prenant au plus long. Son côté du réservoir abritait des maisons hors de prix et très espacées, alors que ce côté-ci alignait des pavillons en préfabriqué à louer, sans grande valeur marchande. Je me demandai si Lloyd savait à qui appartenait la maison qu'il avait dans son viseur. S'il matait Fiona dans sa chambre à coucher, la regardant se déshabiller le soir.

Je déplaçai de nouveau le viseur avec l'impression d'être un oiseau effleurant la surface du lac. Mon regard s'arrêta à la pointe du réservoir, à l'endroit où une végétation dense poussait au point de rencontre de l'eau et de la colline. Un panneau était fixé sur un piquet et je parvins à lire les lignes écrites en gros. Il était interdit de se baigner et de faire du bateau. La lumière du jour diminuait rapidement et mes yeux se fatiguaient. Je levai la tête et fixai l'obscurité grandissante. Qu'avais-je vu ?

Je fermai les yeux et, quand je les rouvris, je sentis ma perception changer. Un changement brusque, comme dans le test pour déterminer quel est l'œil dominant. On couvre son œil gauche avec la paume et on fixe son index droit, le bras tendu. Puis on enlève sa paume de l'œil gauche et on couvre l'œil droit. Si on utilise son œil dominant, l'alignement du doigt sur le fond ne bouge pas. Si on utilise l'œil non dominant, le doigt paraît faire un petit saut sur le côté. En réalité, rien n'a changé. Le doigt reste à sa place, mais le cerveau enregistre une différence. J'éprouvai une brusque bouffée d'anxiété et mon cœur se mit à cogner.

Je fis demi-tour et dévalai l'escalier. Leila sortit de sa transe assez longtemps pour lever les yeux vers moi. Elle était allongée de tout son long sur le canapé, ses pieds en socquettes sur un des bras, ses chaussures de randonnée par terre.

— Je dois juste sortir quelques minutes. Ça ne t'ennuie pas de rester seule ?

— Je reste tout le temps seule, me dit-elle, offensée.

— Bravo. Je ne serai pas longue, mais j'aimerais bien que tu ne bouges pas jusqu'à mon retour. D'accord ?

— Ouiii...

Elle reporta son attention sur l'écran, zappa sur plusieurs chaînes et finit par s'arrêter sur un dessin animé de Tom et Jerry.

Je refermai la porte d'entrée derrière moi et partis au jugé dans la gadoue jusqu'à ma voiture. Le ciel se vidait de sa lumière et la température de l'air chutait. La pluie tombait moins fort, mais assez pour excéder. Je déverrouillai ma voiture et me glissai derrière le volant. Tendant le bras, j'ouvris la boîte à gants. J'en sortis ma torche électrique et appuyai sur le bouton, constatant avec satisfaction que les piles étaient encore chargées. J'éteignis la torche, la posai sur le siège du passager tout en mettant le contact, et sortis en marche arrière de la courte allée de Lloyd. Je fis demi-tour et pris la direction de la route principale. Au carrefour, je tournai à droite, continuai sur huit cents mètres, tournai de nouveau à droite dans Old Réservoir Road et entamai la montée sinueuse. Les virages m'étaient familiers et je conduisais le cœur battant avec violence, regrettant de ne pas avoir pris mes précautions avant de partir. La peur est un diurétique puissant.

Lorsque la maison de Fiona se profila au loin, je m'arrêtai sur le bas-côté. Je saisis ma torche, sortis et continuai à pied. Ici, on y voyait encore assez pour se diriger. J'escaladai la colline herbeuse détrempée, mes pieds se dérobant sous moi où moment où je m'y attendais le moins. Parvenue en haut, je m'arrêtai, cherchant depuis ce côté-ci du réservoir la maison en A où habitait Lloyd. Les lumières qui brillaient à l'intérieur lui donnaient un faux air de chapelle perchée sur la

314

colline opposée. J'espérais que Leila ne prendrait pas la clé des champs pendant que je crapahutais dans le noir.

La descente en travers du flanc de la colline se révéla encore plus délicate, et je me retrouvai sans point d'appui, mi-glissant, mi-patinant à mesure que je progressais. Arrivée en bas, j'allumai ma torche. Le périmètre était froid et silencieux et l'air sentait l'humidité. Au bord du rivage, aucun courant ne semblait troubler l'eau noire. J'aperçus par endroits les empreintes des pattes de Trudy. Je promenai le faisceau de ma torche sur la colline derrière moi et localisai le rocher que j'avais aperçu, ainsi que la rangée de jeunes arbres cassés. Je ne bougeai pas, remontant des yeux la ligne de la colline jusqu'en haut. De l'endroit où je me tenais, on ne voyait pas la route. Je braquai ma torche sur l'eau limoneuse, suivant le tracé des hauts-fonds. Ils semblaient descendre à pic, mais j'aperçus l'arrondi d'un pare-chocs en chrome qui luisait doucement, tel un trésor enfoui. Je ne réussis pas à lire le nom de la plaque d'immatriculation personnalisée, mais je savais que j'avais sous les yeux le coffre de la Mercedes gris métallisé de Dow Purcell immergée dans les profondeurs du lac.

CHAPITRE 15

De nuit, le théâtre d'un accident est aussi lugubre et tapageur qu'un carnaval. A presque 8 heures, il faisait complètement nuit. La voiture du médecin légiste, le laboratoire mobile de la police criminelle et une berline Ford stationnaient sur le bas-côté, ainsi que deux voitures de patrouille dans les éclairs rouges et bleus de leurs barres de gyrophares et le grésillement bavard de leurs radios. Deux policiers en tenue discutaient à l'extérieur, tandis que le dispatcher de la police dévidait avec une volubilité de bonimenteur le bulletin ininterrompu des délits et infractions en cours : plaintes contre le bruit, un appel téléphonique signalant une querelle de ménage à l'autre bout de la ville, un rôdeur, un ivrogne urinant sur la voie publique. Avec ses quatre-vingt-cinq mille habitants, Santa Teresa recense plus d'atteintes à la propriété qu'aux personnes physiques.

Cinq minutes après avoir repéré la Mercedes immergée, j'avais remonté la pente tant bien que mal pour redescendre de l'autre côté, en direction de la route. Je l'avais traversée, puis j'avais escaladé les marches de chez Fiona deux par deux, sans même m'arrêter pour souffler avant d'arriver en haut. J'avais tambouriné à sa porte et m'étais pendue à la sonnette en même temps pour l'obliger à répondre. J'avais hésité à laisser le lieu de l'accident sans surveillance, mais il fallait bien prévenir la police. J'avais sonné de nouveau. Comme j'avais observé la maison de Fiona de la mezzanine de Lloyd de l'autre côté du lac, j'avais vite compris qu'elle n'était toujours pas rentrée de Dieu sait où. J'avais fait le tour de la maison jusqu'à l'allée de derrière, celle qui pénétrait dans la propriété par la route au-dessus. Aucune voiture ne stationnait sur le parking, et les trois portes du garage étaient fermées et verrouillées.

Le voisin le plus proche de Fiona se trouvait juste de l'autre côté de la route. Je savais qu'il était inutile de frapper à une porte au hasard. La soirée débutait à peine, mais il faisait déjà nuit. Tout le monde avait entendu parler de malfrats usant de faux prétextes pour s'introduire dans la maison de leur victime. J'étais bonne pour sauter dans ma voiture et rouler jusqu'au premier téléphone public venu. Je sonnai à la porte, encourageant intérieurement l'occupant des lieux : Allez, magne-toi, arrive, aide-moi ! J'essayai de voir quelque chose à travers les impostes vitrées et distinguai une portion de l'entrée. Une silhouette bougeait dans une cuisine, s'affairant sans doute à ses fourneaux. Elle apparut dans le vestibule et se dirigea vers la porte d'entrée. Il s'agissait d'une femme entre deux âges, en pull-over et pantalon, un tablier noué autour de la taille. Si mon coup de sonnette impératif et inopiné l'inquiétait, elle ne le montra pas. Elle alluma l'éclairage extérieur et m'examina d'un œil prudent.

Je forçai ma voix en espérant me faire entendre à travers la vitre.

— Je suis une amie de Fiona ! Elle est sortie et j'ai absolument besoin de téléphoner !

Son regard se porta sur la maison de Fiona tandis qu'elle enregistrait ma requête. Elle s'assura que la chaîne était mise, puis elle entrebâilla la porte. J'ai oublié comment je lui exposai la situation, mais je dus me montrer convaincante car elle me fit entrer sans discuter et me montra le téléphone.

Sept minutes après, la première voiture de patrouille noir et blanc remontait la route sur les chapeaux de roues.

Presque deux heures s'étaient écoulées, et les occupants d'un grand nombre des maisons alentour étaient sortis de chez eux sur la route. Ils s'agglutinaient par petits groupes sous la maigre protection de leurs parapluies, discutant à voix basse et par à-coups tandis que la pluie crépitait sans relâche. Apparemment, la rumeur selon laquelle on avait retrouvé la voiture du médecin s'était répandue. Ils n'avaient sûrement guère l'occasion de se voir en temps normal. On n'avait pas construit de maisons proches les unes des autres dans ce secteur, et comme beaucoup de résidents travaillaient dans la journée, leurs chemins devaient rarement se croiser. Ils ressemblaient à une bande de clochards — à croire

318

qu'ils avaient juste pris le temps d'enfiler leurs manteaux et leurs bottes. Ils attendaient patiemment, veille rituelle d'une communauté de citoyens concernés conférant avec solennité à ce rassemblement exceptionnel. Une barrière provisoire de plots et de ruban en plastique les empêchait d'approcher. Non qu'on pût voir grand-chose de l'endroit où ils se tenaient. Orientée vers la ville, la chaussée elle-même était plongée dans l'obscurité, sans aucun éclairage public à proximité. Dans la direction opposée, le ruban d'asphalte se perdait dans l'ombre. Au-delà du dernier cul-de-sac, il n'y avait que les contreforts noirs et menaçants des collines, des terres incultes unies par la sauge et le chaparral.

J'attendais dans ma voiture, crispée par le froid. A intervalles réguliers, je faisais tourner le moteur pour mettre le chauffage et actionner les essuie-glaces du pare-brise, dont les coups sourds et réguliers manquaient de m'endormir. A ma droite, la pente faisait un angle de trente degrés sur une centaine de mètres jusqu'à la crête, avant de s'incurver vers le lac. Les projecteurs placés au bord de l'eau baignaient le paysage d'un éclat inquiétant, découpant en ombres chinoises les quelques arbustes rabougris épars le long de la crête. Par endroits, les silhouettes des policiers vaquant à leurs occupations rompaient la nappe lumineuse. J'avais échangé quelques mots avec Odessa lorsqu'il était arrivé sur les lieux. Il m'avait demandé de rester là et dit qu'on mettrait un plongeur à l'eau pour vérifier l'intérieur du véhicule avant de treuiller celui-ci hors du lac. Il s'était éloigné vers le haut de la longue pente et je m'étais installée dans l'attente.

A un moment donné, Leila avait fait son apparition, escortée par son beau-père, Lloyd, qui était rentré pendant que je découvrais la voiture de Dow. Ils se tenaient en retrait sous un parapluie noir, à l'écart des voisins. Les lumières avaient probablement attiré leur attention et ils avaient sauté dans la voiture de Lloyd. Pour une fois, Leila semblait éprouver autre chose que de l'ennui ou du mépris. Avec sa couche de mascara noir et sa débauche d'ombre à paupières, elle ressemblait à une gosse des rues abandonnée, les yeux immenses, le visage grave, incapable de s'arrêter de frissonner. J'aurais certes dû les rejoindre et me présenter à Lloyd, mais je ne pouvais pas m'y résoudre. Au bas de la route, je repérai deux équipes de télévision mobiles, l'une de KWST-TV, l'autre de KEST-TV. La reporter blonde de KEST recueillait déjà des clips et des interviews pour le bulletin d'informations de 11 heures. Protégée par un grand parapluie noir, elle interrogeait un des voisins. Je ne vis pas d'autres reporters, mais ils rôdaient sûrement dans les parages.

Comme je rectifiais la position de mon rétroviseur, une paire de phares éclaira le virage. J'espérai voir Fiona, mais le véhicule se révéla être la Volvo blanche de Crystal. Elle ralentit en s'approchant. Elle attendit qu'une poignée de badauds qui déambulaient sur la chaussée soient passés, puis elle vint se garer sur le bas-côté, juste devant moi.

J'attrapai mon ciré sur le siège arrière et le tins

au-dessus de ma tête tandis que j'abandonnais le confort de ma Volkswagen et partais avec une démarche de canard sur la route, en direction de sa voiture. Elle se retourna, m'aperçut et baissa sa vitre. Elle avait les traits tirés, les cheveux ramenés en un chignon désordonné sur la nuque. Elle semblait s'être habillée en hâte, enfilant un jean et un sweat-shirt de gym au nom de notre club.

— J'étais déjà en robe de chambre et en pantoufles quand un flic s'est pointé, m'expliqua-t-elle. Il voulait m'amener ici dans sa voiture de patrouille, mais j'ai préféré garder mon indépendance. Que se passe-t-il ?

— Pas grand-chose. C'est pire que sur un plateau de tournage, avec tout ce monde autour. Où est Anica ?

— Elle a été obligée de regagner la pension. Entrez vite.

— Merci !

J'ouvris la portière et me glissai à côté d'elle. Derrière moi, le siège de voiture de Griffith était fixé à sa place ; un assortiment de miettes de gâteaux et de débris de bretzels décorait la zone environnante. Un biberon en plastique rempli de jus de pomme avait laissé une trace collante à l'endroit où j'avais posé la main. Un écureuil rose en peluche gisait à mes pieds. Je me représentai l'enfant en train d'envoyer valser son amour d'écureuil, son biberon, ses gâteaux et ses peluches dans un ouragan dévastateur pour signaler sa présence. L'intérieur de la voiture embaumait les fleurs et les épices : l'eau de Cologne de Crystal.

— Comment vous sentez-vous ? lui demandai-je.

— Anesthésiée.

— La voiture a peut-être été abandonnée, lui dis-je, à propos de rien.

— Espérons qu'il n'y a rien de plus.

Elle tourna le rétroviseur vers elle et passa un doigt sous les cils de sa paupière inférieure, où son eye-liner avait coulé. Elle remit le rétroviseur en place et s'enfonça dans son siège, le dos rond. Puis elle posa sa tête sur le dossier et ferma les yeux. De profil, elle révélait les irrégularités de ses traits. Elle avait le nez trop fort et la mâchoire inférieure trop étroite par rapport à la largeur du front. Bien coiffée et maquillée, elle paraissait plus intimidante qu'à ce moment-là.

— Depuis quand êtes-vous là ? me demandat-elle, comme si elle parlait dans son sommeil.

— Je suis arrivée à six heures. Une éternité...

— Ils m'ont dit que j'avais tout mon temps. Je regardais la télévision quand le policier a sonné.

— Vous avez de la chance. Moi, je meurs de faim. Je n'ai pas dîné. J'avalerais n'importe quoi !

Crystal se pencha vers la boîte à gants et l'ouvrit.

— Essayez ça. (Elle en retira une barre Hershey cabossée et me la passa.) Comment ont-ils découvert la voiture ?

— C'est moi qui l'ai repérée et j'ai appelé police-secours. Les policiers sont là-bas, à faire je ne sais quoi.

J'ôtai l'enveloppe extérieure de la barre et

défis le papier blanc qui l'entourait. Le parfum du chocolat monta comme une vapeur à mes narines. Je cassai la barre en morceaux impeccables et en plaçai un sur ma langue. Pour un peu, j'aurais lu la lettre H en pressant le chocolat qui se ramollissait contre mon palais.

— Comment avez-vous su que c'était sa voiture ?

— La plaque personnalisée.

Nous restâmes silencieuses. Crystal alluma la radio, puis changea d'idée et l'éteignit. Le toit amortissait la rythmique de la pluie ; on aurait dit le friselis des balais du batteur sur les cymbales. L'atmosphère était curieusement intime. Nous nous retrouvions toutes les deux hors de nos habitats naturels, crispées par un cadre inconnu, liées par l'attente.

— Si je comprends bien, ils n'ont pas encore sorti la bagnole de l'eau, me dit-elle enfin.

— Ils attendent la dépanneuse. Odessa nous préviendra dès qu'il y aura du nouveau.

Je mangeai un E et fourrai le reste de la barre dans mon sac. Puis je croisai les bras en essayant vainement de me réchauffer.

Crystal laissa échapper un son qui était à demi un soupir, à demi autre chose : tension, impatience, simple lassitude.

— Je savais qu'il était mort. C'est la seule explication qui se tenait. Je vous ai dit qu'il n'aurait jamais filé en laissant Griff.

— Crystal, ils n'ont même pas remonté la voiture. Nous ignorons s'il est dedans.

— Il y est. Leila va craquer.

— Comment ça ? Elle ne l'aime pas.

— Bien sûr que non. Elle le traitait comme de la merde. Comment va-t-elle pouvoir faire son deuil ?

J'hésitai, voulant la faire parler. Elle était plus vulnérable qu'il ne m'avait paru. C'était peut-être ma seule chance.

— D'où lui vient sa colère ?

— C'est trop compliqué à expliquer.

— Rien n'est trop compliqué s'il est mort.

Crystal se remonta sur son siège et se tourna vers moi.

— Pourquoi vous le dirais-je ? Vous ne travaillez pas pour moi.

— Ni contre vous non plus. Quel est son problème ?

— Ça vous regarde ?

— Non, si vous le présentez ainsi, mais il va empirer.

— Je n'en doute pas. (Elle resta silencieuse un long moment.) Il y a eu pas mal de traumatismes dans la vie de Leila. Elle a besoin qu'on l'aide à régler ses difficultés.

— Elle voit un psy ?

— Depuis des années. Au début, trois fois par semaine. Maintenant, c'est deux fois par mois, le week-end, quand elle rentre de pension.

— Il reçoit pendant les week-ends ?

— Pas « il ». « Elle. »

— Excusez-moi. Je ne croyais pas les psychiatres si compréhensifs.

— Celle-là, si. Elle est vraiment fabuleuse avec les jeunes. C'est le cinquième psy que voit Leila et je ne savais plus à quel saint me vouer.

— Comment l'avez-vous dénichée ?

— Pour une fois, on a eu de la chance. Charlotte Friedman était dans la même classe qu'Anica. Son mari a pris sa retraite, et ils ont quitté Boston pour s'installer ici.

— Vous évoquiez des traumatismes? Je ne comprends toujours pas.

Crystal parut partagée. Elle regardait droit devant elle, et quand elle parla, ce fut d'un ton aussi vide d'inflexions et aussi distant qu'un vieux disque de phonographe.

— J'avais un petit garçon qui s'est noyé. Naturellement, cela nous a tous marqués. Ç'a été le commencement de la fin de notre couple, à Lloyd et moi. Il y a des choses dont on ne se remet pas. Parmi lesquelles la mort d'un enfant.

— Qu'est-il arrivé?

— Il s'appelait Jordie. Mon tout-petit... Il avait dix-huit mois. Un soir où je travaillais, je l'ai laissé à la voisine. Elle était au téléphone quand Jordie a poussé la porte-moustiquaire. Il est sorti et il est tombé dans la piscine. Le temps qu'elle le retrouve et appelle les secours, on n'a pas pu le ranimer.

— Je suis désolée.

— J'ai cru mourir, mais cela a été pire pour Leila. Les enfants ne sont pas préparés au deuil. Ils ne comprennent pas, et comment leur expliquer la mort en des termes qu'ils soient capables d'assimiler? Je n'ai jamais eu de sens religieux. Je ne voulais pas lui raconter des histoires, surtout si moi je n'y croyais pas. D'après le Dr Friedman, certains enfants, lorsqu'ils sont confrontés à la mort d'un frère ou d'une sœur, disjonctent avec la réalité. Ils se comportent comme s'il ne s'était rien passé. D'autres, comme Leila, s'extériorisent. Elle est difficile. Vous avez pu le constater. Révoltée, excessive. J'en ai parlé à Charlotte... avec l'autorisation de Leila, bien sûr. D'après Charlotte, le comportement de Leila est une façon de prendre ses distances, d'élever une barrière entre elle et un monde qu'elle juge plein de traîtrises. Si elle ne tient à personne, on ne peut pas la faire souffrir. Toujours est-il que je suis une mère protectrice et que j'en ai conscience. Je ne sais même pas comment je vais lui apprendre la nouvelle.

— Elle est ici. Vous ne l'avez pas vue derrière, avec Lloyd ?

Crystal se redressa d'un coup.

— Je ne savais pas ! Où ça ?

— En retrait de la route, environ trois voitures derrière. En tout cas, ils étaient là il y a un moment.

— Je ferais mieux d'aller voir.

Elle se retourna pour attraper un grand parapluie noir par terre sous le siège. Elle entrouvrit la portière et tendit le parapluie à l'extérieur en appuyant sur le verrou automatique, ce qui déclencha le déploiement brutal du tissu.

— Merci pour la barre. Vous m'avez sauvé la vie !

— Alors, tant mieux.

La dépanneuse apparut ; ses phares avant illuminaient la chaussée jusqu'au virage suivant. J'ouvris la portière de mon côté, tendis mon ciré au-dessus de ma tête comme une toile de tente et sortis en refermant la portière derrière moi. Je me retournai et vis l'assistant du conducteur de la dépanneuse sauter au bas de la cabine. Crystal passa à côté de lui, repartant en sens inverse sur la route, tandis que le conducteur effectuait un demi-tour en trois manœuvres et s'engageait en marche arrière sur la pente. Les gros pneus patinèrent, creusant deux ornières dans l'herbe. Le conducteur jeta un coup d'œil par-dessus son épaule, une main sur le volant. Son assistant poussa un sifflement aigu et lui indiqua en moulinant le bras l'angle de la montée. La journaliste blonde aperçut Crystal et tenta de l'intercepter. Crystal secoua la tête et l'écarta d'un geste.

Je battis en retraite vers ma voiture et tournai la clé de contact. La pluie s'était transformée en un crachin glacial, trempant peu à peu jusqu'aux os les badauds imprudents. A l'intérieur, la température avait chuté pendant mon absence, et le mouvement d'air tiédasse produit par le chauffage me réchauffait encore moins que mon propre souffle. Je vis la dépanneuse disparaître sur le côté, puis rouler pesamment en marche arrière jusqu'au sommet de la colline. Comment diable allaient-ils réussir à sortir de l'eau la Mercedes et à la treuiller sur ce sol détrempé ?

Je me retournai pour suivre des yeux la progression de Crystal. Elle avait rejoint Leila, qui se tenait sur le bord de la route avec Lloyd. Il avait passé son bras autour de ses épaules, mais à l'instant où elle vit Crystal, Leila se jeta dans les bras de sa mère. Crystal la garda contre elle et la berça sans bouger de l'endroit où elles se trouvaient, le visage plongé dans les cheveux de Leila. Au bout d'un moment, tous trois délibérèrent, Leila l'air malheureux, Lloyd fermé. Quel qu'ait été le sujet de leurs débats, Crystal obtint visiblement gain de cause. La mère et la fille passèrent près de ma voiture pour rejoindre le break. Crystal parlait avec animation, tandis que Leila pleurait sans bruit. Je la vis installer sa fille sur le siège avant, puis contourner l'arrière de la voiture et se glisser derrière le volant.

J'ajustai mon rétroviseur sans cesser de surveiller Lloyd, qui se dirigeait vers sa voiture, la tête baissée, les mains dans ses poches de veste. Peut-être se disputaient-ils le rôle du parent responsable. La récompense convoitée était Leila et, dans cette manche, Lloyd avait dû s'incliner. Dans l'image inversée que m'en donnait le rétroviseur, je le vis allumer une cigarette, une odeur de tabac me parvenant avec un temps de retard dans l'air humide de la nuit. Machinalement, je me demandai jusqu'où je devrais m'enfoncer dans l'obscurité pour pouvoir faire pipi sans me faire arrêter pour exhibitionnisme.

L'inspecteur Odessa, vêtu d'une parka imperméable, se profila en haut de la colline et entama sa descente dans un équilibre aussi précaire que moi un peu plus tôt. Il repéra ma Volkswagen et entreprit de tirer des bords dans ma direction. Je me penchai et baissai cinq centimètres de vitre. Il arriva à ma voiture et jeta un coup d'œil à l'intérieur. Le crachin s'était amassé sur la surface luisante de sa veste et l'eau coulait en petites rigoles le long des coutures. N'eût été son nez un peu trop proéminent et d'une forme un peu bizarre, je l'aurais qualifié de beau garçon. Il eut un geste vers les projecteurs orientables de la dépanneuse sur le flanc éloigné de la colline.

— Je veux vous présenter l'inspecteur Paglia.

— Avec plaisir, lui dis-je.

Je remontai la vitre et coupai le moteur. Puis je sortis, prenant le temps d'enfiler mon ciré avant de le suivre en haut de la pente. Nous crapahutâmes de concert, Odessa s'accrochant à mon bras, tant pour se rattraper que pour me soutenir.

— Ça se passe bien ? lui demandai-je.

— Un vrai bordel, me répondit-il. Je vois que Crystal est là. J'ai envoyé un policier chez elle. J'ai pensé qu'il fallait la prévenir.

— Et Fiona ? On a de ses nouvelles ?

— Strictement rien. Nous avons informé sa fille, mais elle ne peut pas bouger avant le retour de la nurse qui dînait dehors.

— Sait-elle où est sa mère ?

— A première vue, non. Elle a dit qu'elle allait téléphoner ici et là pour essayer de la localiser. Sinon, nous attendrons qu'elle rentre.

Nous escaladâmes les derniers mètres qui nous séparaient du sommet de la pente et nous arrêtâmes tous les deux pour observer le lac en contrebas. L'éclat des projecteurs gommait toutes les couleurs. Des volutes de vapeur montaient aux points où la pluie entrait en contact avec le métal brûlant des protections. Des petits groupes s'étaient formés, attendant probablement un surcroît de techniciens ou de matériel. Une lueur verte fantomatique se déplaçait sous la surface de l'eau tandis qu'on continuait à fouiller les profondeurs. Du fait de la position des projecteurs, l'arrière de la Mercedes scintillait d'une manière incongrue.

— Il est dedans ?

— Mystère. Nous avons envoyé un plongeur. Le haut-fond tombe brutalement de vingt pieds, soit cinq ou six mètres. Un rocher a retenu le véhicule, sinon il serait au fond et on le chercherait encore.

Le plongeur remonta à la surface dans une combinaison et cagoule bleu foncé, une bouteille d'air comprimé sanglée sur le dos. Il retira son détendeur et le laissa pendre tandis qu'il pataugeait vers la rive, des algues accrochées à ses palmes. Il releva son masque et le coinça sur le haut de son crâne à la façon d'un couvre-chef. Sur la rive, le médecin légiste et un autre individu, tous deux en imperméable, l'interceptèrent aussitôt et l'écoutèrent faire son rapport, gestes à l'appui.

Pendant ce temps-là, la dépanneuse était arrivée en marche arrière à proximité du rivage. Deux hommes en cuissardes et ciré jaune s'étaient avancés dans l'eau en prévision de l'opération de treuillage. L'un d'eux attachait déjà une chaîne à l'essieu arrière de la Mercedes. Tandis que je suivais les opérations, l'un des deux types calcula mal son coup et s'étala dans l'eau plus profonde, son ciré ballonnant autour de lui comme un radeau de sauvetage dégonflé. Il battit l'air de ses bras et dévida un chapelet de jurons, tandis que son partenaire lâchait un hennissement en essayant de réprimer son envie de rire et se portait en avant pour lui tendre une main secourable.

Odessa fit un geste de la tête vers le plongeur.

— C'est Paglia, dit-il, avec le médecin légiste.

— Je m'en doutais.

Comme s'il nous avait entendus, l'inspecteur se retourna et nous aperçut, Odessa et moi. Il prit congé des deux autres et se dirigea vers nous, traversant le sol spongieux déjà amplement piétiné. Des jours de pluie avaient oblitéré toute trace de pneus, mais le trajet présumé du véhicule avait été protégé et passé au peigne fin. Il ne fallait pas compter sur des preuves au bout d'un tel laps de temps. Lorsqu'il nous rejoignit, l'inspecteur Paglia me tendit la main.

— Mademoiselle Millhone ? Jim Paglia. Con Dolan m'a parlé de vous.

Sa voix était grave et dépourvue d'inflexions. Je lui donnai la cinquantaine. Il avait le crâne rasé et un lacis de plis verticaux et horizontaux semblait incisé dans son front tavelé.

Nous nous serrâmes la main et échangeâmes les enchanté-comment-allez-vous de rigueur. Le lieutenant Dolan avait dirigé la Brigade des homicides jusqu'à ce qu'une crise cardiaque lui ordonne de prendre une retraite prématurée.

— Comment va Dolan ?

— Couci-couça. Bien, mais pas la grande forme. Son travail lui manque.

Les sourcils de Paglia étaient deux tortillons noirs qui rebiquaient au bout, comme des ailes. Il portait des petites lunettes ovales à fine monture de métal. Si les gouttes de pluie qui mouillaient ses verres l'agaçaient, il n'en laissait rien paraître. Il fumait un cigarillo à embout de plastique blanc qui paraissait éteint, noyé par la pluie. Il l'ôta de sa bouche et en examina le bout.

— Nous vous devons une fière chandelle, me dit-il. Comment avez-vous eu l'idée de passer par là ?

Odessa me toucha la manche.

— Continuez de discuter, dit-il. Je reviens tout de suite.

Je le regardai se diriger vers le plongeur, qu'il entraîna à l'écart pour discuter tranquillement. Je reportai mon attention sur l'inspecteur Paglia, dont le regard s'était fixé sur moi et ne me quittait plus. Je flairai en lui un ancien militaire, un homme qui avait vu de près la mort et les mourants, quitte à l'avoir lui-même dispensée plus d'une fois. Son attitude amicale faisait l'économie de toute cordialité importune. S'il avait du charme, c'était un trait acquis par l'observance rigoureuse des règles du « comportement charmeur » qu'il avait observées dans le monde qui l'entourait. S'il était aimable, c'était parce que ses plaisanteries lui obtenaient en général ce qu'il souhaitait, en l'occurrence aide, information, coopération et respect. J'aurais voulu faire carrière dans la délinquance que je me serais méfiée de cet homme. Et dans le cas présent (compte tenu de mon penchant antérieur pour le mensonge, la pénétration par effraction et les menus larcins), je veillai à formuler mes explications avec prudence. Sans m'imaginer qu'il me soupçonnait de quoi que ce fût, je voulais lui paraître franche et sans artifices... l'enfance de l'art puisque (dans ce cas plutôt exceptionnel) je lui apportais la vérité sur un plateau.

— Je ne sais pas trop comment vous décrire l'enchaînement de circonstances. Je me trouvais là-bas... chez Lloyd. L'ex-mari de Crystal.

— Le beau-père de Leila.

— Tout à fait. Ce matin, elle a quitté la pension sans autorisation et Crystal a pensé qu'elle se rendait chez lui. J'ai proposé à Crystal d'essayer de la retrouver et j'ai commencé à explorer le secteur de Little Pony et de la 101. Elle a dû faire de l'auto-stop car je l'ai aperçue qui marchait sur le bas-côté. Je l'ai persuadée de me laisser la conduire chez Lloyd. Comme il était absent quand nous sommes arrivées là-bas, elle nous a fait entrer dans la maison. C'est cette construction en forme de A, lui dis-je, en lui montrant l'autre extrémité du lac. (Sous le poids du regard de Paglia, mon ton sonnait faux, et je me surpris à rajouter quelques détails parfaitement accessoires.) En réalité, il n'habite pas là. Il garde la maison pour un ami qui est en Floride. Toujours est-il que je tournais en rond en attendant qu'il arrive. Leila regardait la télévision et je suis montée dans la mezzanine. J'ai vu un télescope et je me suis dit que cela pouvait être intéressant de jeter un coup d'œil. J'ai été étonnée de voir où je me trouvais. Je ne m'étais pas rendu compte que cette partie-là de Gramercy le plaçait exactement de l'autre côté du réservoir par rapport à Fiona.

— Vous pensez qu'il y a un rapport ?

— Entre Lloyd et Fiona ? Je ne sais pas, mais ça m'étonnerait. Je n'ai rien entendu qui puisse le laisser supposer.

Il sortit une boîte d'Altoïd. Ouvrant le cou-

vercle, il y déposa son mégot éteint. La boîte en
métal était remplie de cendres, sa façon à lui
d'éviter de contaminer les lieux. Il remit la boîte
dans sa poche d'imperméable et ses yeux gris
rencontrèrent les miens.

— Vous pensez qu'on est sur la scène d'un
crime ? lui demandai-je.

— Le suicide en est un, me dit-il. Poursuivez
votre récit.

Ses dents du bas étaient abîmées au milieu et
cerclées de taches. C'était la seule chose chez lui
qu'il paraissait ne pas maîtriser.

— Quand j'ai regardé dans le télescope, j'ai
aperçu la chienne ; c'est un berger allemand qui
s'appelle Trudy. Je l'avais déjà vue lors de mes
deux visites chez Fiona et elle revenait toujours
au même endroit, aboyant comme une folle.

— Les chiens flaireront un cadavre même
dans l'eau, me fit remarquer Paglia.

C'était la première bribe d'information dont il
me faisait part.

— Ah bon ? Je l'ignorais. Je voyais qu'elle
était excitée, mais je ne savais pas pourquoi.
Outre Trudy, j'ai vu des crevasses sur ce rocher
là-bas, à mi-pente. (De nouveau je levai le doigt,
comme une gamine de CM 2 faisant un compte
rendu oral.) S'y ajoutaient les dégâts opérés dans
la végétation, des jeunes arbres cassés. Au début,
j'ai cru que quelqu'un avait descendu une
remorque en marche arrière pour mettre un
bateau à l'eau, et puis j'ai aperçu l'avertissement
qui est placardé et me suis rappelé qu'il était
interdit de se baigner et de faire du bateau.

Il parut m'étudier, avec une expression de bienveillance calculée.

— Je ne comprends toujours pas comment vous avez fait le rapprochement.

— Soudain, tout m'a paru logique. Le Dr Purcell avait été vu pour la dernière fois à la clinique. Et comme j'avais appris qu'il devait passer voir Fiona, je...

— Qui vous l'a dit ?

— Un ami de Purcell, un certain Jacob Trigg. Dow lui a confié qu'il devait avoir un entretien avec elle ce soir-là.

— Vous lui en avez parlé ? A elle ?

— Disons que je lui ai, en effet, posé la question. J'étais furieuse. Je travaille pour elle. Elle aurait dû me donner cette information aussitôt que j'ai accepté.

— Que vous a-t-elle répondu ?

— Elle m'a affirmé qu'il n'était pas venu et a parlé de « malentendu ». J'imagine qu'il lui a posé un lapin et qu'elle était trop vexée pour l'admettre.

— Dommage qu'elle ne nous en ait rien dit. Nous aurions pu ratisser le secteur. Quelqu'un a peut-être entendu la voiture. Au bout de neuf semaines, qui va s'en souvenir ?

Derrière lui, j'entendis le grincement aigu de l'embrayage, puis le fracas du câble tandis qu'il s'enroulait autour du tambour, arrachant la Mercedes au lac. L'eau jaillit des vitres ouvertes, de dessous le châssis, des enjoliveurs. Non loin de là, la voiture du médecin légiste stationnait sur l'herbe, ses portes arrière ouvertes. Son assistant et un policier en tenue en retiraient un long coffre en métal, dans lequel je reconnus le caisson en acier inoxydable où on pouvait enfermer hermétiquement le corps d'un noyé.

— Kinsey..., me dit Paglia.

Je tournai mon regard vers lui. J'étais glacée.

— Le plongeur dit qu'il y a quelqu'un sur le siège avant.

La Mercedes était à présent suspendue en l'air, piquant du nez, trois de ses quatre portières ouvertes. L'eau du lac se déversait de chaque fissure et crevasse, ruisselant à travers le plancher, éclaboussant le sol déjà imbibé d'eau par des jours de pluie. Je regardais, mes réactions comme en suspens tandis qu'on treuillait le véhicule jusqu'à mi-pente, l'eau en sortant à gros bouillons comme d'un réservoir soudain crevé. On avait fracassé la vitre du côté du conducteur, la partie inférieure subsistait encore, une masse de verre étoilée, la partie supérieure avait disparu. Sur le siège avant, j'aperçus une silhouette vaguement humaine, informe, réduite à l'état de boursouflure et de vase, le visage tourné vers la vitre béante, comme pour regarder la vue. Après des semaines dans l'eau, la chair naguère vivante était exsangue, d'un blanc nacré. L'homme portait encore son veston, mais c'est tout ce que je pus voir de lui de l'endroit où j'étais. Je détournai brusquement la tête avec un haut-le-cœur involontaire. La glu qui assemblait les os du squelette s'était relâchée et dérobée, de sorte qu'il semblait flasque, indifférent, les orbites baignant dans une gélatine incolore. Il avait la bouche ouverte, la mâchoire pendante. Ses lèvres s'étaient agrandies dans une ultime et définitive expression de joie ou d'étonnement... peut-être un cri de rage.

— On me trouvera dans la voiture, dis-je.

Paglia ne m'entendit pas. Il se dirigeait vers la Mercedes. L'équipe de la morgue se tenait en retrait. Dans ma vision périphérique, des flashs fusèrent tandis que la photographe de la police commençait à prendre des preuves documentaires. Je me sentis incapable de regarder plus longtemps. Je n'avais rien à faire là. Ces gens-là étaient dressés à voir la mort, on leur en avait appris les odeurs, les poses, la posture singulière des corps tirant leur ultime révérence à la vie. D'habitude, devant ce genre de scène, après le premier hoquet de révulsion, je peux devenir indifférente. Là, je n'y arrivais pas ; je ne parvenais pas à chasser le sentiment d'être en présence de quelque chose de profondément faussé. Purcell... à supposer que ce fût bien son cadavre... ou bien s'était tué, ou bien avait été tué. Il ne pouvait en aucun cas avoir gravi la pente au volant de sa voiture, puis être tombé dans le lac de façon accidentelle.

CHAPITRE 16

Le temps de regagner mon appartement, il était 10 heures passées. Les techniciens de la scène du crime continuaient à s'affairer au réservoir, même si je ne voyais pas ce qui leur restait à faire. J'avais traîné un moment dans les parages, puis décidé de rentrer à la maison. Je n'avais toujours pas dîné. D'ailleurs, à bien y réfléchir, je n'avais pas déjeuné non plus. Par deux fois au moins ce soir-là, la faim avait affirmé ses droits avant de battre en retraite, et maintenant elle s'était carrément dissipée, mais en me laissant avec un mal de tête tenace. Je me sentais à la fois surexcitée et épuisée. Un curieux mélange.

Heureusement, la pluie avait passé son chemin et la température s'était réchauffée. Les rues semblaient fumer, dégageant des nuages de vapeur. Les trottoirs étaient toujours mouillés, l'eau gouttant des branches en silence, comme de la neige. Les gouttières gargouillaient avec allégresse, rivières en miniature détournées par des détritus, tandis que le trop-plein suivait la pente et s'engouffrait dans les conduits d'évacuation en direction de la mer. Dans le brouillard qui se formait, le monde devenait ouaté et dense. Mon quartier me paraissait étranger, paysage dessiné par une brume venue d'ailleurs. Les reliefs s'aplatissaient en deux dimensions, réduisant les branches dénudées des arbres à de minces traits d'encre bavant sur une page. Mon appartement était plongé dans l'obscurité. J'étais partie à 10 heures du matin — cela en faisait presque douze maintenant — et il ne m'était pas venu à l'idée de laisser allumé pour m'accueillir au retour. Au moment où je tournais la clé dans la serrure, je m'arrêtai. La fenêtre de la cuisine d'Henry rayonnait, petit carré de jaune dans la brume ambiante. Je fourrai mes clés dans ma poche et traversai le patio dallé.

Je regardai par le haut de sa porte. Il était assis à la table, devant des monceaux de papiers : liasses de feuilles de maladie, chèques annulés et accusés de réception, tous en piles distinctes. Il avait mis sa robe de chambre, une antiquité en flanelle bleue râpée de laquelle dépassait un pyjama rayé bleu et blanc ; les revers du pantalon retombaient sur ses pantoufles de cuir fatiguées. Par terre, à côté de ses pieds, il avait placé une corbeille à papier et le gros classeur accordéon marron qui lui servait à trier les factures de Klotilde. Le sac en papier bourré des factures en question que lui avait refilé Rosie trônait sur une chaise et semblait encore à moitié plein. Tandis que je l'observais, il se passa la main dans les cheveux, sans se soucier des épis qui pointaient maintenant dans trois directions. Il saisit son verre de Jack Daniel's et en but une gorgée, puis il fronça les sourcils en constatant que la glace avait fondu depuis longtemps. Il se leva et gagna l'évier, où il vida le liquide.

— Henry ! l'appelai-je en frappant au carreau. (Il leva les yeux sans manifester le moindre agacement qu'on le dérange et me fit signe de le rejoindre. J'essayai d'ouvrir.) La porte est fermée !

Il me fit entrer. Pendant que j'ôtais mon ciré et le suspendais au dossier d'une chaise, il ouvrit la porte du freezer, en retira une poignée de glaçons qu'il laissa tomber dans son verre avec un ploc et versa par-dessus une nouvelle dose de bourbon. Je perçus l'odeur de ce qu'il avait enfourné l'après-midi : quelque chose avec de la cannelle, de l'extrait d'amande, du beurre et de la levure.

Les papiers éparpillés sur la table avaient encore moins bonne figure vus de près.

— Charmant, dis-moi. Tu t'en sors ? J'ai presque peur de poser la question.

— C'est l'enfer. L'horreur intégrale. Les codes sont du vrai chinois ! Impossible de savoir qui doit quoi ou lesquelles ont été réglées. Je les ai triées par date, mais sans aboutir à rien. Maintenant, je les classe par médecin, hôpital et série de soins, et je ne suis pas plus avancé. Je ne sais pas comment les gens s'y retrouvent. C'est ridicule.

— Je t'avais dit de ne pas accepter.

— Je sais, mais j'ai dit que je m'en chargeais et je déteste revenir sur ma parole.

— Oh, arrête de pétocher et rends-lui le bébé !

— Et elle va en faire quoi, hein ?

340

— Elle trouvera bien, ou alors, elle peut dire à William de s'en occuper. Klotilde était sa belle-sœur, je te rappelle. Pourquoi t'y coller, toi ?

— Parce que je suis triste pour elle. Klotilde était son unique sœur, c'est sûrement dur.

— Mais elle n'aimait même pas Klotilde ! Elles s'adressaient à peine la parole, ou alors c'était pour se disputer !

— Sois un peu gentille, tu veux. Rosie a le cœur sur la main, me dit-il.

Après avoir râlé, il se reprochait de s'être plaint dans son dos. Je vis que discuter avec lui ne ferait qu'empirer les choses. Je levai les yeux au ciel en mon for intérieur.

— D'accord, je te lâche pour l'instant, mais je ne renonce pas.

Il tira une chaise.

— Parle-moi plutôt de toi. Tu as l'air vanné.

— Et je le suis.

J'ôtai la pile de feuilles de maladie qui occupait le siège et restai plantée comme une gourde, ne sachant pas où les mettre.

Henry bondit.

— Attends, je m'en occupe.

Il me tendit son verre pendant qu'il poussait les papiers sur le côté et faisait de la place sur la table. Il récupéra le sac en papier et le classeur et les posa par terre, puis il me débarrassa des paperasses que j'avais dans la main et les posa par terre elles aussi.

Je lui dis merci et avalai une gorgée de Jack Daniel's, qui m'incendia les intérieurs comme si j'étais prise d'une crise de brûlures d'estomac. Je sentis ma tension céder et pris conscience, avec un certain retard, de mon état de fatigue. Ma tête se mit à battre en cadence avec mon pouls. Poum-tac, poum-tac. Je lui tendis le verre et m'effondrai sur la chaise qu'il venait de débarrasser.

— Que se passe-t-il ?

— Nous avons retrouvé la voiture du Dr Purcell et son corps... à supposer que ce soit lui. Je me sens incapable d'en parler tout de suite. Donne-moi quelques minutes, le temps de me reprendre.

— Veux-tu que je te prépare un verre de quelque chose ?

— Pas vraiment, mais si tu as du Tylenol, j'en avalerais une bonne quarantaine, de préférence fortement dosés.

— J'ai mieux. Toi, tu restes où tu es.

— Ne t'inquiète pas. Je suis incapable de bouger. Je te raconterai tout dans un instant, sauf si je sombre avant.

Je croisai les bras sur la table devant moi et y calai ma tête, sentant mon corps s'abandonner. C'était la position qu'on nous faisait prendre au jardin d'enfants avant la sieste, et, personnellement, je n'ai jamais trouvé mieux pour évacuer les tensions et récupérer. A l'âge de cinq ans, j'ai appris à m'endormir profondément à l'instant même où je pose ma tête entre mes bras. Je me réveillai dix minutes après, avec des fourmis au bout des doigts à cause du manque de circulation et les joues brûlantes de rêves.

J'entendis Henry aller jusqu'au réfrigérateur et transférer des récipients sur la table. J'écoutai le cliquetis apaisant des bocaux et des couverts.

C'était comme d'être alitée et d'entendre les bruits familiers émanant d'une pièce voisine. Je dus somnoler un moment, avec cet instant d'absence fugace qui vous déporte sur l'autoroute quand il survient au volant. Les bruits s'estompèrent et se précisèrent à nouveau après un bref instant d'inconscience.

— Qu'est-ce que tu fabriques ? marmonnai-je, la tête toujours entre les bras.

— Je te concocte un sandwich. (Sa voix me parut venir de très loin.) Rosbif et rondelles d'oignon rouge aussi minces que du papier à cigarette.

J'appuyai ma tête sur mon poing et le regardai placer côte à côte deux tranches épaisses de pain fait maison. Il les tartina généreusement de mayonnaise, moutarde brune épicée et raifort.

— Ça décoiffe, mais tu as besoin de quelque chose de fort. Ça va te remonter.

Il coupa le sandwich en deux et le disposa sur une assiette avec un brin de persil, ajoutant un petit tas de cornichons et d'olives sur le côté.

Après avoir posé l'assiette devant moi, il repartit vers le réfrigérateur, où il ouvrit le freezer et en retira une chope si froide qu'une pellicule blanche de givre se forma dès que le verre rencontra l'air ambiant. Il décapsula une bouteille de bière et en versa le contenu dans le verre en l'inclinant pour éviter la mousse. Après quoi, il saisit son verre de bourbon et s'assit en face de moi.

Je mordis dans le sandwich. Le raifort était si piquant que j'en eus les larmes aux yeux. De puissants effluves s'insinuant dans mes sinus, mon nez se mit à couler aussi.

— Mmmm... Une pure merveille. C'est bon à ne pas croire ! Tu es un génie.

Je m'interrompis pour me tamponner les narines avec une serviette en papier. Le rosbif était succulent, sa tendreté fraîche apportait le contrepoint parfait aux saveurs piquantes, salées et acides des condiments. De temps en temps, j'avalais une gorgée de bière fraîche, un feu d'artifice de picotements et de pétillements à goût de houblon. La vie se réduisait à ses quatre éléments fondamentaux : l'air, la nourriture, la boisson et un véritable ami. J'enfournai la dernière bouchée de sandwich, léchai la moutarde sur mes doigts et poussai un petit gémissement de gratitude. Je respirai lentement, longuement, notant que mon mal de tête avait disparu.

— Ça va mieux ! lui lançai-je.

— Je pensais bien que ça te soulagerait. Et maintenant, parle-moi du médecin.

Je lui résumai l'enchaînement des événements qui m'avaient conduite à ma découverte. Comme il sait comment mon esprit fonctionne, je n'eus pas à me perdre en détails ennuyeux. L'intuition consiste essentiellement en un bond de l'esprit avant la fusion de deux éléments. Tantôt le rapprochement s'opère par tâtonnements, tantôt le problème sous-jacent bute contre une observation, et la réponse jaillit.

— Je n'ai pas repéré la voiture, mais les traces qu'elle avait laissées en dévalant la pente.

— Donc, ton affaire est bouclée.

— J'imagine, sauf que je n'ai pas encore parlé à Fiona.

— Et maintenant ?

— La routine. Le Dr Yee va pratiquer l'autopsie dans la matinée. Je ne sais pas si on apprendra grand-chose, étant donné l'état du cadavre. Le véhicule est probablement resté immergé depuis le soir où Purcell a disparu. Dès qu'on en aura fini avec l'autopsie, j'imagine qu'on incinérera les restes.

— Je suis désolé de l'apprendre. Vraiment moche, cette histoire.

— C'est pire de rester dans l'ignorance. Au moins, sa famille sait enfin à quoi s'en tenir et la vie peut reprendre son cours.

Nous bavardâmes dans cette veine en explorant nos réactions et nos spéculations jusqu'à ce qu'on eût épuisé le sujet. Henry débarrassa mon assiette et la mit dans l'évier.

— Je m'en charge, lui dis-je.

— Tu ne bouges pas. (Il fit couler de l'eau chaude dans l'évier et s'empara d'une lavette avec du produit-vaisselle liquide dans le manche.) A propos, dit-il, j'ai vu un ami à toi ce soir.

— Ah bon ? Qui ça ?

Il posa la planche à découper dans l'évier et entreprit d'en ôter les condiments.

— Tommy Hevener est passé chez Rosie. C'est toi qu'il cherchait, naturellement, mais on a fini par bavarder un bon moment. Il m'a l'air d'un garçon bien et il est visiblement mordu ! Il m'a posé une foule de questions sur toi.

— Eh bien, moi, j'en ai pas mal à lui poser

aussi. Je ne t'ai pas encore parlé de cette partie-là de ma journée.

Il s'immobilisa, la main sur la porte du réfrigérateur.

— Je n'aime pas le ton de ta voix.

— Tu n'aimeras pas le reste non plus.

J'attendis qu'il revienne s'asseoir à la table.

— Quoi ? me demanda-t-il avec appréhension, comme s'il ne souhaitait pas vraiment l'apprendre.

— Il s'avère que Tommy et son frère ont engagé un voyou là-bas au Texas pour s'introduire dans la résidence familiale et voler ce qu'il y avait de précieux, notamment près d'un million de dollars en bijoux. Le cambrioleur a agi sur ordre, puis il a mis le feu à la maison pour cacher ses traces. Ce que les garçons avaient omis de lui dire, c'est que papa et maman se trouvaient dans la penderie, ligotés et bâillonnés. Ils sont morts par asphyxie tandis que la maison cramait autour d'eux.

Henry tiqua.

— Non ! s'exclama-t-il.

— Si.

— C'est pas vrai !

— Si, si. L'enquêtrice de la compagnie d'assurances... une certaine Mariah Talbot... est passée au bureau ce matin et m'a montré les coupures de presse du *Hatchet Daily News Gazette* ou autre. J'ai laissé le dossier au bureau, sinon tu aurais pu vérifier toi-même.

— Mais si c'est vrai, pourquoi ne sont-ils pas sous les verrous ?

— On manquait d'éléments de preuve, et

346

comme ils n'ont jamais fait l'objet d'une accusation, les « garçons » ont réussi à toucher les indemnisations de l'incendie et de l'assurance vie, plus l'héritage. Bref, deux millions de dollars au total. Leur tante et la compagnie d'assurances s'apprêtent à porter l'affaire au civil, en espérant récupérer ce qui subsiste des avoirs.

— Mais comment savent-ils que le cambrioleur n'est pas le seul responsable ? Il peut avoir surpris les parents, qu'il croyait partis quand il est entré dans la maison. C'est peut-être lui qui les a ligotés et bâillonnés...

— Malheureusement, on n'a plus entendu parler de l'intéressé depuis. Ils l'auraient liquidé, lui aussi.

— Mais on n'en est pas certain, me renvoya-t-il.

— C'est pour ça qu'ils ont rouvert l'enquête. Dernièrement, un indic s'est présenté, et la Guardian Casualty est prête à aller de l'avant en se fondant sur cette nouvelle information.

— Je n'arrive pas à y croire.

— J'ai eu la même réaction avant de voir les articles. Moi, je vais te dire ce qui me chagrine. La première fois que je vois Tommy, il me dit que ses parents sont morts dans un accident. Il ne veut pas que j'en parle à Richard, sous prétexte que c'est un point encore « sensible » chez lui. Moi, je compatis, « les pauvres chéris ! ». Et me voilà à repenser à mes parents et à avoir de la peine pour eux ! Franchement, ça me met hors de moi de voir avec quelle facilité j'ai tout gobé. Tout ce cinéma ! D'après le journal, ils ont même offert une grosse récompense... cent mille dollars !... pour toute « information permettant d'arrêter et d'inculper le ou les assassins de Jared et Brenda Hevener ». Pourquoi pas des millions tant qu'ils y étaient ? Ils ne risquent pas d'avoir à les sortir, sauf si l'un des deux balance l'autre !

— Comment acceptes-tu d'être en affaire avec eux ?

— Justement, j'y viens. J'ai signé un bail d'un an et leur ai versé six mois de loyer d'avance, plus une avance sur charges. Et pas question d'oublier ce détail. Or, je ne vois pas comment m'en sortir. Je suis prête à faire une croix sur l'argent, mais cette idée m'exaspère.

— Demande à Lonnie de s'en occuper. Il saura quoi faire.

— Bien vu, ça, reconnus-je. Seulement, ça ne règle pas tout.

— Comment ça ?

— Mariah pense que les bijoux sont toujours là, quelque part dans leur grande baraque qui leur a coûté la peau des fesses. Elle voudrait que je localise le coffre pour que la police obtienne un mandat de perquisition. A l'en croire, les Hevener vont bientôt se retrouver à court d'argent. Ils ont vécu sur un grand pied et, maintenant, ils sont presque ruinés. Elle espère qu'ils vont essayer de vendre au moins une partie des bijoux. Puisqu'ils ont rempli une déclaration de perte et affirmé qu'ils ignoraient où se trouvait le magot, ça va faire mauvaise impression. Si elle les amène à dévoiler leur jeu, la police rappliquera avec un mandat.

— Pourquoi prendraient-ils le risque de les vendre ? Ce ne sont pas des idiots.

— Pas encore, mais ils arrivent au bout du rouleau.

— Comment va-t-elle les convaincre ? Ça me paraît impensable.

— Justement. Ce n'est pas elle qui va les piéger. Elle m'a demandé de m'en charger. (Je cherchai le morceau de papier dans mon sac.) Elle m'a donné le nom d'un receleur à Los Angeles en me demandant de leur refiler le tuyau.

Henry s'empara du papier sur lequel elle avait écrit le nom du joaillier.

— Cyril Lambrou. C'est un prêteur sur gages ?

— Un joaillier. D'après elle, son commerce est tout ce qu'il y a de plus légitime, en tout cas pour l'instant. Il fourgue aussi de la marchandise quand elle justifie le risque. Dans le cas présent, pas de problème. Elle m'a montré les polaroïds : des bagues, des bracelets, des colliers. Somptueux. Franchement, une merveille.

— Pourquoi ne peut-elle pas leur refiler le tuyau elle-même ?

— Parce qu'ils la connaissent et qu'ils ne marcheraient pas.

— Mais pourquoi toi ?

Il y avait de l'agressivité dans le ton d'Henry et je sentis mes joues s'enflammer.

— Parce que j'ai tapé dans l'œil de Tommy.

— Et alors ?

— Mariah n'est pas née de la dernière pluie. Elle a fait une recherche sur moi et elle sait que je n'en suis pas à une entorse près.

— Tu ne me parles tout de même pas d'incitation à commettre un délit ?

— Qui te parle de délit ? Je leur file le nom d'un type qui achète des bijoux ! S'ils n'ont rien à se reprocher, ils n'auront rien à vendre. L'incitation, c'est quand la police incite quelqu'un à enfreindre la loi. Je ne les encourage pas à voler, ils l'ont déjà fait.

— Mais ils vont flairer un coup fourré ! Tu as parlé d'un joaillier. Ils lui filent la camelote, sur quoi on les arrête et on les fourre en prison ? Tu rigoles !

— A ce moment-là, il sera trop tard. Ils seront déjà à l'ombre.

— Imagine qu'ils déposent une caution. A la seconde où ils sont libérés, ils te courent après !

— Allons, Henry ! Fais-moi confiance sur ce point. Je ne vais pas me pointer en disant : « Dites donc, quelqu'un aurait-il des bijoux volés à fourguer à ce bonhomme ? » Je vais imaginer un scénario, quelque chose de plausible.

— Par exemple ?

— Je ne sais pas ! Je n'ai pas encore réfléchi à la question.

Exaspéré, Henry se cala contre son dossier et me regarda fixement.

— Combien de fois avons-nous eu ce genre de conversation, hein ? Tu arrives avec un projet foireux. Je te presse d'y renoncer, mais tu ne veux rien entendre et tu fonces tête baissée ! Tu trouves toujours le moyen de rationaliser ton comportement !

— Comme tout le monde.

— C'est bien là le hic ! Je te le dis, et je te jure de ne pas revenir là-dessus : ne fais pas ça. Ne t'en mêle pas ! Ce ne sont pas tes oignons !

— Je n'ai pas dit que j'allais le faire.

— Ce coffre, tu penses le découvrir comment ? Tu vas être obligée de t'introduire dans les lieux.

— Tommy m'a déjà fait visiter. Tout ce que j'ai à faire, c'est le convaincre de m'y ramener.

— Ce qu'il fera en espérant te mettre la main au cul !

— Je peux gérer la situation.

— Mais pourquoi courir le risque ? Moi, je pense que tu ne dois en aucun cas te retrouver seule avec aucun des deux.

— Je ne minimise pas le danger, mais j'ai fait bien pis avec bien moins de bonnes raisons.

— Je suis bien placé pour le savoir !

— Henry, je te promets de ne rien faire d'inconsidéré. Je n'ai même pas encore réfléchi à ce que j'allais dire... tu sais bien, en admettant que j'accepte ce boulot.

— Pourquoi t'en charger, toi ? Ce n'est sûrement pas une question d'argent... Si ?

— En l'occurrence, non. Simplement, j'estime qu'un meurtre ne peut rester impuni.

— Ce n'est pas ton boulot. Si la police détenait assez de preuves, les Hevener auraient été arrêtés et condamnés depuis longtemps. Or, des preuves, il n'y en avait pas assez. C'est ainsi que la justice fonctionne. Tu n'as pas à t'en mêler. Je t'en prie.

— Tu sais quoi ? Je suis tentée de le faire pour la même raison qui te pousse à aider Rosie : parce que c'est plus fort que toi. Alors, voilà ce que je te propose. Tu veux que je passe la main ? Passe la main avec Rosie et on n'en parle plus.

— Ce n'est ni illégal ni dangereux d'aider une petite vieille dame à régler les factures médicales de sa sœur !

Quinze pour lui, mais je me refusai à lui accorder le point.

— Laisse tomber. Ça suffit. On arrête de se disputer. Tu mènes ta vie comme tu l'entends, et moi je fais pareil avec la mienne.

— Tu as raison. Ce ne sont pas mes oignons. Fais-en à ta tête.

— Oh, ne joue pas les âmes dolentes. Il ne s'agit pas de ça. Je pense seulement que tu te fais trop de souci.

— Et toi pas assez !

Il était 11 h 03 lorsque je sortis de chez Henry et pris la direction de mon appartement. Nous avions fait un vague effort pour rafistoler nos deux façons de voir, mais le problème subsistait. Je me sentais anxieuse et pas dans mon assiette, lui non plus sûrement. J'entrai chez moi et me débarrassai de mon sac. J'allumai la télévision et passai sur KEST. J'avais raté la présentation du sujet, mais je pris le reportage en cours de route : « ... la Mercedes-Benz métallisée retrouvée ce soir dans le lac Brunswick a été formellement identifiée comme étant celle de l'éminent médecin local Dowan Purcell, dont on était sans nouvelles depuis le 12 septembre. L'inspecteur Paglia, de la police de Santa Teresa, n'a pas souhaité confirmer... » Une série de clips accompagnait le commentaire : un plan du flanc de la colline près du réservoir, un autre de Crystal arrivant en voiture, un plan raccord du Dr Purcell, suivi par un cliché de la maison de famille de Horton Ravine. Le présentateur enchaîna avec un reportage sur un chat coincé dans un conduit. Neuf semaines et demie d'angoisse réduites à moins d'une minute. Les gens éprouveraient sûrement plus de compassion pour le chat.

On frappa à la porte. Sans doute Henry qui venait s'excuser. Au lieu de quoi, je découvris Tommy Hevener planté sur mon paillasson.

— Hé, où étiez-vous passée ? Je vous ai appelée tout à l'heure, mais je suis tombé sur le répondeur. Je pensais vous trouver chez Rosie...

— Henry m'a dit qu'il vous y avait vu.

— C'est juste. On a eu une discussion sympa. C'est un vieux bonhomme super.

— Écoutez, j'ai eu une dure journée. Du nouveau sur une affaire à laquelle je travaille.

— Vous voulez me raconter ? Je sais écouter.

— Non, franchement. Merci de me l'avoir proposé, mais je suis claquée et je crois qu'il vaut mieux que j'aille au lit.

— Je comprends. Pas de problème. Vous m'appelez demain ? Je veux vous revoir.

— D'accord. Je n'y manquerai pas.

— Prenez soin de vous.

— C'est ça, vous aussi, rétorquai-je.

Dès que j'eus refermé la porte, je sentis mon pouls s'accélérer et le cœur me remonter dans la gorge. Je tirai le verrou et m'appuyai contre le mur, guettant le bruit de ses pas qui s'éloignaient. Dehors, une voiture vrombit, j'écoutai le bruit de son moteur décroître dans la rue.

J'ignore comment je réussis à dormir cette

nuit-là. Je n'avais aucun lien affectif avec Dow Purcell, mais la vue de son cadavre sur le siège avant m'avait bouleversée. J'avais souvent vu la mort, mais je n'arrivais pas à effacer l'image de ce cercueil à quatre roues et de sa dépouille blanchie. Je revis le film des événements... les projecteurs grésillant sous la pluie, le bruit de l'eau qui se déversait du bas-ventre du véhicule, l'odeur de boue et d'herbe piétinée, et puis la brève vision du cadavre reposant pour l'éternité dans sa posture informe, les yeux tournés vers la vitre, la bouche ouverte de stupeur. L'identification du corps ne prendrait sûrement pas longtemps... une demi-journée au plus. Ce serait plus long de décortiquer la voiture et de déterminer comment elle avait fini dans le lac. Il faudrait aussi établir si Purcell était mort ou encore en vie quand il s'était enfoncé dans l'eau. De nouveau, son visage m'apparut, brièvement : le grand sourire, les yeux sans regard...

Je fis un effort conscient pour détourner mon attention et la centrer sur le problème de Tommy et Richard Hevener. Malgré mon obstination et mes arguties, j'avais bel et bien compris le raisonnement d'Henry, que je savais exact. Je passe mon temps à fourrer mon nez là où il n'a rien à y faire, souvent avec des conséquences plus graves (et parfois plus inquiétantes) que je veux bien l'admettre. Rien ne m'obligeait à venir en aide à Mariah Talbot ni à la Guardian Casualty Insurance, alors pourquoi me placer dans la ligne de tir ? Les « garçons », je n'en avais rien à faire. Mariah avait même laissé entendre qu'elle disposait d'une solution de rechange si je décidais de ne pas l'aider. Il me restait à trouver un moyen pour annuler le bail et récupérer mon avance, mais peut-être Lonnie pourrait-il écrire aux frères une lettre tellement cinglante qu'ils me supplieraient de retirer mes billes. Quant au meurtre de leurs parents, autant faire confiance à la justice pour parvenir à les épingler. Même si je ne l'admettais qu'avec chagrin, il ne m'incombait pas de manier son glaive... Oh, et puis zut.

CHAPITRE 17

Une grande partie du mercredi se passa à régler quelques points en suspens. A 6 heures du matin, j'avais réussi à coincer cinq kilomètres de jogging entre deux passages nuageux, après quoi je m'étais rendue au club de gym. J'avais regagné l'appartement, mis un peu d'ordre, pris mon petit déjeuner, et j'étais arrivée au bureau à 9 h 15. Je passai l'essentiel de la journée à liquider la paperasse en retard, notamment mes factures personnelles, que je payai avec mon sentiment de triomphe habituel. J'adore tenir les loups en respect.

Par deux fois, je m'étais assise devant ma machine à écrire pour rédiger mon rapport final à Fiona, avec l'idée de le boucler et de le mettre à la boîte. Toutefois, lui ayant remis un rapport écrit et fait un compte rendu oral pas plus tard que la veille, je me retrouvai un brin à court de munitions et un tantinet en manque d'éléments de facturation. Je ne pouvais décemment pas lui compter le temps passé à attendre que la police sorte Dow du lac. Vu que j'avais versé ses quinze cents dollars aux infâmes frères Hevener, les mille soixante-quinze dollars que je lui devais encore devraient être tirés sur mon compte bancaire, dont le solde se montait pour l'heure à quatre cent vingt-deux dollars. J'avais plein de sous de côté, mais pas la moindre envie d'y toucher. En outre, je caressais encore le fantasme que Fiona en fasse son deuil pour me remercier de la célérité et de l'efficacité avec lesquelles j'avais résolu son affaire. Elle m'avait engagée pour trouver Dow, et je l'avais découvert plus vite que personne ne s'y serait attendu, moi la première, encore que pas tout à fait dans l'état qu'on eût souhaité. Je ne pouvais m'empêcher d'espérer un petit bonus de mille soixante-quinze dollars. Cause toujours, pensait-elle.

L'idée me traversa d'appeler Crystal pour lui présenter mes condoléances, mais je fus incapable de m'y résoudre. Je n'étais pas une amie de la famille et on risquait d'y voir de la curiosité malsaine, ce qui, bien sûr, était le cas.

Juste après le déjeuner, je repris le dossier que m'avait laissé Mariah Talbot. Je parcourus les deux testaments, progressant avec précaution dans assez de jargon notarial pour avoir la confirmation que les bijoux Atcheson avaient bien été légués à la sœur de Brenda, Karen. Puis je repris l'affaire à la base et relus les coupures de presse. Hatchet, Texas, était distante d'une centaine de kilomètres de Houston et comptait une population de deux mille huit cents âmes. On ne relevait qu'un meurtre dans toute l'histoire de la ville, et il remontait à 1906, année au cours de laquelle une femme avait approché une bûche du crâne de son époux endormi. Pour l'occire en six coups après qu'il eut fait déborder la coupe avec une cuite de trop. Monsieur l'avait laissée avec des dents en moins, les deux yeux au beurre noir et le nez fracturé. Après avoir vérifié qu'il était bien mort, elle avait jeté la bûche dans le feu et s'était préparé une tasse de thé.

La mort de Jared et Brenda Hevener avait fait la une de la presse locale — et jusqu'à celle d'Amarillo, où Brenda était née et avait grandi. D'après le journal, les corps avaient été découverts dans les décombres le lendemain de l'incendie. Celui-ci avait été d'une rare violence, activé par des substances inflammables et attisé par des vents secs. Alertés à 1 h 06 du matin, les pompiers bénévoles étaient arrivés sur les lieux dans les dix-sept minutes qui avaient suivi. La maison n'était déjà plus qu'un brasier et leurs efforts avaient surtout consisté à empêcher le feu de gagner les propriétés adjacentes. Les voisins s'étaient vite aperçus que les Hevener manquaient à l'appel. Au début, on avait craint que les quatre membres de la famille aient été surpris dans leur sommeil et que tout le monde ait péri dans les flammes. En réalité, Tommy Hevener se trouvait en visite chez des amis à San Antonio. Il avait réussi à joindre son frère, Richard, alors en voyage dans le sud de la France.

Les premiers comptes rendus des journaux s'étendaient sur le choc causé par ces deux décès et exprimaient leur compassion à l'endroit des fils que tout le monde jugeait anéantis par cette double perte. Il y avait de longues notices biographiques sur Brenda et Jared : elle et ses activités au service de la petite ville, lui et sa réussite dans le monde des affaires. Une foule impressionnante avait suivi les obsèques. Les photos des journaux montraient le cortège s'étirant interminablement dans les rues. Des clichés pris au cimetière cadraient sur les deux cercueils entourés de gerbes de fleurs, Richard la tête baissée, tandis que Tommy fixait la tombe d'un air sombre, le visage marqué par le désespoir. Leurs talents de comédiens n'avaient pas ébloui Mariah, mais je dus reconnaître qu'on pouvait aisément croire à la sincérité de leur chagrin.

Quelques jours avaient suffi pour identifier la présence du retardateur et des substances inflammables et remonter jusqu'à Casey Stonehart. Vingt-trois ans et d'une intelligence manifestement limitée, il avait acheté les matériaux dans une ville située à vingt kilomètres de là. Au vu de son passé déjà chargé et de son Q.I. contestable, on avait vite conclu qu'il n'avait pas agi seul. De toute évidence, il n'était pas assez ingénieux pour avoir planifié et exécuté le travail tout seul. Au fil des six mois suivants, le ton changeait; l'opinion devenait de plus en plus sceptique et l'enquête en cours envisageait désormais la possibilité que les deux fils aient trempé dans l'affaire. Ils s'étaient aussitôt répandus en dénégations indignées, protestant avec vigueur de leur innocence. La police et le capitaine des pompiers avaient émis, quant à eux, plusieurs déclarations aux termes soigneusement pesés, dans l'espoir d'éviter un procès si leurs soupçons se révélaient infondés. L'affaire avait retenu l'attention des journaux pendant des semaines, puis avait disparu de leurs colonnes. Il y avait bien eu des remises à jour périodiques, mais les papiers ultérieurs semblaient ressasser indéfiniment le contenu des premiers articles. La presse s'était très peu intéressée à Casey Stonehart, sauf pour rappeler que personne ne savait où il se trouvait.

En lisant entre les lignes, je notai une accumulation progressive des tensions entre les divers bureaux. On avait accusé le procureur d'incompétence. Sous la pression, il avait été contraint de démissionner. Malgré l'ouverture d'une deuxième enquête encore plus fouillée, aucun nouvel élément de preuve n'avait surgi. Des charges avaient été retenues contre Casey Stonehart par défaut, mais Richard et Tommy Hevener avaient échappé à la mise en examen. Un an après, deux courts articles évoquaient le procès qu'ils avaient intenté à la Guardian Casualty pour essayer de toucher les indemnisations des diverses polices d'assurances. Six mois plus tard, quelques lignes faisaient allusion à l'homologation des testaments et au règlement de la succession. Plutôt déprimant, cet enchaînement de faits. Je pris le temps de relire une dernière fois les articles, juste pour m'assurer que rien ne m'avait échappé.

Cette histoire me déstabilisait. Le « Vengeur masqué » que je ne puis m'empêcher d'être endossait déjà son armure, prêt à réclamer justice et à redresser les torts. En même temps, les accusations d'Henry s'étaient dangereusement rapprochées de leur cible. Je reconnais bien volontiers que je suis (quelquefois) imprudente et impétueuse, que le système m'exaspère, que l'obligation de me plier à la règle du jeu m'horripile. Non que je n'applaudisse des deux mains au maintien de l'ordre public. Mais je suis ulcérée qu'on accorde tant de droits aux malfaiteurs et si peu à leurs victimes. Poursuivre des canailles devant les tribunaux non seulement vous met sur la paille, mais ne garantit en rien un remède juridique. Même en cas de succès, une condamnation durement acquise ne ramènera pas les morts à la vie. Et, sur ce point, bien que je déteste faire preuve de réalisme, je rejoignais le raisonnement d'Henry. Pour une fois, j'avais l'intention de m'occuper de mes oignons.

Je quittai le bureau juste avant 3 heures et passai à la banque. Heureusement pour moi, mon chèque à l'ordre de Hevener Properties n'avait pas été encaissé. Peut-être que le bénéficiaire attendait d'avoir une pile suffisante de chèques de ses locataires pour les déposer à date fixe et non au coup par coup. Je fis opposition sur le chèque, revins au bureau et écrivis à Richard un petit mot d'excuse lui signalant que la situation avait changé et que, tout compte fait, je renonçais à lui louer son local. Comme j'avais signé le bail, il était tout à fait en droit de me traîner devant un tribunal. D'après moi, il n'en ferait rien. Il préférerait très certainement, dans sa situation, éviter les litiges. A 5 heures et demie, je fermai. Sur le chemin du retour, je fis un détour par la poste centrale et déposai ma lettre dans la boîte extérieure. Douze minutes plus tard, je ralliai l'appartement, me sentant enfin plus légère.

Avant d'ouvrir ma porte d'entrée, je traversai le patio jusque chez Henry. Je voulais lui dire que je l'avais écouté. En refusant de m'en mêler, je lui reconnaissais le crédit d'être à l'origine d'une rare preuve de bon sens de ma part. Il y avait de la lumière dans sa cuisine. Je frappai au carreau, m'attendant à le voir arriver du vestibule. Aucun signe de lui, aucune note de musique ne montait de son piano, pas la moindre trace d'activité. L'odeur irrésistible d'un de ses fameux ragoûts mijotés au four me chatouillant les narines, j'en conclus qu'il n'était pas allé très loin.

Je retournai à mon appartement et entrai. J'allumai la lampe du bureau et posai mon sac sur un tabouret de la cuisine. Puis je ramassai le courrier qu'on avait glissé dans la fente et qui s'était éparpillé par terre. De la publicité, que je mis au panier. Le répondeur clignotait joyeusement. J'appuyai sur le bouton MESSAGES.

Tommy Hevener.

« Hé, c'est moi. Je pensais à vous. Je vous trouverai peut-être plus tard. Passez-moi un coup de fil quand vous rentrerez. »

J'appuyai sur EFFACER, en souhaitant pouvoir en faire autant avec lui.

J'allai dans la cuisine. Comme j'avais fait un sort à mon dernier potage de tomate en boîte le samedi précédent, je savais d'avance qu'il n'y avait rien à manger dans la maison. Je vérifiai consciencieusement mes placards et mes clayettes de réfrigérateur. Honnêtement, je n'ai jamais vu de recette de cuisine exigeant deux sachets en plastique de sauce soja, une demi-tasse d'olives, des Cheerios, de la pâte d'anchois, du sirop d'érable et six carottes caoutchouteuses dont jaillissent des espèces de cheveux. Une diplômée en économie ménagère experte vous aurait peut-être concocté un plat nourrissant à partir de ces ingrédients, mais moi, sincèrement, je séchais. Je repris mon sac et la direction de la porte. Délicieuse entorse à la routine, on dînerait chez Rosie !

L'air nocturne était embrumé et sentait la cave. Cela faisait six jours pleins qu'il pleuvait, avec quelques moments de rémission. Le charme de la nouveauté s'était estompé, et ceux qui s'étaient réjouis de l'arrivée de la pluie maudissaient maintenant sa persistance. Le sol était saturé et les rivières menaçaient de déborder, leurs eaux tumultueuses charriant des débris sur leur passage. Si nous n'avions pas quelques jours de répit, les torrents allaient sortir de leur lit et inonder les plaines. On dénombrait déjà plusieurs routes du comté envahies par la boue et les cailloux, et des nappes d'eau sournoises rendaient la conduite dangereuse.

Chez Rosie, compte tenu du flux et du reflux des heures de pointe, on se pressait autour du bar. Les clients de l'apéro lèveraient le camp à 7 heures, dès que le prix des consommations augmenterait. L'intensité agressive et nerveuse du niveau de décibels semblait refléter la flambée d'exaspération ambiante. Les gens en avaient ras le bol des imperméables, des chaussures mouillées et des spores de champignons qui réveillaient brutalement leurs allergies dans une débauche d'éternuements et de sinus bouchés.

Je laissai mon parapluie contre le mur près de l'entrée, ôtai mon ciré et le secouai pour évacuer un peu de l'eau accumulée avant de l'accrocher. Je me fis un devoir de m'essuyer ostensiblement et inutilement les pieds, par simple politesse. Au moment où je franchissais la porte du sas, j'aperçus Tommy Hevener assis en solitaire à une table près de l'entrée. J'éprouvai une bouffée d'irritation en me sentant piégée. Comment l'éjecter une bonne fois pour toutes ? Il buvait un Martini et approchait de ses lèvres le bord largement évasé de son verre à cocktail lorsqu'il me vit. Je pilai net... une fraction de seconde d'hésitation... car la deuxième personne qui retint mon regard n'était autre que Mariah Talbot, assise dans un box du fond. L'adrénaline fusa dans mon organisme avec la brutalité d'une accélération subite. Mariah Talbot dissimulait ses cheveux argentés par trop reconnaissables sous une perruque foncée à longues mèches et cachait ses yeux bleus derrière des lunettes à monture en plastique piquée de strass. Son imperméable la grossissait. A condition d'ignorer l'élégante ossature de son visage, elle avait l'air moche, le genre à ne pas se faire remarquer dans un endroit aussi bondé. Tommy ne s'attendait certes pas à la trouver là, mais lui aussi risquait de soudain la reconnaître s'il regardait dans sa direction. Une beauté aussi classique que la sienne est presque impossible à travestir. A la seconde où ses yeux croisèrent les miens, Mariah se leva et se glissa de l'autre côté de la table, de façon à nous tourner le dos. J'espérai ne rien avoir laissé transparaître du choc de cette découverte, mais mon ahurissement avait dû être visible. Je reportai les yeux sur Tommy. Il avait l'air intrigué, comme s'il avait perçu mon étonnement. Il se retourna sur sa chaise et inspecta le fond du bar. Je m'approchai vivement et m'assis à sa table.

— Désolée d'avoir été un vrai crin hier soir, lui dis-je en lui effleurant la main.

Son regard revint sur moi et il me sourit.

— Ne vous en faites pas. C'était ma faute.

Le léger accent du Texas qui m'avait tant séduite un jour ou deux auparavant me paraissait brusquement surfait. Il portait un pull en cachemire d'un gris clair duveteux qui mettait en valeur ses cheveux flamboyants et le vert de ses yeux. Son regard intense ne me lâchait pas, tandis que sa main se refermait sur la mienne. Il leva mes doigts et déposa un baiser dans la paume de ma main droite. Je faillis frissonner... non, pas de désir, mais de terreur. Ce qui m'avait paru attirant n'était plus qu'un manège vulgaire. Il se savait beau garçon et jouait au gars timide débarqué de sa cambrousse pour rehausser sa séduction. J'en savais trop sur lui et l'énergie sexuelle qu'il dégageait me paraissait de la simple manipulation. Il me suffit d'un bref retour en arrière pour comprendre que, depuis la minute où nous nous étions rencontrés, il s'était employé à me dominer — à commencer lorsque j'avais refusé de boire une bière avec lui. Il m'avait proposé un Pepsi à la place, le décapsulant avant que j'aie pu dire non ! Je m'étais engagée sur la voie de la docilité et il avait affirmé sa mainmise. Après quoi, il avait procédé en douceur, suivant un scénario bien rodé. Il s'était acquis ma sympathie compatissante en amenant une allusion à la mort de ses parents, enchaînant sur une remarque sur le côté coincé des filles en Californie. Sur quoi, j'avais fait des pieds et des mains pour le détromper ! Et il avait joué son dernier coup en beauté : « Quel genre de types préférez-vous ? Les types beaucoup trop jeunes pour vous ou les types beaucoup trop vieux ? » Je n'en revenais pas d'être tombée si facilement dans le panneau.

Du coin de l'œil, je vis Mariah quitter son box et se diriger vers les toilettes-dames. Je retirai ma main pour y appuyer mon menton.

— Vous faites quelque chose pour le dîner ? lui demandai-je. On pourrait retourner chez Émile ou essayer un autre endroit...

— Payez-moi d'abord un coup et on avisera.

Je lui montrai son verre.

— Vous buvez quoi ?

— Vodka-Martini.

Je saisis le verre et me levai.

— Je reviens tout de suite.

Au moment où je passai près de lui, il tendit le bras pour m'intercepter. Je baissai les yeux vers son visage, qu'il levait vers le mien. Je respirai son après-rasage. Je sentis sa main brûlante de propriétaire sur mes fesses. M'arrachant à ladite main, je me penchai vers lui.

— Ne jouez pas les vilains garçons, lui susurrai-je d'un ton badin.

366

— Mais je suis un vilain garçon, me lança-t-il d'une voix de velours, sûr de son charme. Je croyais que c'était pour ça que je vous plaisais.

— Je n'y compterais pas trop si j'étais vous, lui renvoyai-je.

Je me dirigeai vers le bar où William officiait, servant des bières-pression et préparant des cocktails. Je lui commandai deux vodka-Martini et nous échangeâmes des inepties tandis que je le regardais verser un large jet de vodka dans un shaker en métal argenté et ajouter un misérable trait de vermouth. William posa deux verres givrés sur le comptoir.

— Tu me rendrais un service ? Quand ce sera prêt, peux-tu les apporter à ce type en pull gris ? Tu lui diras que je suis aux toilettes et que je reviens dans une seconde. Qu'il ne m'attende pas pour commencer. Je le rattraperai.

— Ravi de t'être utile, me répondit William.

Il plaça deux sous-verres sur un plateau, posa un Martini sur chacun et sortit de derrière le bar.

Je pris la direction des toilettes-dames et poussai la porte. La pièce sentait l'eau de Javel et ne comptait qu'une cabine. Je savais, pour en avoir fait la regrettable expérience, que la lunette du siège était fendue et pinçait quand on s'asseyait dessus. Mariah se tenait devant le lavabo et rectifiait sa perruque. Outre le lavabo en question, il n'y avait qu'une grande poubelle garnie d'un sac en plastique et une fenêtre grillagée qui s'ouvrait sur une petite cour. De près, je vis qu'elle portait sous son imperméable un énorme pull-over tricoté à la main et un pantalon informe en tissu bleu imprimé dissimulant un rembourrage qui lui

367

épaississait la taille. Ses Birkenstock et ses socquettes blanches ajoutaient une note sympathique. Très chic.

— Qu'en dites-vous ? me demanda-t-elle.

— Côté déguisement, c'est nul. Je ne vous ai vue qu'une fois et je vous ai repérée à la seconde où je suis entrée.

Elle prit un peigne à queue dans son sac et souleva les mèches du haut pour leur donner du volume.

— Putain ! Ce truc-là me coûte une fortune et ce ne sont même pas de vrais cheveux !

— Qu'est-ce que vous fichez ici, bon sang ? Savez-vous que vous avez failli tout foutre en l'air ?

— Ne m'en parlez pas ! Moi et mes idées de génie... J'ai essayé de vous appeler, mais je n'ai eu que votre répondeur. Je ne voulais pas laisser de message. Ce n'est pas indiqué. On ne sait jamais s'il y aura quelqu'un d'autre quand on les écoutera. Je ne voulais surtout pas risquer que Tommy entende ma voix. Je me suis dit qu'il était plus simple de vous trouver ici. J'entre en me croyant en sécurité et qui je trouve ? Lui ! J'ai frôlé la crise cardiaque !

— Et moi donc ! Comment ne vous a-t-il pas vue ?

— Ne me demandez pas. Sans doute une veine de cocu. Comme il se bagarrait avec son imper, j'ai fait semblant d'apercevoir un copain et j'ai filé dans le box du fond. J'y suis restée vissée un bon quart d'heure en mijotant de filer par les cuisines. Et puis, j'ai levé la tête par hasard et je vous ai vue qui entriez ! Vous allez réussir à l'emmener ailleurs ?

— Je m'y emploie, mais cette histoire ne me plaît pas. Hier soir, il est passé chez moi. J'ai réussi à éluder, mais il est du genre persévérant. J'essaie de le décourager, et maintenant je dois retourner ma veste et lui faire du charme pour vous couvrir !

— Dure est la vie ! (Elle rectifia quelques mèches de cheveux synthétiques et eut un sourire satisfait.) J'ai une bonne nouvelle. Toutes leurs cartes de crédit sont à sec. Six à huit cartes chacun, dix-huit pour cent d'agios sur les soldes débiteurs. Ils effectuent des versements minimes pour essayer de garder la tête hors de l'eau. Montres de luxe, voitures de luxe... L'hypothèque sur cette monstruosité qu'ils appellent leur maison se monte à quinze mille dollars par mois. Ils sont pris aux couilles et ils sentent l'étau se refermer.

— Ils n'ont plus un sou ?

— Sauf à agir vite.

Ses yeux rencontrèrent les miens dans la glace. L'effet combiné de la perruque et des vêtements la rendait commune, très éloignée de l'avocate sophistiquée qui m'avait décliné ses références à mon bureau. Avais-je sous-estimé ses talents de camouflage ?

— Vous n'avez sûrement pas eu le temps de parler à Tommy de l'indic ?

— Je ne lui en parlerai pas ! Ne comptez pas sur moi pour vous dépanner. Vous m'en voyez désolée.

— Ne vous fatiguez pas. (Elle rangea son

peigne, puis se retourna et s'appuya contre le lavabo pour mieux m'étudier.) J'aurai ces salauds, avec ou sans votre aide.

— Pourquoi en faites-vous une affaire personnelle ?

— Le meurtre est toujours une affaire personnelle. Quand je vois des types comme eux agir en toute impunité, je prends ça comme un affront personnel. En outre, la Guardian m'a promis une grosse prime si j'arrive à boucler le dossier.

Derrière les lunettes, ses yeux étaient d'un bleu limpide et d'un froid polaire. Elle me montra la porte d'un signe de tête.

— Vous feriez mieux d'y aller. Le Prince Charmant attend...

Je sortis des toilettes et affrontai le vacarme déchaîné par l'alcool. Des nuages de fumée dérivaient dans la salle toute en longueur. J'avais l'impression d'être restée absente une heure, mais un coup d'œil à ma montre me révéla que moins de dix minutes s'étaient écoulées. Je me frayai un passage à travers la cohue, en direction de la table où Tommy m'attendait. Henry l'avait rejoint et buvait à petites gorgées son habituel Black Jack on the rocks. Il appuyait ses coudes sur une grande enveloppe en kraft, et je me demandais s'il envisageait de travailler un peu plus tard. Une bouffée d'espoir me rasséréna. Sa présence allait au moins m'éviter des familiarités déplacées.

— Bonsoir, Henry ! lui lançai-je en m'asseyant. J'ai frappé chez toi tout à l'heure, mais c'est à croire que tu ne voulais rien entendre !

Mon ton était un peu trop désinvolte, mais je ne pouvais pas m'en empêcher.

— J'ai fait un saut au marché. J'avais besoin de persil frais pour ajouter une touche finale à mon ragoût.

— Les ragoûts d'Henry sont légendaires, expliquai-je à Tommy sans pouvoir me résoudre à le regarder dans les yeux.

Je levai mon verre et bus une petite gorgée, puis je stabilisai le verre que j'avais reposé dans un équilibre précaire. Je léchai la vodka qui avait débordé sur ma main.

Henry leva les yeux vers moi et nous échangeâmes un bref regard. Je savais ce qu'il fichait là. Il se sentait l'âme protectrice. Il n'avait pas l'intention de me laisser frayer avec l'ennemi sans chaperon ! Ses yeux s'attardèrent pensivement sur son verre.

— A propos, me dit-il, j'ai examiné l'affaire sur laquelle tu m'as posé des questions.

— Ah, dis-je seulement.

Et je pensai : « L'affaire ? Quelle affaire ? »

— Le type auquel tu songeais à t'adresser est Cyril Lambrou, Klinger Building, juste à côté de Spring Street, dans le quartier des affaires de Los Angeles. La femme que j'ai interrogée lui a vendu un ensemble de bijoux anciens qui appartenait à sa mère. C'étaient des trucs qu'elle ne portait presque jamais, et elle en avait assez de se ruiner en primes d'assurance.

Je me sentis décoller de mon corps. Mes oreilles me jouaient un tour ou quoi ? Je venais de me dépêtrer du mauvais plan de Mariah et le voilà qui appâtait ? Henry venait de jeter sa gourme en mentant à ma place ! Je savais pourquoi il le faisait. Si le nom du joaillier venait de lui, comment pourrait-on me le reprocher par la suite si les choses se gâtaient ? Henry et Tommy avaient passé ensemble la soirée de la veille. Tommy lui ferait confiance. Tout le monde faisait confiance à Henry parce qu'il disait la vérité et était droit dans ses bottes.

— Je la comprends, lui répondis-je. Je dépense une fortune en assurances et c'est de l'argent que je saurais utiliser ailleurs.

Ma voix sonnait creux. Je libérai ma main sur laquelle Tommy avait posé la sienne, avec l'intention d'avaler une nouvelle gorgée de Martini, mais je m'aperçus que je tremblais trop pour porter mon verre à mes lèvres. Je fourrai mes doigts sous ma cuisse. Même à travers mon jean, je sentais qu'ils étaient glacés. Henry, lui, continua de parler avec la tranquille assurance d'un escroc embobinant un pigeon sans défense.

— J'ai moi-même appelé le bonhomme et je lui ai décrit le diamant. Il n'a pas voulu s'engager par téléphone, mais il a paru intéressé. D'accord, je sais que tu ne veux pas brader la bague, mais sois un peu réaliste. Tu n'obtiendras jamais sa vraie valeur, mais lui semble nettement plus généreux que certains. Il m'a donné l'impression de vouloir se réserver la pierre pour sa collection personnelle et je crois que tu pourrais tenter le coup.

J'essayai de reconstituer le scénario qu'il avait inventé. Il semblait que je détenais la bague de fiançailles un rien exorbitante de ma mère et que je cherchais à m'en défaire pour récupérer un peu d'argent. Apparemment, je lui avais fait part de mon intention de la vendre et il avait posé des questions autour de lui. Bon, jusqu'ici ça tenait, mais pour qu'un bon mensonge marche, il ne faut pas en faire trop. Nous pouvions probablement nous renvoyer la balle encore une fois ou deux, mais il faudrait vite passer à autre chose. A tirer trop longtemps sur la corde quand on ment, on risque de se prendre les pieds dans le tapis.

J'avais la bouche sèche.

— Combien? dis-je d'une voix inaudible.

Je me raclai la gorge et fis une nouvelle tentative.

— Combien? Il t'a donné une idée?

— Entre huit et dix mille. Il dit que ça dépend de la pierre et de la conjoncture sur le marché, mais il jure de ne pas t'estamper.

— La bague vaut cinq fois plus! m'exclamai-je avec indignation.

Je la savais imaginaire, mais elle n'en avait pas moins une valeur affective. En vertu de quoi, huit à dix mille me paraissaient de la roupie de sansonnet.

Henry haussa les épaules.

— Demande autour de toi si tu veux. Il y a d'autres joailliers dans l'immeuble, mais, comme il dit, mieux vaut connaître le fourbe auquel on s'adresse!

— Peut-être. On en reparlera.

Tommy avait gardé un visage impassible. Il semblait écouter poliment, ni plus ni moins intéressé que tout un chacun.

Un filet de sueur glissait lentement le long de ma colonne vertébrale vers le creux de mes reins.

— Qu'y a-t-il dans cette enveloppe ? demandai-je en lui désignant l'objet.

— Heureusement que tu m'y fais penser ! J'ai un cadeau pour toi.

Il me tendit l'enveloppe et attendit mes réactions tandis que je défaisais l'attache et ouvrais le rabat. Dedans, solidement maintenues par un trombone, se trouvait une liasse de factures, sans doute de Klotilde.

— D'accord, je prends. C'est quoi, ça ?

— Regarde toi-même. Allez, vas-y.

Je fis glisser le trombone sur le côté et saisis la feuille du dessus, à première vue une longue liste d'articles facturés — des fournitures médicales pour la plupart.

brosse à cheveux	1.00 $
bandes stériles, 3 m 1/4 × 3	1,22 $
bandes stériles, 3 m 1/4 × 3	1,22 $
compresses polymère 23 × 36	3,35 $
seringue à usage unique	0,14 $
seringue à usage unique	0,14 $
seringue à usage unique	0,14 $
cathéter universel	1,59 $
lotion pour bébé	1,62 $
plateau pour lavement baryté	2,69 $
coupelle pour dentier	0,14 $

Soit une trentaine d'articles en tout. Le total se montait à 99,10 $. Aucune de ces imputations ne me parut exorbitante. Je regardai le décompte suivant : des séances de rééducation et de kinésithérapie, soit cent trente minutes au total, réparties sur les derniers jours de juillet. La case correspondant à chacun des jours portait les initiales « pg », celles du thérapeute qui avait effectué les prestations.

Je fixai Henry d'un air ahuri.

— Elles sont toutes à son nom, me dit-il. Je suis tombé dessus ce matin et j'ai pensé qu'elles t'intéresseraient. Continue.

Je pris la facture suivante. Il s'agissait cette fois d'un équipement de radiologie portable, du transport dudit équipement et de deux radios, l'une du poignet, l'autre de la main. Soit 108,50 $. Je regardai le haut de la facture, puis je repris les deux précédentes. Toutes trois émanaient du même établissement.

— Je ne m'étais pas rendu compte qu'elle était allée aux Prairies du Pacifique !

— Moi non plus. Je les ai montrées à Rosie, et elle m'a dit que Klotilde y avait été admise au printemps dernier. C'est un des nombreux établissements qu'elle a fréquentés ces dernières années. Je ne sais pas si la chose t'a échappé, mais on ne l'a pas hospitalisée pour rien : une chute, plus une pneumonie, ce fichu staphylocoque qu'elle avait attrapé. Medicare ne l'a prise en charge que pour un certain nombre de jours... cent par maladie, je crois. Elle était si excentrique et si peu aimable que deux établissements ont refusé de l'accepter... Sous prétexte qu'ils n'avaient pas de place. Tu me suis ?

— Jusqu'ici, oui.

— Vérifie les dates des soins.

— Juillet et août.

Henry se pencha vers moi.

— Elle est décédée en avril. Plusieurs mois avant !

Je laissai le renseignement m'entrer dans l'esprit. C'était la première preuve concrète de micmacs financiers que j'avais sous les yeux. Mais comment s'y étaient-ils pris ? Klotilde avait dû mourir juste au moment où les Prairies du Pacifique subissaient le contrôle administratif. D'après Merry, on avait réclamé un nombre important de décomptes médicaux pour les examiner. Peut-être que le sien n'y figurait pas. J'essayai de me rappeler les différentes phases de la procédure de déclaration de décès à la Sécurité sociale. Pour autant que je m'en souvienne, la morgue établissait le certificat de décès et l'envoyait au bureau local de l'état civil, qui à son tour faisait suivre l'original au greffe du comté. Le certificat de décès était ensuite envoyé à Sacramento, où on l'archivait avant de transmettre l'information à la Sécurité sociale.

— Henry, mais c'est génial ! m'écriai-je. Je me demande s'il existe un moyen de vérifier ?

Je songeais déjà, naturellement, à convaincre Merry de fureter un peu pour moi. Il me faudrait attendre le week-end, quand elle ferait son remplacement. Il ne me paraissait pas judicieux de la contacter en semaine avec Mme Stegler dans les parages. Le plan B consisterait peut-être à effectuer moi-même quelques petites investigations à condition de savoir quoi chercher. Je levai les yeux et vis Tommy et Henry qui me fixaient tous deux.

— Excusez-moi, leur dis-je. J'essayais de savoir ce que j'allais faire de ça.

Tommy jugea sans doute que, côté courtoisie, il en avait assez fait. Sa main se posa sur la mienne. Une prise solide qui m'empêchait de retirer ma main sans me faire remarquer.

— Dites-moi, Henry. Je ne voudrais surtout pas m'immiscer, mais cette dame m'a promis de m'inviter à dîner. On s'était juste arrêtés pour prendre un verre avant de filer chez Émile.

— Et moi, je ferais mieux de retourner à mon ragoût avant qu'il attache.

Il me jeta un bref regard en se levant. Je savais qu'il répugnait à me laisser, mais il n'osa pas insister. A la perspective de son départ, je ressentis le même désespoir que lorsque j'avais cinq ans et que ma tante m'avait conduite pour la première fois à la grande école. Je m'étais sentie tout à fait à l'aise tant qu'elle était restée à bavarder avec les autres parents, mais dès qu'elle s'était éloignée, j'avais été prise d'une crise de panique. J'entendais résonner en moi le même hurlement d'anxiété qui avait tout assourdi, sauf le besoin intense que j'avais d'elle. Henry et Tommy échangèrent quelques banalités, et après, tout ce que je sais, c'est qu'Henry avait disparu. Il fallait que je me sorte de là. Je tentai de retirer ma main, mais Tommy la serra plus fort.

Je tapotai l'enveloppe.

— Vous savez quoi ? J'ai vraiment besoin de jeter un œil là-dessus. Il va falloir reporter notre dîner. Vous ne m'en voulez pas, j'espère ?

Eh bien si, Tommy m'en voulait. Son sourire s'effaça.

— Vous manquez à votre parole.

— Demain soir peut-être ? Là, j'ai du travail.

D'accord, ce n'était pas malin de contrarier cet individu, mais je ne supportais pas l'idée de passer une soirée seule avec lui. Mariah avait eu le temps de filer, et sinon, c'était son problème.

Il se mit à me caresser les doigts, avec plus de vigueur que la situation ne l'imposait. La friction devint désagréable, mais il n'en parut pas conscient.

— Pourquoi ce brusque changement d'attitude ?

— Soyez gentil, lâchez-moi la main.

Il me dévisageait.

— On vous a dit du mal de moi ?

Je sentis ma mâchoire se crisper.

— Parce qu'on peut en dire, Tommy ? Vous avez quelque chose à cacher ?

— Non. Bien sûr que non, mais les gens racontent des histoires.

— Pas moi. Si je dis que j'ai du travail, vous pouvez me croire sur parole.

Il m'écrasa les doigts, puis libéra ma main.

— Alors, je crois que je vais vous laisser. Si je vous appelais demain ? Ou plutôt non, c'est vous qui m'appelez.

— D'accord.

Nous nous levâmes d'un même mouvement. J'attendis qu'il ait enfilé son trench-coat, saisi son parapluie et refermé l'attache. Dans l'entrée, je récupérai mon ciré et mon parapluie. Tommy me tint la porte. J'abrégeai les adieux en essayant de réprimer mon désir de m'enfuir. Je partis vers chez moi, tandis qu'il prenait la direction opposée pour rejoindre sa voiture. Je m'obligeai à marcher sans me presser alors que je n'avais qu'une envie : prendre mes jambes à mon cou et mettre le maximum de distance entre lui et moi.

CHAPITRE 18

Je rentrai à l'appartement et m'y enfermai à clé. Tommy me donnait froid dans le dos. Je fis le tour des fenêtres, poussant les targettes, baissant les volets afin d'empêcher qu'on voie à l'intérieur. Je ne me détendis qu'après avoir enclenché les derniers verrou et barre de sécurité possibles. Je m'installai à mon bureau et cherchai la carte de visite de Mariah Talbot que j'avais fourrée dans mon sac. Notre alliance m'inquiétait. Tommy avait fait preuve d'une curieuse intuition dans ses soupçons à mon égard. Je l'imaginai en train de fouiller mon sac à la minute où j'avais eu le dos tourné et tombant sur sa carte. Les individus de son espèce, avec leur besoin obsessionnel de dominer la situation, doivent s'assurer en permanence qu'aucun détail ne leur a échappé. Je confiai le numéro à ma mémoire et déchirai la carte en menus morceaux. Je ne le savais que trop en possession de ma demande de bail, bien plus révélatrice à mon sujet que je ne l'aurais souhaité. Il n'avait jamais entièrement cru que l'affaire Purcell occupait toute mon attention. Dans son esprit, la moindre de mes activités avait forcément un rapport avec lui. Le narcissisme et la paranoïa sont les deux faces d'un même sentiment d'importance de soi déformé. Avec l'étrange instinct de tous les psychopathes, il avait perçu la peur qu'il m'inspirait soudain. Il se demandait sûrement qui ou quoi avait causé mon revirement.

Je composai le préfixe régional de Mariah au Texas et le numéro qui figurait sur sa carte. Je savais que je ne la trouverais pas, mais je pouvais au moins lui laisser un message lui demandant de me contacter. Je repensai à l'habileté avec laquelle Henry avait transmis le nom du receleur à Tommy. Il avait menti aussi bien que moi et avec la même subtilité ! Restait à savoir maintenant si ledit Tommy allait exploiter l'information.

Le répondeur de Mariah s'enclencha. « Bonjour. Ici Mariah Talbot. Vous êtes bien aux bureaux de la Guardian Casualty Insurance à Houston, Texas. Vous me trouverez du lundi au vendredi de huit heures trente à dix-sept heures trente. Sinon, veuillez me laisser un message avec votre nom, l'heure de votre appel et un numéro auquel je puisse vous joindre. J'interroge souvent mon répondeur et je vous rappellerai dès que possible. Merci. »

J'enchaînai : « Bonjour, Mariah, ici Kinsey. Il faut absolument qu'on se parle. Appelez-moi à mon bureau. Si je ne suis pas disponible, attendez dix secondes. Après quoi, continuez à vérifier vos messages. Je vous rappellerai pour vous proposer un lieu et une heure de rendez-vous.

Merci. » Tout en parlant je m'aperçus que j'étais pliée en deux sur le téléphone, protégeant le micro de ma main. Qu'est-ce que je m'imaginais ? Tommy Hevener collé contre le mur extérieur avec un mouchard portable ? Eh bien, oui. Et ne me parlez pas de paranoïa.

Après ce coup de téléphone, je reportai mon attention sur les factures qu'Henry m'avait confiées, me plongeant avec volupté, et en toute sécurité, dans cette tâche. La première facture de la pile portait en en-tête « Medicare : Récapitulatif », et on lisait plus bas : « Vous trouverez ici un récapitulatif des demandes de remboursements traitées au 29/08/86. » Si je réussissais à mettre la main sur son dossier médical, je découvrirais pour quelle affection les médecins l'avaient soignée. J'en avais une vague idée, mais je voulais voir quels médicaments et soins on lui avait prescrits. Cela me permettrait de comparer les articles réellement commandés qui avaient été facturés à Medicare. En fourrageant dans les papiers, je tombai sur un « Justificatif des remboursements médicaux » ; des relevés de compte avec des codes, cases pour tiers-payant et sommes déductibles ; des factures ; plus quelques listes détaillées de soins quotidiens... de la rééducation, à mon avis. Pas une seule fois il n'était fait mention d'un quelconque diagnostic, mais, pour les quinze premiers jours d'août, à eux seuls les frais de pharmacie se montaient à 410, 95 $. Des centaines d'articles supplémentaires, pour beaucoup insignifiants, avaient été facturés à Medicare dans le mois qui avait suivi sa mort. Naturellement, il pouvait s'agir d'une erreur, on avait mélangé les relevés et imputé par inadvertance les fournitures et les soins au bordereau de facturation d'un autre patient. En revanche, le nom de famille de Klotilde, avec son orthographe à coucher dehors, figurait en entier, de sorte qu'on pouvait éliminer toute possibilité de confusion entre un « Smith » ou un « Jones », ou avec un « Johnson » parce que le nom commençait par la même lettre. Un détail me simplifiait considérablement la tâche : alors que le numéro de la demande de remboursement changeait, le numéro Medicare de Klotilde la suivit d'un formulaire à l'autre. Je notai ce détail sur un bout de papier, que je pliai et glissai dans ma poche de jean. Son dossier se trouvait-il toujours aux Prairies du Pacifique ? Presque à coup sûr, je le pensais. Elle était morte en avril et, à mon humble avis, l'établissement garderait son dossier dans ses documents actifs pendant un an au moins avant de l'archiver.

J'attendis 9 h 30 en meublant le temps par des activités ménagères. Nettoyer à fond la cuvette des W.-C. se révèle un tranquillisant puissant quand le taux d'anxiété tend à monter. Je récurai le lavabo et la douche, puis je parcourus à quatre pattes le sol de ma salle de bains en utilisant la même éponge humide pour nettoyer le carrelage. Je passai l'aspirateur, fis la poussière et mis en route une machine de linge. De temps en temps, je consultais ma montre, calculant l'heure à laquelle les résidents des Prairies du Pacifique seraient couchés et bordés pour la nuit. Enfin, je troquai mes Saucony contre des tennis noires, puis j'enfilai un coupe-vent, également noir et plus adapté au travail de nuit que ma tenue de pluie jaune fluo. Je pris dans mon imposant trousseau de clés celles de la maison et de la Volkswagen, transférai mon permis de conduire et un peu d'argent liquide de mon portefeuille dans mon jean, puis je me munis d'un petit étui en cuir qui contenait mes crochets et autres rossignols. Ce nécessaire d'un type particulier avait été conçu par un ami peu recommandable qui avait passé ses loisirs en prison à me confectionner une petite panoplie d'outils qui ressemblait à une trousse de manucure. Entre deux orgies d'effractions, je pouvais me couper les cuticules et me limer les ongles. Le seul autre article que je pris avec moi fut une lampe électrique plate de la dimension d'une carte à jouer, qui trouva sa place dans mon soutien-gorge. Je me rendis à la maison de retraite en faisant un détour par le drive-in du McDo, où je commandai un sac de hamburgers, deux Coca et deux portions de frites.

Lorsque je ralliai enfin les Prairies du Pacifique, le parking en était quasiment vide. Le personnel de jour avait réintégré ses foyers et l'équipe de nuit tournait avec infiniment moins de monde. Je garai ma voiture dans un coin obscur, attrapai le sac de restauration rapide et fermai ma voiture à clé. La pluie avait levé le siège et campait sur ses positions au-dessus de la chaîne de montagnes juste au nord. En attendant, elle nous avait accordé un répit suffisant pour sécher des parties du trottoir. En traversant la surface asphaltée, je me repassai en mémoire le plan du bâtiment afin de localiser la chambre de

Ruby Curtsinger. Je savais qu'une mangeoire à oiseaux était accrochée à l'extérieur de sa porte coulissante et espérai pouvoir l'utiliser comme repère. Au moment où j'arrivais à l'angle du bâtiment, une voiture tourna pour entrer dans le parking derrière moi.

Je me glissai furtivement dans l'ombre protectrice d'un genévrier, tandis que le conducteur insérait son véhicule en marche arrière dans un emplacement au milieu de la rangée. C'était une voiture de collection : long capot, ailes à la courbe adoucie, marque et modèle que je fus incapable d'identifier du premier coup d'œil. La carrosserie me rappelait les années quarante : couleur de la peinture, crème, et forme du pare-chocs avant, massif et en chrome étincelant. Quatre portes, pas de marchepied, pneus à flancs blancs, pas de bouchon de radiateur. L'homme qui en sortit était aussi chic que sa voiture. Il jeta une cigarette allumée et la regarda émettre un bref scintillement sur l'asphalte avant d'être éteinte par l'humidité. Il portait un imperméable clair sur un costume trois-pièces foncé, et des derbys noirs dont les talons claquèrent sèchement quand il s'éloigna. Comme il approchait de l'entrée, j'aperçus sa moustache fournie et d'épais cheveux argentés. Il disparut de ma vue. Enfin certaine qu'il ne reviendrait pas, je continuai de contourner l'arrière du bâtiment en suivant la petite allée parallèle aux jardinets.

La plupart des chambres étaient éteintes, les doubles rideaux étroitement tirés en travers des portes coulissantes. Je fermai les yeux en essayant de situer la chambre de Ruth par rapport à ses voisins ; pas commode, car je ne lui avais rendu visite qu'une seule fois. Je cherchai la mangeoire à oiseaux qui faisait le charme de son auvent, en espérant que la maison de retraite n'en avait pas fourni à tous les résidents. Une des portes coulissantes étant partiellement ouverte devant moi, j'aperçus les éclairs gris d'un téléviseur allumé. Dehors, une mangeoire vide était accrochée comme une petite lanterne au bout d'un mince fragment de fil de fer. Je me penchai vers la porte-moustiquaire.

— Ruby ? C'est vous qui êtes là ?

Son fauteuil roulant stationnait à moins d'un mètre. Elle se pencha et scruta le treillis. Il lui fallut un bon moment pour me remettre.

— Vous êtes l'amie de Merry ? Je suis désolée, mais je n'ai pas retenu votre nom.

— Kinsey, lui dis-je, en lui tendant le sac. J'ai quelque chose pour vous.

Elle ôta le verrou de la porte-moustiquaire et me fit signe d'entrer, un grand sourire illuminant son visage émacié. Je fis glisser la porte et entrai dans sa chambre. Elle me montra mon sac.

— Qu'est-ce qu'il y a là-dedans ? me demanda-t-elle.

Je l'ouvris pour qu'elle voie et lui en énumérai le contenu.

— Deux Big Mac, deux Q. P. au fromage, deux Coca, deux frites et une quantité de sachets de ketchup et de sel. Je me suis dit que vous n'en auriez pas. (Je lui donnai le sac.) Ça doit être froid et je m'en excuse.

— J'ai un micro-ondes.

— C'est vrai ? Génial. J'espère que vous avez faim.

— Et comment ! (Elle posa le sac sur ses genoux et fit rouler le fauteuil jusqu'à la commode basse. Elle disposait d'une bouilloire électrique pour se faire du thé et d'un four à micro-ondes de la dimension d'une boîte à pain. Elle glissa le sac dedans et tourna le minuteur.) Vérifie qu'il n'y a rien à l'horizon, moussaillon ! me glissa-t-elle par-dessus son épaule.

J'allai jusqu'à la porte qui donnait sur le couloir et qu'on avait fermée pour la nuit. Je tournai le bouton, entrouvrant à peine le battant. Le couloir était plongé dans la pénombre. Tout au bout, le poste des infirmières ressemblait à une oasis de lumière. Debout et me tournant le dos, se tenait le monsieur que j'avais vu entrer un instant plus tôt. Un parent qui effectuait une visite tardive ? La porte en face de celle de Ruby s'ouvrit brusquement et une infirmière sortit dans le couloir, vêtue d'un uniforme blanc auquel ne manquaient ni la coiffe, blanche, ni les bas, blancs, ni les chaussures, blanches, à semelles de crêpe destinées à conjurer les varices. Je n'aurais pas cru que les infirmières s'habillaient encore ainsi à notre époque. Les rares que j'avais vues étaient en vêtements de ville ou en tailleur-pantalon typiques de la profession, en tissu synthétique lavable en machine. C'était Pepper Gray, la garce qui avait surpris ma conversation avec Merry lors de ma première visite. Un stéthoscope pendait à son cou et elle consulta sa montre d'un air préoccupé. Elle se tourna vers le poste et s'éloigna dans le couloir d'un pas vif, amorti par ses semelles.

Derrière moi, le four à micro-ondes de Ruby tinta. Je sursautai et refermai vivement la porte. Celle-ci n'avait pas de serrure, et j'espérais que le fumet grisant des hamburgers n'allait pas rameuter les surveillants au pas de course. Ruby sortit le sac du micro-ondes et revint à sa place initiale, près des portes coulissantes. J'avais des scrupules à partager son repas, mais sincèrement, elle n'aurait pas pu avaler tout ce que je lui avais apporté et je mourais de faim. Elle paraissait aux anges d'avoir de la compagnie et engouffra son Royal Cheese presque aussi vite que moi. Avec un concert de petits reniflements émus, nous passâmes aux Big Mac et aux cartons de frites.

— J'espère que votre cœur tient bon ? lui dis-je en avalant une gorgée de mon Coca.

— Aucune importance. J'ai une prise en charge totale et pas de souci à me faire. (Elle souleva son Big Mac et, ravie de voir le jus qui dégoulinait, lécha un petit résidu de Sauce spéciale qui s'attardait au coin de sa bouche.) Pas aussi gros que ceux de la télé, mais c'est bon.

— Je me damnerais pour ce genre de choses ! Alors, comment va la santé ?

Elle pencha la tête dans un geste qui signifiait couci-couça.

— J'ai appris qu'on avait retrouvé la voiture du docteur et je me suis dit que vous feriez peut-être un saut. Je vous ai guettée toute la journée !

— Il m'a fallu un moment pour m'en remettre. Comment les gens prennent-ils la nouvelle ?

— Certains sont bouleversés, mais je ne crois pas que beaucoup d'entre nous soient étonnés. C'était son cadavre ?

— Je ne sais pas encore. Je pense. On a pratiqué l'autopsie aujourd'hui. (Je la mis au courant, ajoutant quelques détails particulièrement glauques qu'elle parut apprécier.) Parlez-moi de l'équipe de nuit, enchaînai-je. Elle rôde souvent dans les couloirs ?

— Pour ça non ! Quand je me promène en fauteuil dans le couloir, je les vois assises dans le bureau, à bavarder ou à s'occuper des paperasses. Il y en a qui prennent un café ou regardent la télé dans la salle de repos du personnel. En général, les nuits sont calmes, sauf quand quelqu'un passe l'arme à gauche.

— Combien sont-ils en tout ?

Ruby les compta dans sa tête.

— Sept, si on inclut les garçons de salle, les infirmières et les aides-soignantes.

— Font-ils des tournées à intervalles réguliers pour vérifier que tout va bien ?

— La moitié du temps, ils ne viennent même pas nous voir quand on les sonne ! Pourquoi ça ? Vous préparez un casse ?

— Tout juste. (Je m'interrompis pour m'essuyer la bouche et faire une boule des serviettes en papier et des emballages que je posai sur mes genoux.) En réalité, j'ai besoin d'examiner certains dossiers. Vous croyez qu'ils les gardent sous clé ?

Elle secoua la tête, remisant une bouchée de hamburger dans sa joue afin de pouvoir me répondre.

— Personne n'a envie de piquer des dossiers de gériatrie.

— Ça vous dirait de planquer pour moi ? J'ai besoin d'aide.

Elle hésita, soudain nettement moins culottée.

— Mon Dieu, je ne sais pas si je saurai ! Je ne suis pas très bonne pour faire des coups en douce. Même quand j'étais petite, je n'ai jamais su m'y prendre.

— Ruby, c'est une question de pratique. Vous ne serez jamais bonne si vous ne décidez pas de vous y mettre.

Son corps déjà menu parut se ratatiner.

— Je veux bien essayer, mais je ne vous garantis rien.

— Et moi, je suis sûre que vous allez vous débrouiller comme un chef !

Quelques moments plus tard, je la regardai enfiler le couloir dans son fauteuil roulant en direction du poste des infirmières, après le tournant. Sa mission — outre bavarder avec le personnel — consistait à garer son fauteuil de façon à pouvoir faire le guet et s'assurer que personne ne mettait le cap sur le bureau pendant que je traînais à l'intérieur. La disposition du couloir me permettait d'y entrer sans me faire voir, mais je craignais qu'une infirmière vienne chercher un décompte qu'on avait oublié de sortir. Vous ne me croirez pas, mais j'aurais été bien incapable d'expliquer ma présence si quelqu'un était arrivé sans crier gare.

Je laissai à Ruby le temps d'atteindre le poste des infirmières, puis je me glissai hors de sa chambre, refermai la porte derrière moi et partis à droite, m'engageant dans le couloir d'un pas décidé comme si une raison légitime m'appelait là-bas. Je passai devant la salle de séjour commune, l'entrée et la salle à manger. Les portes de la salle de séjour et de la salle à manger étaient grandes ouvertes, mais l'obscurité régnait. Je m'arrêtai et m'appuyai contre le mur. Tel un animal en chasse, je fermai les yeux, flairant les odeurs de la piste, déchiffrant les secrets qui s'attardaient dans l'air. Ce monde était celui des anciens, des petits pains à la cannelle, des senteurs de pin, de coton fraîchement repassé et de gardénias.

En arrivant aux bureaux de l'Administration, j'inspirai un grand coup et tentai de tourner le bouton de la porte. Fermé. Je songeai à mon nécessaire à crocheter, mais la perspective de perdre un quart d'heure à titiller des gorges avec un assortiment de crochets, de rossignols et de fils de fer en boucle m'indisposait. Il existait sûrement une meilleure façon de s'y prendre. Je rebroussai chemin jusqu'au bureau d'accueil, livré à lui-même à cette heure dans le renfoncement chichement éclairé. Je me glissai derrière le comptoir et fouillai les tiroirs l'un après l'autre. L'oreille en alerte, je guettais le moindre bruit disant qu'on approchait. Dans le tiroir du fond, j'aperçus une boîte de classement en métal qui céda d'une simple pression. A l'intérieur, un petit plateau divisé en compartiments abritait plusieurs clés, toutes soigneusement étiquetées avec l'indication de la pièce qu'elles ouvraient. Vive moi ! C'était encore plus excitant qu'une chasse au trésor. Pour plus de sécurité, j'en pris trois : une pour « Administration », une autre pour « Admissions » et la dernière pour « Archives médicales ». Je rabattis le couvercle, refermai le tiroir sans bruit et repartis rapidement dans le couloir.

Je commençai par « Administration ». Mes mains tremblaient un peu — 1,2 sur l'échelle de Richter —, mais sinon, j'allais bien, merci. Une fois à l'intérieur, je n'osai pas allumer, bien que la porte fût pleine. Je craignais surtout que quelqu'un entre dans le parking et s'étonne de voir de la lumière aux fenêtres à une heure pareille. J'enfilai ma main dans ma chemise et sortis la petite lampe électrique plate de sa cachette dans mon soutien-gorge. Je la pinçai, le plastique était tiède et le rayon lumineux timide mais suffisant pour servir mes objectifs. Je pris le temps de me réorienter. J'avais vu ce bureau de jour et gardais un souvenir assez précis de la disposition des lieux.

Tout au bout du comptoir se trouvait le bureau de Merry, dos à dos avec un bureau identique. S'y ajoutaient plusieurs chariots de classeurs, la photocopieuse et une rangée de meubles de rangement métalliques alignés contre le mur du fond. L'écran d'ordinateur de Merry était éteint, mais une minuscule tache ambrée palpitait avec la régularité d'un cœur. L'obscurité m'empêchait de voir la grosse pendule murale, mais j'avais conscience de son tic-tic-tic imperturbable tandis que l'aiguille des secondes mesurait la circonférence du cadran. A ma droite se trouvait la porte du bureau du Dr Purcell où j'avais bavardé avec Mme Stegler. A gauche s'ouvrait celle qui le reliait à « Archives médicales ». Je braquai ma lampe sur ma montre. Il était 10 h 22.

Avec précaution je testai la porte du bureau des Archives médicales — elle n'était pas fermée à clé. Oh, happy day ! Je promenai le faisceau de ma lampe dans l'espace sombre et béant qui abritait quatre bureaux, une table de travail, des chaises assorties et une photocopieuse. Des meubles de classement encastrés doublaient le périmètre de la pièce, complétés par une double rangée centrale. Une deuxième porte s'ouvrait dans le mur du fond. Je m'approchai et essayai de tourner le bouton, et constatai avec ravissement que la porte n'était pas plus verrouillée que l'autre. Je passai la tête à l'intérieur de la pièce. Un bref examen du local qui s'ouvrait devant moi me confirma que je venais d'accéder à « Admissions » : une série de portes intérieures reliait les trois bureaux. Le personnel chargé des dossiers médicaux, les secrétaires et les employées de la réception appréciaient sûrement de pouvoir naviguer entre les services sans passer par le couloir extérieur. Mon allégresse montait de minute en minute !

Je revins au bureau des Archives médicales. Et me concentrai sur le boulot immédiat, à savoir dénicher le décompte de Klotilde dans cet entrepôt bourré de papiers. Je promenai mon minuscule faisceau lumineux dans toute la pièce, examinant les devants des tiroirs pour essayer de comprendre les principes d'organisation du lieu. J'avais espéré un classement aussi élémentaire que A, B, C, mais c'eût été trop beau. J'ouvris le premier tiroir et contemplai d'interminables cohortes de paperasserie bureaucratique. Les décomptes semblaient rangés selon un système numérique : par rangées de six chiffres. Je pris quinze décomptes, au hasard, en cherchant le principe sous-jacent qui les reliait. Aucun lien entre eux : ni l'âge, ni le sexe, ni le diagnostic ou le médecin traitant. Je restai plantée comme une gourde à contempler mes documents. Je feuilletai les pages dans un sens, puis dans l'autre. Impossible de repérer une logique quelconque dans tout ça. J'ouvris le tiroir du dessous. Toujours pas de nom de patient en vue. Je passai au tiroir du bas et refis un test sur un échantillon de dix décomptes — et fus tout aussi incapable de repérer ce qui présidait au classement de ces papiers. J'étais soumise à un tir nourri de numéros de patients : 698727... 363427... 134627. Je tentai ma chance avec un nouveau tiroir, deux meubles de rangement plus loin. Comment espérer découvrir le décompte de Klotilde alors que ces tiroirs en renfermaient sûrement des milliers ? Je cherchai un dénominateur commun : 500773... 509673... 604073. J'ai honte d'avouer combien de temps il me fallut pour mettre le doigt sur l'élément qui reliait tous ces décomptes. Toujours est-il qu'enfin la lumière se fit en moi : ils étaient regroupés en fonction des deux derniers chiffres de la séquence.

Je sortis le bout de papier sur lequel j'avais noté son numéro de Medicare. A première vue, il n'avait aucun rapport avec les numéros de ces décomptes-là, qui semblaient être assignés aux patients à leur admission. Je sentais mon exaspération monter. Franchement, je ne supporte pas que mes entreprises illégales se révèlent, elles aussi, infructueuses. Il devait bien y avoir quelque part dans cette pièce une liste des patients par ordre alphabétique ! Sinon, personne n'aurait pu s'y retrouver dans les décomptes ! Je refermai les tiroirs et fis le tour de la pièce. Le faisceau de ma lampe électrique avait pris la teinte jaunâtre de mauvais aloi qui vous avertit que la pile est à deux doigts de rendre l'âme.

Je regardai par les fenêtres. Aucun signe de mouvement dans le parking. Je repartis vers l'interrupteur, et puis flûte, j'allumai. J'effectuai un bref état des lieux, décrivant un cercle sur moi-même afin d'enregistrer le moindre détail de la pièce. A côté de la porte, je repérai un registre de format 27,5 × 35 avec une reliure massive et contenant ce qui ressemblait à des pages d'ordinateur entassées sur une épaisseur de sept à dix centimètres. Je m'approchai du registre et l'ouvris à la page de titre. Alléluia ! C'était le Fichier central des patients, établi, béni soit le Seigneur, par ordre alphabétique ! Je trouvai le patronyme impossible de Klotilde, mémorisai son numéro d'identification et me remis au boulot. Je laissai allumé, pensant à part moi « Au diable l'avarice ! » et repris mes recherches, traquant cette fois son décompte en fonction des deux derniers chiffres de son numéro d'identification. En quelques minutes je mis le doigt sur son dossier, subtilisai son décompte et l'enfouis dans le devant de ma petite culotte.

J'éteignis et repartis vers « Administration ». Au moment précis où j'allais sortir dans le couloir, une pensée me traversa : Si quelqu'un réus-

sissait à découvrir un jour la vérité, les enquêteurs des fraudes auraient besoin de trouver les
dossiers de Klotilde sur les lieux. Aucun tribunal
ne jugerait recevable la localisation « dans ma
petite culotte ». Une fois que j'aurais retiré les
dossiers de l'établissement, les éléments à charge
seraient viciés et la preuve de l'innocence ou de
la culpabilité de Dow irrémédiablement compro-
mise.

Et merde !

Je repartis à toute allure au bureau des Archives médicales, où j'ouvris le dossier sur le premier bureau à portée de main. Les pages sui-
vaient une chronologie à rebours : les entrées les
plus récentes en premier, la dernière étant celle
de sa demande d'admission. Je redressai les
broches et ôtai la barre de métal. Le cœur battant
de panique et d'énervement, je soulevai le capot
de la photocopieuse et posai la première feuille
côté recto. J'appuyai sur le bouton. La machine
ronronna et entreprit de s'échauffer. Avec une
lenteur désespérante, la barre lumineuse balaya
les données, puis revint en arrière. La photocopie
apparut lentement dans le plateau placé à ma
gauche. Je soulevai le capot et remplaçai la première feuille par la deuxième. Cette fois, en tout
cas, on y voyait ! Une grande partie des annota-
tions des médecins avaient été griffonnées à la
hâte, et je compris où les escrocs pouvaient tirer
parti des lacunes. Hormis les fournitures pure-
ment médicales, qui pouvait réellement déterminer après coup si le patient avait reçu des bandes
stériles ou de la lotion pour bébé ? Chaque fois
qu'une page sortait, la barre lumineuse m'éclai-

rait juste le temps de placer la page suivante. Et si quelqu'un arrivait ? Entre deux bouffées d'angoisse, je me demandai si les éclairs de la photocopieuse ne m'avaient pas rendue définitivement stérile.

Seize minutes plus tard, j'avais achevé ma recherche. Je fis un petit tas bien net des photocopies et les réinsérai, encore chaudes, dans ma petite culotte. Je rassemblai les pages du dossier, remis les broches en place, enfilai la plaque de métal sur les broches, repliai celles-ci et les aplatis. Et maintenant ? Je ne pouvais pas emporter le dossier avec moi et rien ne me prouvait que quelqu'un ne viendrait pas plus tard détruire les données. Je repartis vers le tiroir où j'avais découvert le décompte. Les deux derniers chiffres de son numéro d'identification de patient étaient 44. J'allai vers une des rangées de classeurs centrales et glissai son décompte au milieu des numéros se terminant par 54. Comme cela, je saurais où le retrouver, tout autre employé des archives constatant simplement la disparition de son dossier. D'accord, on pouvait tomber par hasard dessus à son nouvel emplacement, mais c'était un risque à courir.

Je quittai le bureau des Archives médicales, fermai la porte derrière moi et regagnai le bureau principal, où la petite tache qui palpitait sur l'écran de Merry fournissait un éclairage suffisant. M'étant accoutumée à l'obscurité, je parvins à lire le cadran de l'horloge. 11 h 34. Il était temps de filer. Je poussai la porte battante du comptoir ; au moment où j'arrivais dans le couloir, j'entendis un bruit de pas. Je pilai net, m'efforçant de ne pas m'affoler. Le claquement des chaussures à semelles dures était amorti, mais distinct. On n'avait pas tardé à s'apercevoir que le plafonnier du bureau des Archives était allumé, car quelqu'un arrivait indiscutablement dans ma direction pour en avoir le cœur net. Je me refusai à croire qu'on entrerait vraiment dans le bureau, mais on n'est jamais trop prudent et je repassai la porte battante. Je fouillai la pièce du regard, en quête de la cachette la plus commode. Je me dirigeai vers le poste de travail de Merry, tirai sa chaise à roulettes et m'insinuai à quatre pattes dans le creux réservé à ses genoux sous son bureau. Je me retrouvai assise sur un fouillis de gros câbles électriques, ma tête formant un angle bizarre pour éviter de me cogner dans le dessous du tiroir à crayons de Merry. Les coins du décompte de Klotilde m'entraient dans l'estomac et la poitrine, et ils firent entendre un craquement insolite lorsque je me recroquevillai en position fœtale, les bras autour des genoux.

La porte du bureau s'ouvrit.

Je m'attendais à ce qu'on allume, mais la pièce resta plongée dans l'obscurité. J'ignorais complètement si une partie de mon individu restait visible, mais autant me fier à la Providence et espérer que l'intrus(e) ne ferait pas de vieux os dans les lieux. Un instant plus tard, la porte se rouvrit et un(e) deuxième intrus(e) entra. J'entendis qu'on s'interrogeait en chuchotant et qu'on se disputait vaguement, puis ce fut le bruit de la porte battante poussée successivement par l'un(e) et l'autre pour entrer dans la zone où j'étais cachée (du moins l'espérais-je). Qui étaient ces deux-là ? Frôlions-nous le jamboree de cambrioleurs piquant tous des dossiers à des fins différentes mais également viles ? Leurs intentions n'étaient sûrement pas pures, sinon ils auraient allumé.

On se déplaça, on patina et, brusquement, les deux inconnus s'immobilisèrent devant le bureau de Merry. La petite tache lumineuse de son écran d'ordinateur éclairait doucement les lieux. Je fermai les yeux, comme une enfant. Peut-être que si je ne les voyais pas, eux ne me verraient pas non plus. J'entendis un froissement d'étoffe : on enlevait un manteau, on le posait sur le dossier de la chaise de Merry, qu'on écartait. Lorsque je rouvris les yeux, je vis deux jambes de pantalon masculines et des talons de chaussures. J'aurais juré qu'il s'agissait du bonhomme à la chevelure argentée que j'avais vu dans le parking. Il se tenait maintenant devant une femme dont les bas d'une blancheur fantomatique et les chaussures fonctionnelles à grosses semelles ne m'étaient pas inconnus : Pepper Gray.

Il y eut un torrent de susurrements indistincts, un gémissement de gorge, des protestations d'innocence de sa part à lui, des encouragements intimes de la sienne à elle. Je perçus le bruit discret mais reconnaissable entre tous d'une fermeture Éclair qu'on abaisse. Je faillis hurler d'angoisse. Ils allaient jouer au docteur et j'étais coincée dans le cabinet d'auscultation ! Il se pencha en arrière pour prendre appui contre le bureau... je vis ses doigts en agripper le bord pour assurer sa prise. Cependant qu'elle s'agenouillait prestement et le prenait en main. Ses protestations à lui commencèrent à faiblir, tandis que sa respiration s'accélérait. Il en pinçait manifestement pour le stéréotype de l'infirmière ; elle était, elle, sans doute excitée par le risque de se faire prendre en flagrant délit.

Je fis de mon mieux pour détourner mon attention de ce qui se passait. J'essayai d'élever mes pensées, de léviter à des hauteurs incroyablement zen. Après tout, je ne pouvais m'en prendre qu'à moi-même pour le calvaire que je subissais. Je me promis de ne plus jamais m'introduire par effraction quelque part. Je résolus aussi de me repentir de mes péchés. La facture était déjà assez raide, si je puis m'exprimer ainsi. Pour quelqu'un d'aussi peu gâté que moi côté sexe, je subissais un châtiment particulièrement cruel et inédit. Pepper se trouvait à moins d'un mètre de moi, dispensant allègrement ses soins à la virilité « pulsante » — comme on dit par euphémisme dans les romans prolixes en scènes de cette nature — de l'inconnu. Croyez-moi sur parole, la vie sexuelle d'autrui n'a rien de fascinant. D'abord, un type qui gémit « Pepper, oh Pep » n'a rien de romantique à mon point de vue. Ensuite, il faisait durer le plaisir et je craignais que la mâchoire de la malheureuse ne se décroche, comme celle des serpents. Elle se mit à l'encourager avec des petits bruits de gorge. Je fus tentée de faire chorus. Sous le bureau, même la multiprise parafoudre lança un piaillement enthousiaste qui parut électriser notre homme. Ses vocalises, bien qu'étouffées, s'accélérèrent et filèrent vers des sommets. Il poussa enfin un rugissement sourd, comme s'il s'était pris le doigt dans une porte et essayait de ne pas hurler.

Nous retombâmes tous les trois sur terre, vannés, et je priai le ciel que nous renoncions à la cigarette post-coïtale. Il leur fallut dix minutes pour se remettre de leurs émotions et rectifier leurs tenues. Après quelques chuchotis, on convint qu'elle sortirait la première et que lui suivrait après avoir observé un intervalle décent. Lorsque je m'extirpai de ma cachette, j'étais d'une humeur massacrante, percluse et gratifiée d'un torticolis. C'était la dernière fois que je confiais à Ruby le soin de faire le guet.

CHAPITRE 19

Il était minuit et demi quand je rentrai chez moi pour la deuxième fois de la soirée. J'avais remis les clés au bureau d'accueil avant de sortir directement par la porte d'entrée, les photocopies des décomptes me comprimant le ventre comme un bandage herniaire en papier. Quand j'arrivai au parking, la voiture de collection était partie. Je continuai sur l'asphalte jusqu'au coin sombre où j'avais laissé ma Volkswagen. Avant de me glisser au volant, je me débarrassai des photocopies volées et les fourrai sous le siège avant. Les pages n'avaient pas bonne mine, toutes cornées qu'elles étaient par leur compagnonnage désinvolte avec mon ventre et mes côtes. Je mis le contact et passai la marche arrière.

Une fois chez moi, j'effectuai un tour des lieux complet, en vérifiant que toutes les portes et fenêtres étaient fermées exactement comme je les avais laissées. Tommy Hevener rôdait toujours à l'arrière de mes pensées. Je mourais d'impatience d'étudier les décomptes des prestations de Klotilde, mais remis la chose à plus tard.

A la place, je m'installai à mon bureau et consignai quelques précieuses bribes d'information dans mes fiches. Cela faisait bizarre de passer en revue les hypothèses sur le sort de Purcell maintenant que je connaissais la fin de sa triste histoire. Il ne faisait aucun doute dans mon esprit que le corps qu'on avait ressorti du véhicule était bien le sien. En théorie, rien n'aurait pu l'empêcher de le remplacer par celui de quelqu'un d'autre. Sur le plan pratique, la tâche se révélait délicate ; surtout dans le cas d'un noyé, chez qui certains traits essentiels subsistent. Le médecin légiste aurait tôt fait de comparer son dossier dentaire et ses empreintes pour identifier formellement le corps.

J'alignai les fiches, d'abord par ordre chronologique, ensuite en respectant l'enchaînement des entretiens. Je n'étais pas payée pour le faire, mais, répétons-le, je n'avais pas été officiellement virée non plus. Sans idée préconçue, je brouillai les fiches, histoire de voir ce que cela donnait. Et arrivai encore et toujours au même résultat. De sa propre main ou de celle d'un autre, Dow Purcell était mort et laissait derrière lui le bordel. Deux questions revenaient avec insistance : où était son passeport et où étaient passés les trente mille dollars ? A quoi s'ajoutait le détail mineur, mais troublant, de la boîte postale. S'il l'avait conservée pour son usage personnel, pourquoi Dow avait-il demandé à Crystal si elle la louait toujours ?

A 9 heures, j'appelai Fiona. Sans réussir à la

joindre, naturellement! Dans le message que je confiai à son répondeur, je lui dis espérer retrouver la trace des trente mille dollars manquants et lui laissai entendre, peut-être à juste titre, que le larcin avait peut-être été commis par quelqu'un de chez Crystal. Je lui proposai de faire deux heures de travail supplémentaires si elle était d'accord pour cette dépense. J'espérais qu'elle sauterait sur l'occasion d'incriminer Crystal ou quelqu'un qui lui était cher. Dans le cas contraire, je poursuivrais mon enquête de toute façon, simplement pour en avoir le cœur net. Tout ne tourne pas uniquement autour du fric dans ce métier.

Il n'était pas encore midi quand j'eus fini de mettre à jour mon agenda et de traiter les messages de la veille. Jeniffer avait téléphoné pour dire qu'elle était malade, autrement dit qu'elle allait à Los Angeles écouter un concert de son orchestre favori avec ses copains. Elle avait dit à Jill avoir posté le courrier la veille, en rentrant chez elle après le travail. Oh, je ne mettais pas sa parole en doute. Ce fut seulement par pure curiosité que je m'assis dans son fauteuil et entrepris de fouiller son bureau. L'équivalent du courrier d'une bonne semaine s'empilait dans le tiroir du bas, notamment les factures que je venais de régler, le tout dûment timbré et prêt à être expédié. Je m'empressai d'aller cafter à Ida Ruth, qui me jura à n'en plus finir qu'elle allait tout raconter à Lonnie et à John et la faire flanquer dehors.

En attendant, je mis le courrier dans un carton et me chargeai moi-même de le poster. Je me demandais dans combien de temps Richard Hevener allait recevoir ma lettre et comment il allait réagir en constatant qu'il ne pouvait pas encaisser le chèque. Vraiment pas de veine. Il aurait dû le déposer le jour où je le lui avais remis. De la poste, je fis un saut aux bureaux de la police dans l'espoir d'intercepter l'inspecteur Odessa avant qu'il ne sorte déjeuner. Apparemment, il était parti à pied avec un autre inspecteur cinq ou dix minutes avant mon arrivée. Je demandai au policier de l'accueil s'il savait, par hasard, où ils étaient allés.

— Sans doute au Del Mar, me répondit-il. Ils y ont leurs habitudes. Sinon, essayez l'Arcade, le petit traiteur de plats à emporter. Quelquefois, ils rapportent des sandwichs qu'ils mangent au bureau.

Je déposai une carte de visite sur son comptoir.

— Merci. Si je le rate, pouvez-vous lui demander de me rappeler ?

— Comptez sur moi.

Je remontai la fermeture Éclair de mon coupe-vent et descendis rapidement les marches jusqu'à la rue. Quand j'avais consulté le bulletin de la météo dans le journal du matin, la photo-satellite montrait un épais tourbillon blanc à l'endroit où une autre tempête s'approchait en tournoyant de la côte. On annonçait des bancs de nuages bas et du brouillard pour la matinée, et un risque de pluie de l'ordre de quarante pour cent pour l'après-midi. Les températures se maintenaient autour de sept degrés. La population locale n'allait pas manquer d'être d'une humeur de chien et bien déprimée par le froid mordant et le ciel partiellement couvert.

Comme Odessa restait invisible au Del Mar, je fis à pied le chemin qui me séparait de l'Arcade, une boutique de sandwichs grande comme un mouchoir de poche et consistant en un comptoir, trois tables à dessus en marbre et des chaises en métal ceintré assorties. La vitrine de vente à emporter se trouvait sur le côté de l'immeuble, où l'on avait ajouté deux tables de pique-nique et quatre bancs de bois à l'ombre d'une banne rayée noir et blanc. L'inspecteur Odessa se penchait au-dessus d'un panier en plastique rouge conte-nant un gros hamburger emballé dans du papier et un véritable tombereau de frites. L'inspecteur assis en face de lui n'était autre que Jonah Robb. Je n'aurais pu espérer mieux.

J'avais fait la connaissance de Jonah quatre ans auparavant, alors qu'il travaillait à la Brigade de recherche dans l'intérêt des familles, et que j'étais justement en quête de quelqu'un. Il avait été muté aux Homicides, promu lieutenant et nommé chef du service : bref, c'était le patron de Paglia. A l'époque de notre rencontre, le couple de Jonah ne marchait pas fort et nous avions aimablement badiné pendant une saison dans mes draps de Wonder Woman. Après quoi, sa femme, Camilla, était rentrée au port avec leurs deux filles. Quand je l'avais croisé plus tard par hasard, il m'avait dit qu'elle avait pris un emploi au palais de justice, plan de carrière qu'avait vite interrompu un nouveau départ. Cette fois, elle était revenue enceinte de l'enfant d'un autre. Le père putatif s'était tiré, laissant la pauvre Camilla se débrouiller toute seule. Bien entendu, Jonah l'avait reprise avec lui et, la dernière fois que j'avais eu de ses nouvelles, sa nichée rafistolée absorbait une bonne partie de son temps. Dès le début de notre liaison, ce mélodrame avait pris beaucoup trop de place dans ma vie, à mon goût au moins. J'avais fini par tirer ma révérence, mais n'étais pas encore parvenue au stade où je pouvais le voir sans éprouver une petite pointe d'embarras.

Vince Odessa m'aperçut et me fit signe.

— Salut, les gars ! leur lançai-je.

Jonah se retourna sur son banc et nous mîmes tous deux un point d'honneur à nous saluer avec une certaine froideur dans le ton et en gardant le regard légèrement fuyant. Nous nous serrâmes la main comme on le ferait avec le pasteur de la paroisse.

— Comment vas-tu ? me demanda-t-il.

— Bien. Et le bébé ? lui renvoyai-je. Ça lui fait combien maintenant... ? Quatre mois ?

— Une splendeur. Il est né le 4 juillet, juste à la date prévue ; cinq kilos deux cent cinquante à la naissance. Une vraie brute !

— Dis donc ! Comment l'as-tu appelé ?

— Banner.

— Ah. Comme dans « étoilée[1] ».

Jonah marqua un temps d'hésitation.

— Comment as-tu deviné ? C'est Camilla qui y a pensé, mais tu es la première à avoir compris.

---

1. *Star-Spangled Banner* : nom du drapeau et de l'hymne national américains, particulièrement à l'honneur le 4 Juillet, jour de la fête nationale. *(N.d.T.)*

— Oh, une intuition...

Odessa m'invita d'un geste.

— Asseyez-vous donc, me dit-il. Vous déjeunez ?

Jonah s'empressa de me tendre son panier en plastique.

— Tiens. On partage. Camilla me tanne pour que je me mette au régime. J'ai dû prendre plus de sept kilos pendant ses derniers mois de grossesse. Elle a reperdu les siens tout de suite, mais les miens s'accrochent ferme !

Le morceau de chair qu'il pinça sur le côté de sa taille formait une saucisse impressionnante entre son pouce et son index.

Comme je me trouvais de son côté et qu'il eût été un peu trop ostensible de faire le tour de la table pour m'installer à côté d'Odessa, je m'assis à côté de lui sur le banc. Je jetai un coup d'œil au sandwich de Jonah, qui était coupé en diagonale : bacon, laitue et tomate, plus une bonne épaisseur de guacamole prise entre deux couches de mayonnaise. J'ajoutai une rafale neigeuse de sel au tout. Je déteste laisser passer une occasion de procurer des sensations à mes reins.

— Sur quoi êtes-vous en ce moment ? me demanda Odessa. (Il m'avait surprise la bouche pleine, et tandis que je me bagarrais pour me désengorger le palais, il revint à leur sujet de conversation.) Nous parlions justement de Purcell. Jonah a assisté à l'autopsie.

— Façon de parler. Vu l'état du corps, le Dr Yee dit qu'il ne peut pas effectuer de tests biochimiques ou biophysiques. En gros, il serait mort d'une balle dans la tête, tirée à bout portant.

Nous avons retrouvé l'arme sur le siège avant. Colt Python .357, une seule balle a été tirée. L'étui de la cartouche se trouvait encore dans le barillet. D'après Yee, il y a 99,9 pour cent de chances qu'il soit mort avant de toucher l'eau.

— L'arme lui appartenait ? demandai-je.

Jonah s'essuya la bouche, puis roula en boule sa serviette en papier.

— Il l'avait achetée avant de se séparer de Fiona. Crystal n'en voulait pas à la maison à cause du gamin. Elle pense qu'il la gardait dans son tiroir de bureau à son travail ou dans la boîte à gants de sa voiture.

— Pour commencer, nous essayons de comprendre comment il est monté au réservoir, m'expliqua Odessa.

Je levai la main.

— Il était censé passer chez Fiona. Elle dit qu'il n'est jamais venu, mais elle ment peut-être.

Odessa hocha la tête d'un air satisfait.

— Il ne nous a pas échappé que le bonhomme est mort pratiquement devant chez elle.

— Et attends, ajouta Jonah. Elle est la seule et unique bénéficiaire d'une police d'assurance sur la vie. Une des clauses du règlement du divorce. On a vérifié.

— Combien ?

— Un million.

— Moi, je m'en contenterais, dit Odessa.

— Peut-être, mais prendre le risque de tuer un mec si près de chez soi...

— C'était peut-être tout le charme de l'opération, dit Jonah. A moins que ce soit quelqu'un d'autre. Qui l'attire là-haut sous un prétexte quelconque et lui colle une balle dans le crâne.

Odessa eut une grimace dubitative.

— Tu le remontes comment, là-haut ?

— En faisant le trajet avec lui, dans sa voiture. Tu l'appelles, tu lui fixes un rendez-vous en disant que tu veux aller dans un coin tranquille pour discuter de quelque chose, mais que tu as besoin qu'il te prenne au passage.

— Sous quel prétexte ?

— Pas besoin de prétexte, intervins-je. On se cache à l'arrière et on tire.

— Et ensuite ? Comment redescendez-vous la route dans le noir ?

— En stop, dit Jonah. Ce n'est pas très loin.

— Et si on te voit ? demandai-je. Mettons qu'un témoin affirme t'avoir vu sur les lieux.

— Ils étaient peut-être deux, suggéra Odessa. Le premier le cueille là-haut et fait le boulot, pendant que l'autre attend dans une voiture garée plus bas sur la route.

— Mais la présence d'un complice augmente le risque, non ?

— Tout dépend de qui.

Jonah but un peu de son Coca. Il me proposa son gobelet et j'en avalai une gorgée moi aussi. Nous restâmes silencieux un instant, perdus dans l'analyse de nos scénarios.

— Par ailleurs, repris-je, Purcell était en bisbille avec les services fédéraux et risquait le scandale. Il a sûrement songé au suicide. Qui ne le ferait pas à sa place ?

— C'est possible, dit Jonah, cette perspective paraissant le déprimer. Les gars sont toujours sur la Mercedes. Il avait une couverture en mohair sur les genoux et une bouteille de whisky vide par terre, devant, à la place du passager. Phares éteints. La clé dans le contact, en position ON. La radio éteinte. Papiers d'identité, portefeuille, tout ça sur lui, y compris sa montre, qui marche toujours d'ailleurs. Cette sacrée toquante ne retarde pas d'une seconde après toutes ces semaines !

Odessa dressa l'oreille.

— Quelle marque ? Tu parles d'une pub ! On devrait contacter la société.

— Une Breitling, garantie étanche jusqu'à douze mètres de fond.

— Tu te rappelles la pub avec le stylo ? lui demanda Odessa.

— C'était un stylo-bille.

— Ah bon ? Je parle de celui qui écrit sous l'eau. Il s'appelait comment ?

— Qu'est-ce qu'on en a à foutre.

Odessa eut un sourire penaud.

— Pardon. Quoi d'autre ?

— Pas grand-chose. Le verre trempé de la fenêtre côté conducteur a été fracassé, il manque des morceaux, mais la plus grande partie subsiste... à l'endroit où la balle est ressortie. J'ai envoyé deux gars avec un détecteur de métaux en espérant qu'ils mettront la main dessus. La vitre côté passager et les deux de l'arrière étaient ouvertes, visiblement pour accélérer l'immersion.

Odessa roula en boule sa serviette en papier et effectua un tir par-dessus sa tête, visant la poubelle. La serviette ricocha sur le bord et alla tomber ailleurs.

— Pas d'accord pour le suicide, dit-il. Ce n'est pas logique.

— Moi, je dirais quatre-vingts contre vingt, compte tenu d'un ou deux détails.

— Lesquels ? lui demandai-je.

Jonah croisa les bras.

— Mettons qu'il se soit tiré lui-même la balle dans la tête, simple supposition. Il aurait réussi à envoyer la voiture par le fond ? Inutile de même se poser la question.

— Peut-être qu'il avait honte, dit Odessa. Honte de se supprimer. Peut-être espérait-il qu'on ne le retrouverait pas.

— Pour épargner sa famille, dit Jonah.

— Pourquoi pas ?

— La police d'assurance prévoit peut-être une clause excluant le suicide, dit Odessa.

— Et alors ? De toute façon, Fiona ne peut pas la toucher tant qu'on n'a pas retrouvé le corps. A la seconde où il refait surface, la cause de la mort va être évidente. Une balle dans la tête et l'arme sur le siège avant ?

— Justement ! Personne ne croira que le type s'est tiré accidentellement dans la tempe !

Jonah fit la grimace.

— Désolé de te casser la baraque, dit-il, mais la police d'assurance ne comporte aucune clause excluant le suicide. J'ai vérifié.

— Revenons à la vitre du côté conducteur. Pourquoi la laisser fermée alors que toutes les autres sont ouvertes ?

412

— Pour étouffer le bruit de la détonation, dis-je.

— D'accord, mais pourquoi s'en inquiéter ? Je veux dire... qu'est-ce qu'il en avait à foutre qu'on l'entende ? Il sait qu'il va mourir, ça change quoi ?

— Sans compter que ça n'étoufferait pas grand-chose avec les trois autres vitres entièrement baissées, fit remarquer Odessa.

— Exactement, dit Jonah. Il y a un truc qui ne cadre pas dans cette histoire. Je n'aime pas ce côté excessif. Tu te descends avant de te noyer, ça me paraît un peu trop.

— En général, ce n'est pas la noyade qu'on choisit pour se supprimer. C'est trop dur. Même si on veut mourir, on remonte instinctivement à la surface pour respirer. Trop difficile à gérer.

— C'est pourtant comme ça que Virginia Woolf s'est supprimée, lui fis-je observer. Elle a mis des pierres dans ses poches et elle est entrée dans l'eau.

— Mais pourquoi se donner deux fois plus de mal ? C'est ça qui me chiffonne.

— Les gens passent leur temps à le faire ! s'exclama Odessa. Tu avales une overdose de pilules et tu te fourres la tête dans un sac en plastique. Tu mélanges de la vodka et du Valium avant de t'ouvrir les veines. Si un truc ne marche pas, tu te rabats sur l'autre.

Jonah secoua la tête.

— J'essaie juste d'imaginer l'enchaînement des faits. Il ouvre trois vitres, se met une couverture sur les genoux, sort son arme, la porte à sa tempe et appuie sur la détente. Pendant ce temps-là le moteur tourne ; il a mis la voiture au point mort et il a le pied sur le frein. Boum ! Le pied glisse de la pédale, la voiture dévale la pente et s'enfonce dans le lac... Trop compliqué. Sans parler que ça fait trop !

— En quelque sorte, dit Odessa.

— Autre chose. Je n'aime pas la bouteille de whisky. C'est du mélo. Le type veut se supprimer, pourquoi picoler ?

— Pour se calmer, suggérai-je.

— Pas d'accord, intervint Odessa. On n'a pas besoin d'un prétexte pour boire. On boit parce qu'on aime ça et que c'est l'occasion ou jamais. Boire à son propre trépas ? *Bon voyage* [1] et tout le reste !

— Ouais, mais d'après tout ce que j'ai entendu dire sur lui, il était du genre direct. Pas franchement son style, cette mise en scène tordue.

— Il buvait, leur rappelai-je. Un de ses amis m'a dit que, lors de ses disparitions précédentes, il était en réalité en désintox. Je pense qu'il a repiqué il y a environ six mois.

— A sa place, lança Odessa, je me serais mitonné un bon petit cocktail de médicaments vraiment efficaces. Il pouvait sûrement se procurer tout ce qu'il voulait. Vicodine, Codéine, Percocet, Halcion...

— Moi, j'aurais craint des problèmes de constipation, dis-je à personne en particulier.

Jonah continuait à se sentir d'humeur chicanière.

1. En français dans le texte.

— Les médicaments agissent trop lentement. Il connaissait assez l'anatomie humaine pour ne pas traîner. Vu le trajet de la balle, je vous garantis que l'histoire était réglée !

— Ça fait plutôt désordre pour un type aussi conventionnel, leur fis-je remarquer. Je l'ai juste entrevu, mais il est mort en complet veston, avec sa chemise et sa cravate.

— Et sa ceinture de sécurité, ajouta Jonah.

— Pas si conventionnel que ça, son mariage, vous ne trouvez pas ? objecta Odessa. Une effeuilleuse de Las Vegas. Plutôt douteux, non ?

— Peut-être moins tiré par les cheveux qu'on pourrait le croire. D'après Fiona, il avait des problèmes d'impuissance et donnait dans les joujoux sexuels et la pornographie, ce genre de trucs. Elle trouvait ça dégoûtant. Elle prétend avoir refusé de suivre et que c'est alors qu'il s'est mis en chasse et a déniché Crystal.

J'engloutis le reste du sandwich et piquai une de ses frites à Odessa.

— Ce qui m'étonne, dit Odessa, c'est qu'il n'ait laissé aucun mot. Le type était peut-être désespéré, mais pas mesquin. Supposez qu'on n'ait jamais retrouvé la voiture. Pourquoi aurait-il laissé tout le monde dans le noir ? Il veut se supprimer ? C'est simple. Il dit : « Désolé, les gars, mais voilà. Je n'en peux plus, je reprends mes billes. » Et pourquoi balancer la voiture au fond du lac, hein ? A quoi ça l'avançait ?

— Bon, bon, s'écria Jonah. Prenons le problème par l'autre bout. Disons que quelqu'un a fait le boulot à sa place. On le tue en remontant les vitres pour étouffer la détonation. Ensuite, on baisse les trois autres pour être sûr que le véhicule sombre vite fait bien fait. On ne veut surtout pas de bulle d'air contre le toit et que la bagnole risque de flotter... Pas tellement sorcier à exécuter, comme contrat. On le bute, on descend de voiture, on baisse le frein à main, on donne une petite poussée sur la voiture et on l'envoie au jus !

— Ce qui nous ramène à la case départ ! conclut Odessa. S'il s'agit d'un meurtre, l'immersion de la voiture devient nettement plus logique.

— L'assassin part du principe que la voiture repose par six mètres de fond et qu'on ne la retrouvera pas, intervins-je.

— Exact. Et c'est là que le scénario s'emballe. Tu retrouves la voiture et, maintenant, l'assassin doit faire face à un problème qu'il n'avait pas prévu.

— Au cas où vous chercheriez un mobile, dis-je, il m'est revenu que Crystal avait une liaison.

— Avec qui ?

— Avec son professeur de gym. Un type avec qui elle a travaillé il y a huit ou dix mois.

Odessa jeta un coup d'œil à sa montre.

— Dites, il faut que j'y aille. J'ai promis à Sherry de faire une course pour elle.

Il se leva et prit son panier en plastique, emportant celui de Jonah dans la foulée. Jonah lui proposa son aide, mais il était déjà arrivé à la vitrine du traiteur. Il abandonna les paniers sur le comptoir.

— Je te retrouve là-bas !

— Il faut que je bouge aussi. Tu vas dans cette direction ?

— Tout à fait, si ça ne te dérange pas, lui dis-je. (Je récupérai mon sac et nous marchâmes un moment sans rien dire.) Alors, comment va la vie, sincèrement ?

— Mieux qu'on le croirait, m'avoua-t-il.

— Bravo. Je m'en réjouis. Je te souhaite bonne chance.

— Il y a une chose que je ne t'ai jamais dite. Quand on était ensemble... je te remercie d'avoir été là. Tu m'as aidé à ne pas faire de conneries. Je ne m'en serais jamais sorti tout seul.

— Je ne te considère pas comme une B.A.

— C'est pourtant la vérité ; je te suis sacrément reconnaissant.

— Moi aussi, figure-toi. (Je le pris un instant par le bras, puis je préférai ne pas insister et ôtai ma main sous prétexte de remonter la bandoulière de mon sac.) Dis donc, je travaille toujours pour Fiona et je lui dois quelques heures.

— Ce qui veut dire ?

— Je voulais tirer ça au clair avec Odessa, mais autant t'en parler. J'ai revu mes notes hier soir et je me demande où sont passés le passeport de Dow et les trente mille dollars manquants. Si j'obtiens l'aval de Fiona, je peux continuer mon enquête ?

— Ça dépend. Qu'est-ce que tu envisages ?

— Je ne sais pas au juste. Pour commencer, Crystal m'a parlé d'une boîte postale. Elle était à son nom à une époque, mais elle prétend ne pas avoir renouvelé la location. D'après elle, Dow la gardait pour détourner des relevés bancaires, mais je me demande si c'est vrai.

Il m'étudia un instant.

— Je ne peux pas t'en empêcher.

— Je sais, mais je ne veux marcher sur les pieds de personne.

— Alors, ne bousille pas tout. Si tu découvres quoi que ce soit, tu viens me voir directement. Et pas question de tripatouiller les pièces à conviction.

— Tripatouiller les pièces à conviction ? Moi ! m'exclamai-je, ulcérée.

— Oh ça va... Et pas question de mentir non plus.

— Te mentir ? A toi ? Jamais !

Nous nous arrêtâmes au carrefour, attendant que le feu passe au rouge. Je lui jetai un regard en coin : au repos, son visage semblait las.

— Tu crois vraiment qu'on l'a assassiné ? lui demandai-je.

— Je pense que nous allons partir de cette hypothèse tant que nous n'aurons pas la preuve du contraire.

Je retournai au cabinet. Fiona m'avait laissé un message : elle m'accordait deux heures, mais pas plus. Je me calai dans mon fauteuil, les pieds sur le bureau, et restai un moment à pivoter tout en fixant le téléphone. J'hésitais à appeler Crystal en pleine crise, mais je n'avais pas le choix. Si elle était encore sous le coup de la mort de Dow, je ferais au mieux. Je saisis le combiné avant de perdre courage. J'essayai d'abord à la

418

villa, m'imaginant Crystal réfugiée dans l'endroit qu'elle aimait le plus au monde... Anica décrocha au bout de deux sonneries.

— Anica ? Kinsey à l'appareil. Je vous croyais repartie à Fitch.

— En effet, mais l'inspecteur Paglia a appelé Crystal ce matin pour lui annoncer qu'on avait identifié le corps, et que c'était celui de Dow. Elle m'a téléphoné, j'ai fait aussitôt demi-tour et je suis revenue. Je leur ai dit que je prenais un congé jusqu'à la fin de la semaine prochaine. Ça passe en priorité. Nous resterons à la villa jusqu'à samedi ; ensuite, nous irons à l'autre maison pour trier les affaires de Dow.

— Comment va-t-elle ?

J'entendis un bruit de voix étouffé à l'arrière-plan et eus l'impression que Crystal se trouvait peut-être dans les parages.

— Une vraie loque, me confia Anica en baissant la voix. Je crois que c'est le fait d'être enfin fixée qui l'anéantit. Rand dit qu'elle s'est effondrée quand elle a appris la nouvelle. Elle a toujours été convaincue qu'il lui était arrivé quelque chose, mais elle a sûrement prié pendant toutes ces semaines pour qu'elle se soit trompée.

— Et Leila ? Comment le prend-elle ?

— Oh, vous la connaissez. Elle était en haut, dans sa chambre, à écouter de la musique à plein volume. Crystal et elle se sont énervées, si bien que j'ai fini par appeler Lloyd pour lui demander de venir chercher Leila et de la garder pour la journée. Le calme est divin !

— Et les obsèques ? Envisage-t-elle une cérémonie ?

— Elle parle de samedi si elle arrive à se ressaisir. Il faudra qu'elle fasse passer l'annonce dans les journaux et trouve quelqu'un pour officier. Dow n'était pas pratiquant, c'est plus une façon d'honorer sa mémoire. Je viens d'appeler la morgue. Ils vont faire le nécessaire pour qu'on puisse prendre le corps. Elle va le faire incinérer... et, d'ailleurs, elle n'a pas tellement le choix en l'occurrence.

— En effet.

— Qu'est-il arrivé ? L'inspecteur Paglia n'a rien dit, mais je suppose qu'il s'est noyé...

Mon cœur fit une embardée.

— Je ne sais pas. Je n'ai rien entendu de concluant. Ils doivent encore procéder aux analyses. En attendant, puis-je vous aider en quoi que ce soit ?

La question sonnait faux même à mon oreille exercée au mensonge, mais il fallait que je la détourne du sujet.

— Pas pour l'instant, en tout cas merci. Il faut que j'y aille, mais je dirai à Crystal que vous avez appelé.

— Pendant que je vous ai en ligne, vous pourriez peut-être me renseigner. Crystal a fait allusion à une boîte postale qu'elle avait eue en ville. J'ai besoin de son numéro et de l'adresse.

— Ne quittez pas.

Elle posa sa paume sur le micro et j'entendis un bruit étouffé de discussion avec quelqu'un à l'arrière-plan. Cela me rappela les jours où j'allais à la piscine publique quand j'étais petite. Je ressortais de l'eau les oreilles bouchées et j'entendais à peu près aussi mal. Le mince filet d'eau chaude mettait parfois plusieurs heures à évacuer le conduit de l'oreille.

Elle ôta sa main du téléphone.

— Boîte postale 505. Au Mail & More de Laguna Plaza. Surtout, faites-lui savoir ce que vous trouverez.

— Je n'y manquerai pas.

A peine avais-je raccroché que le téléphone sonnait.

— Bonjour ! me lança Mariah Talbot. Pouvez-vous parler librement ou voulez-vous qu'on se rencontre quelque part ?

— Ça va. Le téléphone est sécurisé. Tout ce mauvais roman va vous paraître idiot, mais il fallait que je vous parle. Merci de m'avoir rappelée.

Je m'emparai d'un crayon et commençai à griffonner sur un bloc-notes... un poignard à la pointe dégoulinante de sang et un nœud coulant, une de mes spécialités. Il arrive que dessiner m'aide à préciser mes idées.

— Que se passe-t-il ?

— Voilà...

Je lui racontai la conversation de la veille chez Rosie, lorsque Henry avait lancé l'hameçon au sujet du joaillier de L.A.

— Vous croyez que Tommy a mordu ?

— Aucune idée. Je me suis dit que je devais vous en parler ; lors de notre dernier entretien, je vous avais dit de ne pas compter sur moi. Maintenant, les dés sont jetés, mais seulement parce que Henry s'en est mêlé et a pris les devants.

— Rudement malin de sa part. La chose venant de lui, Tommy ne pensera jamais à un piège.

— Il y a peu de chances que ça marche.

— Ce n'est pas dit. Ils ont désespérément besoin d'argent et la propriété est hypothéquée à mort. Les bijoux sont leur seule ressource. Ils doivent les vendre s'ils veulent s'en sortir. A propos... Comment ça s'est terminé avec le Prince Charmant ? Pas dans la chambre à coucher, j'espère ?

— Absolument pas ! J'ai annulé le dîner, ce qu'il a mal pris. Il a fait bonne contenance, mais il était furieux. Si seulement je savais comment me débarrasser de lui sans le mettre en rogne !

— Mes vœux vous accompagnent. Il ne vous laissera jamais vous en tirer comme ça. Tommy est un égotiste. Il peut vous plaquer, mais lui on ne le plaque pas.

— On dirait une araignée qui se tapit. Dès que je vais quelque part, il sort de son trou. Il me tape vraiment sur le système !

— Ça vous étonne ? Ces deux garçons sont barjos. Si vous avez jamais envie de voir Richard péter les plombs, demandez-lui de vous parler de Buddy et du vélo.

— Pourquoi ? De quoi s'agit-il ?

— On m'a raconté l'histoire quand j'ai effectué la recherche d'antécédents. Ce type, ce... Buddy jure que lorsque ces deux mômes avaient dix ans, c'était à qui aurait le dessus sur l'autre et qu'ils passaient leur temps à se battre. Un jour, Jared s'est dit qu'il était temps qu'ils apprennent à partager et leur a donné un vélo en leur disant de s'en servir à tour de rôle. Richard n'a rien voulu entendre et a planqué le vélo en disant à son père qu'on l'avait volé. Il l'a caché pendant des semaines pour pouvoir en faire chaque fois qu'il en avait envie.

— Et le père n'a pas découvert le pot aux roses ?

— Le père non, mais Tommy, si. Ils avaient un ami commun, le fameux Buddy, qui avait vu le manège de Richard. D'après Buddy, Richard passait son temps à le rosser et, un jour, il lui a cassé le nez ; bref, Buddy a tout raconté à Tommy juste pour se venger. Tommy a attendu que Richard soit parti je ne sais où, a récupéré le vélo et l'a jeté du haut d'un pont.

— Comment l'autre l'a-t-il pris ?

— Richard a tout de suite deviné, mais il était piégé. Cette histoire le rend encore fou de rage ! En réalité, ces deux-là préféreraient tout perdre plutôt que de voir l'autre jouir de la moitié qui lui revient. C'est arrivé avec une fille, un jour. On l'a retrouvée morte.

— Vous me remontez tout à fait le moral. (J'écrivis FIN sur le bloc-notes et donnai du relief aux lettres à la façon des graffitis de tag-gers.) Heureusement, je me cramponne à mes étriers. Je voulais simplement vous prévenir au cas où l'un d'eux bougerait.

— Ah non, vous n'allez pas me laisser tomber maintenant que la moitié du boulot est faite ! Et le coffre, hein ? Il faut toujours le trouver !

— Trouvez-le vous-même ! Moi, je m'en tiens là.

— Pensez à la volupté que vous éprouverez quand nous aurons enfin coincé ces types.

— « Nous » ? Mon œil ! Ce n'est pas mon problème. Le bébé est à vous.

Elle se mit à rire.

— Je sais, mais je ne désespère pas de vous convaincre.

— Non, sans façons. Sympa de travailler avec vous. On a bien ri, lui dis-je, et je raccrochai.

Je levai les yeux de dessus mon dessin et découvris Richard Hevener debout dans l'encadrement de la porte, en imperméable noir et bottes de cow-boy également noires.

J'éprouvai une sensation de brûlure glaciale comme après un méchant coup de soleil, une chaleur cuisante sur la peau qui me glaça jusqu'aux os. Impossible de savoir depuis combien de temps il était là ni de me rappeler, même la tête sur le billot, si j'avais mentionné son nom ou celui de Tommy vers la fin de la conversation. Je ne pensais pas avoir prononcé son nom à elle.

— Bonjour, lui dis-je d'un ton que j'espérai désinvolte.

— C'est quoi, ça ?

Il sortit une enveloppe de sa poche et la lança en direction de mon bureau. Ma lettre fendit l'air et atterrit devant moi.

Mon cœur se mit à cogner.

— Je suis très ennuyée. J'aurais sans doute dû vous appeler, mais c'était pour le moins embarrassant.

— C'est quoi, cette histoire ? répéta-t-il.

— Rien. Simplement, ça ne marche pas.

— « Ça ne marche pas. » C'est tout ?

— Je ne vois pas ce que je pourrais vous dire d'autre. Je ne veux pas du local. Je croyais en avoir envie, mais non.

424

— Vous avez signé un bail.

— Je sais, et je vous fais mes excuses pour le désagrément...

— Il ne s'agit pas de désagrément. Nous avons un accord.

Le ton était léger, mais inflexible.

— Qu'attendez-vous de moi ?

— Que vous honoriez les termes du bail que vous avez signé.

— Vous savez quoi ? Pourquoi ne pas en parler à mon avocat ? Il s'appelle Lonnie Kingman. Son bureau se trouve juste au bout du couloir.

Ida Ruth apparut derrière lui.

— Tout va bien ? me demanda-t-elle.

Richard lui jeta un bref regard, puis ses yeux revinrent sur moi.

— Tout va bien, dit-il. Je suis certain que nous parviendrons à résoudre notre petit problème en beauté.

Il battit en retraite. Je le regardai se retourner vers elle en veillant à ne pas la toucher au passage. Il disparut de mon champ de vision, mais Ida continuait de le fixer.

— Qu'est-ce qui lui prend ? Il est cinglé ou quoi ? Il n'a pas l'air dans son assiette.

— Et tu ne connais pas la moitié de l'histoire ! S'il se manifeste de nouveau, tu appelles la police.

Je fermai ma porte à clé et composai le numéro de Mariah au Texas, laissant un nouveau message sur son répondeur. J'ignorais dans combien de temps elle l'interrogerait, mais je n'aimais vraiment pas la tournure que prenait cette affaire.

CHAPITRE 20

Je pris la 101 vers la bretelle de sortie de Little Pony Road, soit à cinq ou six kilomètres de route de là, mais la circulation était fluide. Je me retrouvai à passer au crible cette fichue conversation avec Mariah et nos plaisanteries aux frais des frères Hevener. J'étais quasiment sûre de n'avoir livré aucune information. Je n'avais aucune idée de ce que Richard me réservait, mais sa solution « en beauté » se situait probablement quelque part entre le tribunal de première instance et la mort. Je surveillais le rétroviseur, lançant un coup d'œil rapide à toute voiture qui roulait à ma hauteur.

Laguna Plaza est un centre commercial piétonnier en forme de L. Il commence à vieillir, mais conserve une élégance qui le démarque des autres et n'a rien à voir avec les énormes stades de vente qu'on nous construit aujourd'hui. Ici, pas d'atriums cernés de parois de verre où poussent des arbres grandeur nature, pas d'espace de restauration, pas de deuxième et troisième niveaux reliés par des escalators. Je garai ma Volkswagen juste en face de Mail & More, entreprise qui propose la location de boîtes postales privées, un service de réception et de réexpédition du courrier, des photocopieuses, une officine de légalisation de signatures et de documents, un service d'impression de cartes de visite professionnelles, des tampons encreurs et un accès vingt-quatre heures sur vingt-quatre, sept jours sur sept.

L'intérieur se répartissait en deux grandes sections, possédant chacune une entrée distincte, et séparées par une paroi en verre et une porte vitrée fermant à clé. On trouvait dans l'espace de droite un comptoir, les photocopieuses, des fournitures de bureau et une employée pour aider à emballer les paquets et expédier le courrier. Une porte au fond laissait voir des rangées de cartons à plat et de formats divers, des rouleaux de plastique à bulle, du papier d'emballage et des bacs en métal remplis de bourre de polystyrène expansé.

L'employée était absente, mais avait laissé un mot sur le comptoir : FERMÉ POUR URGENCE PERSONNELLE. DÉSOLÉE POUR LE DÉRANGEMENT. SERAI DE RETOUR LUNDI. TIFFANY. Pour peu qu'elle soit du genre Jeniffer, l'« urgence personnelle » était une séance de bronzage ou un rendez-vous chez le pédicure. Je lançai des « Houhou ! » et « Y a quelqu'un ? » pour me couvrir tandis que je prenais la liberté de passer derrière le comptoir afin d'inspecter l'arrière-salle. Pas une âme en vue. Je revins sur le devant et attendis un moment, franchement en colère. N'importe qui pouvait entrer et piquer les fournitures de bureau. Et si j'avais un paquet à expédier ou un besoin urgent de signatures certifiées ?

Je m'approchai de la paroi vitrée et examinai l'espace adjacent : un véritable bloc cellulaire de boîtes postales, numérotées et vitrées sur le devant, montant du sol jusqu'à hauteur d'homme, pourvu d'une fente dans le mur du fond pour poster les lettres et les paquets de petites dimensions. C'était la section ouverte vingt-quatre heures sur vingt-quatre. Je poussai la porte vitrée. En suivant les numéros dans l'ordre, je repérai la boîte 505 : cinquième rangée à l'horizontale, cinq en partant du haut. Je me penchai et regardai par la petite vitre biseautée. Je ne vis pas de courrier, mais bénéficiai du coup d'une vue tronquée de la pièce derrière, où je vis un type qui descendait la rangée, distribuant les lettres d'un sac qu'il avait à la main. Quand il arriva à ma rangée, je frappai à la vitre de la 505.

Le bonhomme se baissa de façon à mettre son visage à la hauteur du mien.

— Puis-je vous dire deux mots ? lui demandai-je. J'ai besoin d'aide de ce côté-ci.

Il me montra quelque chose sur ma droite.

— Allez jusqu'à la fente !

Nous partîmes tous deux dans cette direction, lui de son côté, moi du mien. La fente en question m'arrivait à la poitrine. Cette fois, je me penchai plus près et eus une vue plongeante sur le courrier qui s'empilait dans la boîte au-dessous. Le type était bien plus grand que moi, notre différence de taille l'obligeant non seulement à se pencher, mais à incliner la tête selon un angle anormal.

428

— Quel est le problème ? me demanda-t-il.

Je sortis une carte de visite professionnelle et la glissai dans l'ouverture pour qu'il puisse voir à qui il avait affaire.

— J'ai besoin de renseignements sur le correspondant qui loue la boîte 505.

Il saisit ma carte et l'examina.

— Pour quelle raison ?

— Il s'agit d'une enquête criminelle.

— Vous avez une assignation ?

— Non. Je n'ai pas d'assignation. Sinon, je ne vous poserais pas la question.

Il poussa la carte vers moi.

— Voyez avec Tiffany. C'est son département.

Son « département » ? Ils n'étaient que deux. De quoi parlait-il ?

— Elle est absente et la note dit qu'elle ne rentrera pas avant lundi.

— Alors, il faudra repasser.

— Impossible, j'ai une audience au tribunal. Ça ne vous prendra même pas une demi-seconde, lui dis-je. Oh, s'il vous plaît, soyez gentil, je vous en prie !

Il parut perplexe.

— Qu'est-ce que vous voulez ?

— Juste jeter un petit coup d'œil au formulaire de location pour voir qui la loue.

— Pourquoi ?

— Parce que la veuve du type croit qu'il se faisait envoyer du matériel pornographique à cette adresse, et je pense qu'elle se trompe. Tout ce que je veux savoir, c'est qui a rempli le formulaire.

429

— Je suis tenu à la discrétion.

— Vous ne pourriez pas faire une exception ? Ça pourrait vraiment lui changer la vie. Pensez à tout le chagrin qu'on lui épargnerait...

Il se perdit dans la contemplation du sol. Je lui donnais quarante ans, un âge bien trop avancé pour exercer ce métier. J'imaginais tout à fait son débat intérieur. D'un côté, le règlement, c'est le règlement, même si je doutais quant à moi que ma requête tombe sous le coup d'un article quelconque. Il ne travaillait pas pour le gouvernement et ses fonctions ne l'obligeaient pas à être assermenté. Trieur de courrier en exercice. Heureux de gagner un demi-dollar par heure au-dessus du salaire minimum garanti.

— Je viens de m'entretenir avec la police, je l'ai prévenue et j'ai son feu vert.

Silence.

— Je vous donnerai vingt dollars.

— Attendez-moi là.

Il disparut pendant ce qui me parut une éternité. Je sortis le billet de mon portefeuille, le pliai en long, le coudai et le plaçai en équilibre sur le bord de la fente, au cas où sa délicatesse morale le pousserait à refuser un pot-de-vin donné de la main à la main. J'attendis en restant le dos au mur, à observer l'entrée. J'imaginai une brève seconde un Richard Hevener au volant de sa voiture de sport, fonçant dans la porte vitrée blindée et m'écrasant contre le mur. Au cinéma, les gens passent leur temps à plonger pour éviter des trains fous qui finissent leur course dans des gares, à se jeter de côté tandis que des jumbo-jets se crashent dans des aérogares, ou que des bus

ont leurs freins qui lâchent et montent sur le trottoir. Comment se prépare-t-on à faire un tel bond
dans la vie réelle ?

— Madame ?

Je me retournai. Le type avait refait surface et
les vingt dollars que j'avais laissés avaient disparu. Il avait le formulaire avec lui, mais le gardait dans son dos, rechignant manifestement à
s'en défaire. J'attendis que son visage soit à la
hauteur du mien et tentai de lui poser des questions faciles, juste pour le mettre en condition.
C'est ce qu'on appelle les préliminaires du détective privé, entre quat'-z-yeux.

— Comment ça marche ? lui demandai-je. On
entre et on paie la location pour l'année qui
vient ?

— Plus ou moins. Vous pouvez aussi le faire
par courrier. Nous déposons un avis dans la boîte
à la date du renouvellement annuel.

— Et on paie en espèces ?

— Ou par chèque. C'est selon.

— Il vous arrive de ne jamais voir la personne
qui loue la boîte ?

— Dans la grande majorité, nous ne voyons
pas les clients. Nous nous moquons de savoir qui
ils sont du moment qu'ils paient au jour dit. Je
remarque certains utilisateurs qui se font imprimer de la papeterie fantaisie et se comportent ici
comme s'ils étaient au siège de leur société en
disposant d'une série de bureaux. C'est marrant,
mais franchement nous nous en fichons.

— J'imagine. Si vous me passiez le formulaire par la fente pour que je le voie mieux ? Il
s'agit d'une enquête légale. Je ne plaisante pas.

— Pas question. Je ne veux pas que vous y touchiez. Je vous laisse regarder pendant trente secondes, mais je ne peux pas faire mieux.

— Génial.

Seigneur, dans quel monde vivons-nous ? Vous vous fendez de vingt dollars pour soudoyer un bonhomme et il a encore des scrupules !

Il me présenta la fiche de son côté de la fente et la pencha pour me laisser voir. L'œil sur sa montre, il décomptait les secondes. Tu parles ! Ce brave homme ignorait que, lorsque j'étais petite, j'étais imbattable au jeu auquel on jouait aux réunions d'anniversaire. La mère de l'enfant qui invitait posait plusieurs objets sur un plateau, qu'elle recouvrait ensuite d'une serviette. Tous les petits invités faisaient cercle autour. Madame Mère soulevait alors la serviette trente secondes, pendant lesquelles nous avions la permission de regarder pour mémoriser les objets. Je gagnais toujours, essentiellement parce que c'étaient toujours les mêmes trucs qu'on y mettait. Une pince à cheveux, une cuiller, un coton-tige, un flocon de ouate... J'utilisais mes trente secondes pour repérer tout objet nouveau ou insolite. Le seul défaut de ce jeu était ce qu'on gagnait — d'habitude une boîte de savon liquide avec le chalumeau incorporé pour faire des bulles.

Le formulaire ne brillant pas par son originalité, j'assimilai l'information dans les deux premières secondes. La signature au bas de la feuille semblait être celle de Dow, mais ce n'était pas lui qui avait rempli les demandes de renseignements au-dessus. C'était l'écriture de Leila, avec ses « t » anguleux et ses « i » exagérés. Tiens, tiens, tiens.

— Juste une petite chose encore, lui dis-je. Pourriez-vous cracher sur votre doigt et le passer sur la signature ?

— Pour quoi faire ?

Ce type était pire qu'un gamin de quatre ans.

— Parce que je me demandais si elle était écrite au stylo ou si c'était une photocopie.

Il se lécha l'index d'un air contrarié et frotta la signature. Pas de bavure.

— Mmmm, marmonna-t-il.

— Comment vous appelez-vous ?

— Ed.

— Eh bien, Ed, je vous suis reconnaissante de m'avoir dépannée. Mille mercis !

Je revins à ma voiture et ne démarrai pas tout de suite, réfléchissant aux conséquences de ma découverte. Si je reprenais les choses à la base, force m'était de conclure que Leila avait intercepté l'avis de renouvellement de la location lorsqu'il était arrivé avec l'appel de versement annuel. D'après Crystal, les relevés de compte de la Mid-City Bank arrivaient à la boîte postale. Leila avait donc très vraisemblablement prévenu la banque, dactylographiant peut-être même sa demande sur un papier à en-tête des Prairies du Pacifique, imitant la signature de Purcell ou joignant une photocopie de celle-ci et demandant que les relevés de compte soient envoyés à la 505. Je laissai mon regard errer sur la vitrine de la boutique en songeant à la facilité avec laquelle elle pouvait passer au Mail & More quand elle ne se trouvait pas à la pension.

Je mis le contact, sortis de ma place en marche arrière et me dirigeai vers la sortie. En arrivant dans la rue, je m'aperçus que l'agence Laguna Plaza de la Mid-City Bank se trouvait à l'angle opposé. Même d'où j'étais, j'apercevais le distributeur automatique qu'elle avait utilisé pour vider le compte. Il ne lui fallait que la carte bancaire et le numéro du compte, toutes choses que Dow laissait sûrement traîner chez lui sur son bureau.

Fidèle à la parole donnée, dès que je revins au bureau, j'appelai Jonah.

— Lieutenant Robb à l'appareil...

— Ici, Kinsey. Si tu ne me poses pas de question sur mes méthodes, je te dis ce que je viens de découvrir. Je te jure que je n'ai pas fichu la pagaille. Je n'ai touché à rien.

— O. K., je prends.

Je lui expliquai les raisons de mon expédition chez Mail & More, me répandant longuement sur la conduite de Leila pour mieux glisser sur la mienne.

Jonah ne dit pas grand-chose, mais je savais qu'il prenait des notes.

— File-moi l'adresse de la boîte postale, dit-il.

— Mail & More, Laguna Plaza. Boîte 505.

— Je vérifie tout de suite. On fait dans le retors.

— Comme tu dis, lui répondis-je en présumant qu'il parlait d'elle.

— Tu sais où elle est en ce moment ?

— Chez Lloyd, à ce que j'ai entendu dire, mais je devrais peut-être vérifier. Leila a une copine, une certaine Paulie, qu'elle a rencontrée au tribunal pour enfants... en juillet de l'année dernière, je crois. Paulie a déjà eu des ennuis avec la justice. Je me suis demandé si les deux filles n'envisageaient pas de fuguer. Ça pourrait être intéressant de jeter un coup d'œil au dossier de ladite Paulie pour se faire une idée.

Il m'assura qu'il allait s'en charger, et je raccrochai. Je me sentais déjà coupable. Il ne manquait plus à Crystal que de voir sa fille unique accusée d'extorsion de fonds !

Une fois de plus, je repris ma voiture et refis le trajet jusque chez Lloyd. J'avais des questions à lui poser, et cela me donnait un prétexte. Si Leila décidait de se tirer, je ne pouvais guère l'en empêcher, mais autant ne pas la perdre de vue.

En approchant de la maison en A, je vis qu'il y avait de la lumière. Je pris l'allée, garai la voiture et sortis. Lloyd travaillait dans le petit garage indépendant. Il avait levé le capot de son coupé et ses mains étaient noires de cambouis. Il me regarda venir sans avoir de réaction spéciale, comme si mon arrivée faisait partie de la routine. Je n'avais pas la moindre idée de ce qui l'occupait dans les entrailles de son moteur... en tout cas, l'activité était fort virile. Il portait un pantalon coupé aux genoux et un sweater qui avait largement fait son temps. Plus des tongs aux pieds. Une saleté obscurcissait un de ses verres de lunettes. La boucle d'oreille au crâne et tibias croisés avait disparu.

— C'est vous, Millhone, dit-il tant à son intention qu'à la mienne.

— Et vous, vous êtes Lloyd Muscoe.

— Ravi qu'on soit d'accord.

— J'étais dans le coin et j'ai eu l'idée de passer. J'espère que je ne vous dérange pas. Leila est-elle là ?

Il sourit en lui-même.

— Ça dépend de ce que vous lui voulez.

J'examinai le moteur qu'il avait mis à nu et qui semblait entièrement constitué d'éléments prêts à exploser. J'ai appris à faire le plein toute seule, c'est mon plus grand titre de gloire en matière d'automobile.

— Un problème avec la voiture ?

— Pas spécialement, sauf qu'elle est vieille et fatiguée. Je la vidange, je change les bougies, ce genre de bricoles.

— Une révision en somme.

— Si on veut. Je pars pour quelques jours.

Il plongea la main dans son moteur et en retira un petit truc biscornu qu'il nettoya avec un chiffon avant de le remettre en place. Puis il enfonça sa main plus profondément et régla Dieu sait quoi dans les organes majeurs du moteur.

— Où ça ?

— A Las Vegas. J'avais envie de demander à Crystal si je pouvais emmener Leila. Vous en pensez quoi ?

Il ne me demandait pas vraiment mon avis, me faisant juste la conversation pendant qu'il poursuivait ses travaux.

— Cela m'étonnerait qu'elle accepte.

436

— On ne sait jamais avec elle. Elle en a assez des problèmes de Leila.

— Sans vouloir pour autant la mettre dehors, lui dis-je. (J'attendis une réaction, qui ne vint pas.) Vous croyez que ce serait bon pour Leila de la changer de nouveau ?

— A Las Vegas au moins, elle ne faisait pas de conneries. Elle déteste la boîte où on l'a mise. Une bande de futures débutantes gâtées et pleines aux as. Franchement, de l'argent foutu par les fenêtres.

— Elle déteste tout, non ?

Il secoua la tête.

— Elle a besoin d'être tenue, rien de plus. Par quelqu'un comme moi qui ne lui passe pas tout.

— D'être encadrée, quoi.

— Voilà. C'est exactement ce que j'ai dit !

— Elle l'est, à Fitch, et jusqu'ici ça n'a pas servi à grand-chose.

— Trop de carotte, pas assez de bâton.

— Qu'en pense-t-elle ?

Il me lança un regard irrité.

— Ça n'a aucun rapport. Elle est têtue comme une bourrique et paresseuse. Laissez-la faire et elle passe son temps vautrée devant la télé. Crystal est bien trop occupée à essayer d'être sa meilleure amie. Ce n'est pas la bonne méthode. Les enfants ont besoin d'un parent, pas d'un copain.

Je me gardai de dire quoi que ce soit. Crystal ne la laisserait pas partir, mais je n'étais pas venue pour me disputer avec lui.

— Et si vous disiez ce qui vous amène au lieu de tourner autour du pot ? me lança-t-il avec une ironie désabusée.

— Bonne idée, lui renvoyai-je. A ce que je comprends, Purcell est passé vous voir il y a quelques mois. Je me demandais pourquoi.

— Il lui était revenu que Crystal avait une liaison. Il a cru qu'il s'agissait de moi. Dommage que je n'aie rien eu à avouer. Ça ne m'aurait pas déplu de lui envoyer ça dans la gueule.

— Ce n'était pas vous.

— Je crains que non.

— Combien de temps êtes-vous restés mariés tous les deux ?

— Six ans.

— Six ans de bonheur ou de malheur ?

— J'aurais dit de bonheur, mais c'est bien connu, le mari est le dernier à être informé.

— J'ai entendu dire que vous aviez des rapports de couple assez explosifs.

Il interrompit ce qu'il faisait et s'appuya contre l'aile de la voiture tandis qu'il s'essuyait les mains.

— Le courant passait. La pierre et le silex. On était ensemble et les étincelles volaient.

— Et pas avec Purcell ?

— Vous plaisantez ou quoi ? A ce que j'ai compris, il donnait dans les petits jeux vicelards. Elle a dû avoir le choc de sa vie ! Elle épouse le type en pensant qu'il va la combler. Et il s'avère qu'il boit comme un trou et n'arrive à bander que si elle met des talons aiguilles et lui cravache le cul ! Ça ne m'a pas étonné qu'elle le trompe. Il m'est arrivé de la cogner, mais je n'ai jamais donné dans ce genre de petits jeux.

— Était-elle fidèle ?

438

— Je crois. Mais je serais bien en peine de vous éclairer là-dessus.

— Vous aviez de bons rapports avec Purcell ?

— Si on pense qu'il m'avait piqué ma femme, pas mauvais.

— Vous rappelez-vous où vous étiez ?

Il sourit en secouant la tête.

— Quoi ? La nuit où il a plongé ? J'ai déjà donné. Les flics sont passés hier.

— Que leur avez-vous dit ?

— La même chose qu'à vous maintenant. Ce vendredi-là, la nuit du 12, je travaillais. Je faisais le taxi... c'est sur les registres de la société. Leila était ici avec sa copine Paulie, à regarder des cassettes. Crystal est passée la prendre le samedi matin, comme d'habitude. Demandez-le-lui si vous ne me croyez pas.

Je l'observai un instant.

— Et la boucle d'oreille ?

— Je l'ai enlevée pour un entretien que j'ai eu, il y a quelques mois de ça. Je ne voulais pas que le type me prenne pour une tante.

— Ça a marché ?

— Non.

— C'est pour ça que vous repartez à Las Vegas ? Pour que la chance tourne ?

— J'ai une théorie. Les choses vont mal ? Pensez au dernier endroit où vous avez été heureux et retournez-y.

Prise d'un accès de culpabilité, je consacrai tout mon vendredi à d'autres clients. Rien de palpitant au demeurant, mais au moins ça réglait les factures.

Le service à la mémoire du Dr Purcell se déroula le samedi après-midi à 2 heures, à la chapelle presbytérienne de West Glen Road, à Montebello. Je revêtis ma petite robe noire et ballerines passe-partout et arrivai à 1 h 45. C'était un petit sanctuaire tout en longueur, avec de hauts murs de pierre, un plafond à poutres apparentes et cinquante bancs répartis en deux travées de vingt-cinq. Dehors, la journée était grise et humide, et les six vitraux, exécutés dans une palette d'écarlate intense et d'indigo, transformaient la plus grande partie de la lumière disponible en une pénombre lugubre. Je ne connais pas grand-chose aux doctrines presbytériennes, mais l'atmosphère suffisait à elle seule à me dégoûter de la prédestination.

Bien que la cérémonie fût sur carton d'invitation, la famille et les amis avaient été nombreux à se déplacer, et la chapelle était pleine comme un œuf. Le clan de Crystal occupait une des travées, celui de Fiona l'autre. Pour certains des assistants, le choix allait de soi. Dana et Joel, par exemple, s'installèrent sans l'ombre d'une hésitation, s'appliquant à éviter la seconde épouse de Dow par loyauté envers la première. Ceux que je rangeais dans la catégorie des amis communs semblaient tiraillés et se consultaient furtivement avant de se glisser sur un banc. Tandis qu'on s'occupait de placer les retardataires, un(e) organiste invisible enchaînait un pot-pourri de mélodies affligées, le Top 40 des chants funèbres. Je profitai de l'occasion pour méditer sur la brièveté de la vie, me demandant si Richard Hevener avait prévu d'abréger la mienne. Mariah, lorsqu'elle m'avait rappelée, ne m'avait pas semblé autrement émue. Elle partait du principe que les garçons Hevener ne prendraient pas le risque d'exécuter un nouveau meurtre si vite après le premier. Parlez d'un réconfort !

Crystal avait été prise de court et cela se sentait. J'imagine qu'un enterrement exige de l'organisation, comme n'importe quelle autre réception. Il y a des gens qui possèdent une sorte d'instinct pour ces choses-là, d'autres pas. Ce qui rendait l'affaire bizarre était l'absence de cercueil ou d'urne, voire d'une simple gerbe de fleurs. La notice parue dans le journal avait demandé qu'il n'y ait ni fleurs ni couronnes, mais qu'un don soit adressé au nom du Dr Purcell à une œuvre de bienfaisance. Il n'y avait même pas de photographie de lui.

Le choix de la travée me posa un petit cas de conscience. Crystal avait souhaité ma présence, mais comme j'étais toujours, en théorie, au service de Fiona, je me sentais financièrement tenue de me ranger dans sa travée. Je finis par m'asseoir au dernier rang, ce qui m'offrit une vue panoramique des lieux. La fille aînée de Fiona, Melanie, qui était arrivée par avion de San Francisco, remonta l'allée centrale avec sa mère à son bras avec autant de solennité qu'un père conduisant sa fille à l'autel. Fiona, on ne s'en étonnera pas, portait le deuil : un tailleur en lainage à veste boutonnée par des cabochons en strass et jupe à mi-mollet. Une cloche de velours noir assujettissait ses boucles exubérantes, et elle portait une voilette qui me rappela le masque du Lone Ranger. Je la vis presser un mouchoir en papier sur ses lèvres, mais ne saurais dire si elle ôtait un excès de rouge à lèvres ou retenait ses larmes. Mel avait les cheveux foncés comme ceux de sa mère, mais avait opté pour une coiffure sévère : un henné et une coupe au carré à la frange implacable. Elle était plus grande et plus charnue et portait un tailleur-pantalon et des bottillons noirs.

Blanche les suivait dans une volumineuse robe de grossesse évasée qui ressemblait à une tente. Elle se mouvait avec lenteur, encadrant son ventre de ses deux mains comme pour l'empêcher de tomber. Elle marchait avec précaution, comme quelqu'un tenant un bol de potage qui menace de déborder. Son mari, Andrew, l'escortait, réglant son pas sur le sien. Elle avait eu la bonté de laisser les enfants à la maison, ce dont nous lui fûmes tous reconnaissants.

Mme Stegler, des Prairies du Pacifique, était assise juste devant moi : tailleur et oxfords marron, casque de bouclettes rousses. On notait aussi la présence de nombreux membres du corps médical (en tout cas, ils en avaient l'allure) en costume sombre et de plusieurs représentants du troisième âge, sans doute d'anciens patients du Dr Purcell en gériatrie. De l'autre côté de l'allée, Crystal et Leila furent dûment conduites à leur place, au premier rang à gauche. Crystal portait un fourreau noir très simple, auquel s'ajoutait l'élégant fouillis de ses cheveux blonds mousseux. Les traits tirés, des cernes noirs sous les yeux, elle semblait vannée. Leila avait renoncé à l'extravagant pour donner dans le décalé : un haut droit en latex noir, assorti à une jupe noire à paillettes. Ses cheveux courts oxygénés se dressaient sur sa tête comme chargés d'électricité statique. Jacob Trigg, en manteau et cravate, se propulsa dans l'église en s'appuyant sur ses cannes anglaises. Il se glissa à une place de la travée de Fiona, près du fond. Anica Blackburn fit son apparition et m'adressa un bref sourire avant de s'asseoir sur le banc en face du mien. On entendait le brouhaha assourdi et les chuchotements habituels, un toussotement ici et là. J'étudiai la feuille qu'on m'avait donnée, en me demandant par quel miracle Crystal avait réussi à la faire imprimer si vite. Toujours est-il qu'on allait nous régaler d'un salmigondis de cantiques, d'une doxologie et de deux prières, suivis par un Ave Maria interprété en solo par une cantatrice, le panégyrique, et enfin deux derniers cantiques.

Une retardataire fit son entrée, une femme aux cheveux blonds en qui je reconnus, avec un certain retard, Pepper Gray, mon infirmière préférée. Je la regardai ôter son manteau et remonter sur la pointe des pieds jusqu'au milieu de l'allée, où elle s'immobilisa pendant qu'un bonhomme se levait pour la laisser s'asseoir sur le banc. Elle marchait comme si elle portait toujours ses chaussures à semelles de crêpe.

Le pasteur fit son apparition en robe tel un juge, accompagné de son appariteur spirituel qui entonna comme au prétoire : « Veuillez vous lever. » On se leva et chanta. On s'assit et pria.

443

Pendant que toutes les têtes étaient inclinées, je meublai mes pensées en songeant à mon collant en débandade et à mon âme rebelle. Qu'attend-on pour dessiner des collants qui restent à leur place ? Quant à l'état de mon âme, la formation religieuse de mes jeunes années présentait pour le moins des lacunes, car elle avait consisté en une série de renvois du catéchisme. Ma tante Gin ne s'était jamais mariée et n'avait pas de fruits de sa chair. Après que la mort de mes parents m'eut confiée à ses soins avec si peu de ménagements, elle s'était jetée tête la première dans une carrière d'éducatrice à laquelle rien ne l'avait préparée, inventant les règles au fur et à mesure. Dès le début, elle avait accompli sa lourde tâche en se fiant à l'idée malavisée qu'il fallait toujours dire la vérité aux enfants. Aussi avais-je toujours reçu des réponses franches et détaillées à mes questions les plus élémentaires, la première portant sur l'origine des bébés.

Mon souvenir du catéchisme le plus cuisant remonte au premier Noël que je passai avec elle — j'avais cinq ans et demi. Sans doute se sentait-elle plus ou moins tenue de m'initier aux mystères de la foi, car elle m'avait déposée à l'église baptiste, à une rue de notre parking de caravanes. Le cours de ce dimanche matin-là avait trait à Marie et Joseph, que je pris d'emblée en grippe. Si j'avais bien compris, le pauvre petit Jésus était le bébé de deux chiffes molles qui n'avaient rien trouvé de mieux que de le faire naître dans une remise. Lorsque mon professeur de catéchisme, Mme Nevely, entreprit d'expliquer à mes petits condisciples par quel mystère Marie s'était retrouvée porter « un enfant dans son sein », j'étais apparemment la seule personne présente à savoir qu'elle se fichait le doigt dans l'œil. Je levai le mien avec insistance. Elle m'interrogea, ravie de mon ardeur à participer. Je revois encore la transformation de son visage quand je me lançai dans le dogme de la conception selon ma tante Gin.

Le temps que tante Gin vienne me récupérer, on m'avait expédiée sur le trottoir, un mot épinglé à ma robe, avec interdiction d'ouvrir la bouche jusqu'à son arrivée. Elle eut l'intelligence de ne pas me gronder. Elle me fit un « sanwich » de pain beurré, avec des saucisses de Francfort en boîte coupées en deux. Je m'assis sur les marches de la caravane et dégustai mon pique-nique. Et pendant que je jouais toute seule au croquet dans son minuscule carré de jardin, tante Gin rameuta toutes ses copines, leur parlant en baissant la voix et morte de rire. Je savais que je lui avais fait plaisir, mais je ne voyais pas exactement comment.

Lorsqu'il se décida enfin à venir au lutrin, le pasteur y alla des remarques types qui font l'affaire pour n'importe quel défunt, sauf dépravé. Le service se terminant, l'assistance se mit en devoir de sortir en rang de l'église. Je m'attardai près de la porte en espérant intercepter Fiona avant qu'elle quitte les lieux. Je voulais prendre rendez-vous pour bavarder avec elle et tirer au clair les détails de nos rapports. Je finis par l'apercevoir : elle s'appuyait lourdement sur Mel, qui marchait à son rythme. Melanie savait sûrement qui j'étais car elle me jeta un regard d'avertissement pendant qu'elle aidait sa mère à descendre les marches et à rejoindre le parking.

Anica m'effleura le bras.

— Vous venez, n'est-ce pas ? On réunit quelques personnes.

— Vous êtes sûre ? Je ne voudrais surtout pas vous déranger.

— Pas du tout. C'est Crystal qui m'a dit de vous en prier. Nous allons à la villa de la plage.

— Alors, avec plaisir.

— Parfait. A tout à l'heure.

Le parking se vida lentement. La foule s'égailla comme à la sortie du cinéma, les gens s'arrêtant pour bavarder tandis que les véhicules avançaient au ralenti. Je retrouvai ma voiture et me mêlai à la file qui s'amenuisait. Le ciel couvert s'était éclairci et un pâle soleil parut vouloir filtrer à travers les nuages.

La villa se trouvait à moins de trois kilomètres de l'église, par les petites routes. Je dus arriver dans les derniers, car des voitures de luxe s'alignaient déjà sur tout le bas-côté gravillonné de Paloma Lane. Je pris la première place que j'aperçus, fermai ma voiture et fis à pied le reste du trajet jusqu'à la villa. Je sentis que l'entrejambe de mon collant en perdition m'arrivait à mi-cuisse. D'un coup de reins, je remis cet idiot à sa place. Vous m'auriez donné dix cents que je l'enlevais et le fichais dans un fourré.

Au moment où je m'engageais dans l'allée de Crystal, j'aperçus la voiture de collection que j'avais vue aux Prairies du Pacifique. Je m'arrêtai et jetai un coup d'œil prudent autour de moi en remarquant que je me trouvais à l'abri des regards. La façade arrière de la villa était entièrement aveugle et il n'y avait, pour l'instant, aucune voiture sur la route derrière moi. Je fis le tour du véhicule, vérifiant l'emblème du constructeur apposé sur l'aile droite avant. Une Kaiser Manhattan. Inconnue au bataillon. Les quatre portières étaient fermées et un rapide examen des sièges avant et arrière ne révéla rien d'intéressant.

On avait laissé la porte d'entrée entrebâillée, le bruit qui s'en échappait ressemblant à s'y méprendre au brouhaha d'un cocktail ordinaire. La mort, par nature, restructure le tissu familial et celui des amis. Les survivants se serrent volontiers les coudes, cherchant dans la nourriture et la boisson un baume qui adoucisse la douleur. D'habitude, on rit. Je ne sais pas exactement pourquoi, mais ce rite fait sûrement partie intégrante du processus de deuil, offrant un talisman à ceux qui pleurent une disparition.

Il y avait bien soixante invités, que j'avais vus pour la plupart à l'église. On avait ouvert les portes-fenêtres donnant sur la terrasse, et j'entendais au loin le reflux incessant du ressac. Un monsieur dont la veste blanche s'arrêtait au ras des fesses passa avec un plateau et stoppa pour m'offrir une coupe de champagne. Je le remerciai et me servis. Puis je dénichai un coin tranquille près de l'escalier et bus mon champagne à petites gorgées tout en cherchant le moustachu à la tignasse argentée.

Jacob Trigg arriva derrière moi et, comme

moi, s'arrêta à la lisière de la cohue. Beaucoup de ceux qui pleuraient le défunt étaient déjà plongés dans des discussions animées et l'idée de s'immiscer dans un trio quelconque me terrifiait.

— Vous connaissez ces gens-là? me demanda Trigg.

— Non. Et vous?

— Quelques-uns. Dites donc, c'est vous qui avez retrouvé Dow?

— Oui. Et sa mort m'attriste. J'espérais qu'il s'était tiré en Amérique latine.

— Moi aussi, me répondit-il avec un sourire sans joie.

— Dow vous avait-il parlé de l'argent qui avait disparu de son compte d'épargne?

— Je sais qu'il était au courant. Le directeur de la banque s'était inquiété et lui avait envoyé une photocopie du relevé, accompagnée d'une demande de renseignements. Dow l'avait remercié et avait répondu qu'il était au courant et qu'il allait aviser. En réalité, c'était la première fois qu'il en entendait parler. Au début, il a cru que c'était Crystal puisque les relevés étaient adressés à sa boîte postale.

— Lui a-t-il posé la question?

— Pas sur l'argent, mais sur la boîte, oui. Elle lui a répondu qu'elle avait résilié le contrat depuis environ un an. Il n'a pas voulu aborder le problème avant d'en avoir le cœur net. C'était presque forcément quelqu'un de la maison. Qui d'autre, sinon, aurait eu accès à la carte bancaire et au numéro de compte?

— Qui soupçonnait-il?

— Crystal ou Leila, encore que ç'aurait pu

être Rand. Il était arrivé à s'en faire une idée assez précise, mais ne voulait rien dire avant d'être certain. Il y avait déjà trop de heurts avec Crystal au sujet de Leila... elle l'avait même menacé de partir. S'il y avait un problème avec Leila, il entendait le régler lui-même. Naturellement, dès qu'il s'agissait de Rand, Crystal était tout aussi féroce. Quel intérêt y aurait-il eu à s'attaquer à ça ? Il avait aussi trop à perdre de ce côté-là.

— Comment ça ?

— Elle ne faisait confiance qu'à lui pour s'occuper de Griff. Sans Rand, elle n'avait aucune liberté. De toute façon, Dow se retrouvait pieds et poings liés.

— Pourquoi ne pas fermer le compte ?

— Je suis certain qu'il l'a fait.

— A-t-il fini par savoir qui c'était ?

— C'est possible, mais il ne me l'a jamais dit.

— C'est dommage. Son passeport manquant, les flics ont cru à une disparition volontaire. Pourquoi diable Crystal ne leur en a-t-elle rien dit ?

— Elle n'en savait peut-être rien. Ou alors, il avait décidé que ça ne valait pas le coup de semer la pagaille.

— Il se serait laissé dépouiller de trente mille dollars ?

— Papa ?

Nous nous retournâmes d'un même geste. Une femme avec une épaisse natte blonde qui lui arrivait au milieu du dos se tenait derrière nous. Elle avait la quarantaine, ne portait aucun maquillage, et était vêtue d'un long pull en coton, d'une jupe paysanne et de sandales. Elle me parut du genre à ne jamais se raser les poils des jambes, mais je ne souhaitais pas vérifier. Et elle était trop intelligente pour mettre un collant, ce qui la fit aussitôt monter dans mon estime. Le mien se barrait une fois de plus. D'une seconde à l'autre, il allait m'arriver aux genoux et je serais bonne pour marcher à pas menus en me dandinant comme avec une jupe entravée.

— Je vous présente ma fille, Susan.

— Ravie de vous connaître, lui assurai-je.

Nous nous serrâmes la main et bavardâmes tous les trois un moment avant qu'elle ne prenne Trigg par le bras.

— J'espère que vous ne nous en voudrez pas de partir, me dit-elle. Mais tout ça est un peu trop riche pour mon organisme.

— Elle croit que je suis fatigué, et elle a raison, m'avoua Trigg. Nous nous reverrons bientôt.

— Je l'espère.

CHAPITRE 21

Dès qu'ils furent partis, je posai mon verre et me mis en quête des premières toilettes venues. La porte était fermée. Je tournai la poignée, en vain. J'attendis, appuyée au mur, en vérifiant que j'étais bien la première dans la queue qui ne comptait que moi. J'entendis la chasse d'eau qu'on tirait et le torrent qui se précipitait dans la cuvette. Quelques instants plus tard, la porte s'ouvrit et l'homme à la moustache et aux cheveux argentés sortit. Il m'adressa un sourire poli et partit vers le bureau.

Je m'enfermai dans les toilettes et utilisai les commodités des lieux. Après avoir remonté mon collant comme les couleurs en haut du mât, je sortis et dénichai un poste de vigie, à trois marches du palier ; l'endroit idéal d'où observer les invités. Rand déambulait avec Griffith sur sa hanche. Griff portait un adorable costume marin bleu ciel, et je voyais les lèvres de Rand bouger dans un monologue imaginaire, comme dans un numéro de ventriloque avec l'enfant en guise de marionnette. Je n'avais pas encore vu Leila, mais elle se trouvait sans doute quelque part dans la maison. Crystal n'aurait jamais toléré qu'elle boycotte la réception.

Le personnel du traiteur avait fini de dresser un buffet froid qui proposait des blancs de poulet en aspic, trois salades différentes, des asperges marinées, des œufs à la diable et des paniers de petits pains. Les invités attendaient par petits groupes près de la table, personne ne voulant être le premier à attaquer. En temps normal, j'aurais déjà quitté depuis longtemps le cocktail de Crystal, mais l'homme aux cheveux argentés m'intriguait. Je le vis regagner la grande pièce, cette fois en compagnie d'une brune émaciée qui avait un verre dans une main et se cramponnait de l'autre à son bras. Elle portait un body à manches longues sous un pantalon de cuir noir hypermoulant, le tout sanglé par une large ceinture argent. Les talons aiguilles de ses bottines ressemblaient à des cure-dents de douze centimètres de haut. On l'imaginait mieux racolant le client au coin de la rue qu'assistant à une veillée mortuaire. Son corps n'était pas tout à fait assez fuselé pour affronter l'impitoyable réalité de la vérité toute nue. Son expert en liposuccion aurait dû lui aspirer une demi-livre de graisse supplémentaire en haut de chaque cuisse.

Elle semblait aux aguets, son regard inquiet voltigeant à travers la pièce. Lorsqu'elle souriait, c'était d'un sourire artificiel qui ne gagnait jamais tout à fait ses yeux. Malgré mes réticences pour ce genre de vocabulaire, j'aurais dit que son « aura » était sombre ; je voyais presque le champ magnétique qui la cernait. On la sentait tendue à l'extrême, prête au combat. De quoi s'agissait-il ? Le type, lui, semblait connaître pas mal de monde. Détendu et à l'aise, il commença par bavarder avec un petit groupe, puis avec un autre, elle toujours accrochée à son bras. Contrastant avec la tenue de pute de la femme, son costume bien coupé était d'un bleu marine classique, auquel il avait assorti une chemise bleu clair et une cravate ton sur ton. Proche de la soixantaine, il était de ces hommes qui vieillissent bien : svelte et en excellente forme. Sûrement un médecin. Sinon, qu'aurait-il fichu aux Prairies du Pacifique à minuit, à part s'offrir une gâterie impromptue avec Pepper Gray ?

Il glissa un mot à la femme, puis il prit son tour dans la file d'attente des affamés, s'emparant d'une assiette et d'un petit assortiment de couverts enveloppés dans une serviette en papier. Bien qu'elle se fût glissée dans la file juste derrière lui, ils ne se parlaient pas. Je le regardai remplir généreusement son assiette, tandis qu'elle se servait une tasse à moka de salade et quatre pointes d'asperge. Il s'assit sur le canapé dans le seul espace encore libre. Posant son verre de vin et son assiette sur la table basse en bois clair, il entreprit de se restaurer. Lorsqu'elle voulut le rejoindre, il ne restait plus de place. Elle resta plantée là un moment, espérant visiblement qu'il allait se pousser pour la laisser s'asseoir à côté de lui. Il semblait se concentrer sur son repas, et elle dut se rabattre en solitaire sur une chaise plus loin. Elle s'intéressa vivement au contenu de son assiette pour donner le change, bien qu'aucune des personnes présentes ne parût

453

lui prêter la moindre attention. Le serveur s'approcha avec une bouteille de chardonnay. Elle leva vivement les yeux vers lui et lui tendit son verre, qu'il remplit sans barguigner.

Je sentis un mouvement derrière moi et levai les yeux : Anica descendait. Elle s'arrêta un instant pour jeter un coup d'œil par-dessus la rampe. Comme toujours, elle était vêtue avec une élégance discrète : chemisier en soie blanche à manches longues, pantalon large à pli en lainage noir et mocassins noirs en cuir aussi souples que des pantoufles. Ses cheveux, travaillés à la mousse coiffante, bouffaient sur le devant et lui remontaient de chaque côté de la nuque en ailes de canard.

— L'endroit idéal ! dit-elle. Vous êtes-vous servie ?

— J'attends encore une minute que la file diminue. J'en profite pour observer un peu les gens. Qui est ce type aux cheveux argentés, là, assis sur le canapé... en costume bleu foncé ?

Elle suivit mon regard.

— C'est Harvey Broadus. Joel et lui ont dû se répartir la tâche. Joel et Dana sont allés au country club où Fiona tient sa cour. Harvey est venu ici. On ne les accusera pas de favoritisme.

— Et la femme en pantalon de cuir ?

— Celine, l'épouse de Harvey de vingt et quelques années. Il l'a plaquée il y a huit mois et il revient la queue basse.

— Ah, c'est vrai. Crystal m'avait dit qu'il se débattait dans un divorce.

— C'est effectivement à mettre au passé. J'imagine que la facture s'est révélée trop salée.

Il a décidé qu'il valait mieux vivre avec elle que de se faire dépouiller de tous ses biens. C'est un mufle, mais quelquefois je le plains. Elle boit comme un trou. Elle passe la plus grande partie de l'année à se désintoxiquer au Betty Ford ou à signer sa décharge. Le reste du temps, elle s'offre une thalasso de luxe, La Costa ou le Golden Door. Rien n'est trop beau pour notre petite chérie.

— Vous connaissez des gens mariés qui sont heureux ?

— Mais oui ! Sauf qu'en général ils ne le sont pas avec leur conjoint. (Je vis son regard changer.) Oh-oh. Il faut que je descende. On discutera plus tard.

Elle passa en biais près de moi et descendit vivement les marches. Je jetai un regard vers la porte d'entrée, où Pepper Gray venait de faire son apparition. Anica, qui l'avait repérée, la rejoignit. Les deux femmes échangèrent des bécots polis. Anica la débarrassa de son manteau et fit signe au serveur, qui obliqua dans leur direction avec un plateau de coupes de champagne. Dépouillée de sa coiffe blanche et de son uniforme immaculé, elle paraissait plus douce et plus jolie, moins le genre de femme à dispenser des soins d'urgence extraconjugaux. J'abaissai les yeux vers mon copain aux cheveux d'argent en me demandant s'il l'avait remarquée en même temps que moi. Pepper s'avança dans la grande pièce. Chacun avait forcément conscience de la présence de l'autre, mais s'en désintéressait : pas le moindre signe montrant qu'ils se connaissaient, pas un seul mot de salutation.

Celine leva les yeux et son corps se figea, sa fourchette pleine en suspens au-dessus de son assiette. Anica saisit Pepper par le bras, la guidant par les portes-fenêtres jusqu'à la terrasse. La tête de Celine parut pivoter ; elle avait le regard fixe et glacé. Elle observait Pepper avec la prudence d'un lapin quand rôde le renard. Ou elle savait que son mari courait la gueuse, ou alors son radar fonctionnait au quart de tour. Sans doute un peu des deux. On comprenait vite la dynamique du couple. Il la trompait allègrement pour compenser le fait qu'elle buvait trop, et elle buvait trop pour se consoler du fait qu'il la trompait. Je la vis se lever et quitter la pièce.

J'attendis sur ma marche qu'on ait installé les desserts à un bout de la table et rejoignis au buffet la file d'attente qui s'était considérablement réduite. Je n'avais pas vraiment faim, mais une place à côté de Harvey Broadus s'était libérée et je voulais en profiter. Je remplis prestement mon assiette et me dirigeai vers le canapé. Il leva la tête à mon approche. Un beau regard bleu.

— La place est prise ?

— Non, allez-y. Je suis prêt à attaquer le dessert. Vous me gardez la mienne ?

— Bien sûr, pas de problème.

Pendant qu'il était parti, une soubrette vint débarrasser les assiettes abandonnées. Je me concentrai sur ce que j'avais dans la mienne et qui se révéla tout bonnement exquis. Je mangeai avec mon ardeur animale coutumière, en m'appliquant à ne pas renifler, roter ni rien renverser sur moi. Broadus revint avec son assiette de desserts et un verre de vin.

— J'ai pensé que cela vous manquait, me dit-il en posant le verre sur la table basse à côté de moi.

— Merci. J'allais justement me mettre en quête de l'homme au chardonnay.

Broadus me tendit la main.

— Je me présente, dit-il. Harvey Broadus.

— Kinsey Millhone, lui dis-je en lui rendant sa poignée de main. (J'inspectai le contenu de son assiette : un brownie, une part de tarte aux fruits de saison et un solide morceau de gâteau glacé à la noix de coco.) Ça m'a l'air appétissant.

— Mon péché mignon. (Il se rassit, posa son assiette en équilibre sur un genou et commença par le gâteau glacé.) Je vous ai aperçue tout à l'heure, assise dans l'escalier.

— Je n'aime pas la foule et je ne connais personne. Et vous ? Vous êtes un ami de Crystal ou de Dow ?

— Des deux. J'étais en relations d'affaires avec Dow.

— Les Prairies du Pacifique ?

— Tout à fait. Et vous, vous êtes dans quoi ?

Il passa au brownie, auquel il fit un sort.

— Essentiellement, la recherche, lui répondis-je.

Je pris une grosse bouchée de mon petit pain pour ne pas avoir à préciser.

— Triste journée, enchaîna-t-il. Je me sens terriblement coupable pour Dow. Encore que ça ne m'ait pas étonné. Il était dans un état d'anxiété et de déprime épouvantable les semaines avant sa disparition.

Parfait. On allait casser du sucre sur le dos du mort à la veillée mortuaire. Marrant, non?

— Le malheureux, dis-je. Et pourquoi donc?

— Je ne souhaite pas m'étendre là-dessus, mais... disons qu'il a laissé une foutue pagaille à la clinique.

— La chose m'est revenue. Un problème avec Medicare, si je ne m'abuse?

Je pris une bouchée de salade tandis qu'il attaquait la tarte aux fruits.

— Vous en avez entendu parler?

Je lui fis signe que oui.

— Par deux sources différentes.

— L'affaire aura donc transpiré... Vraiment moche.

— De quoi s'agit-il au juste?

— D'après nous, d'une erreur commise en toute honnêteté, mais nous n'aurons peut-être jamais le fin mot de l'histoire.

— Les médecins sont parfois nuls en affaires, lui confiai-je en singeant Penelope Delacorte.

— Ne m'en parlez pas! Nous avons été abasourdis.

— Je ne comprends pas ce qui s'est passé. La clinique, si j'ai bien compris, ne s'occupe pas vraiment de la facturation. Je croyais qu'une société d'exploitation s'en chargeait.

Il hocha la tête.

— Genesis-Gestion financière, dit-il. Ils ont des bureaux ici. Joel et moi... vous connaissez Joel?

— Je l'ai rencontré une fois. Je connais sa femme.

— Dana est sublime. Je suis vraiment fou

458

d'elle. Joel et moi possédons le bien par le biais de la Century Comprehensive, une société qui s'occupe essentiellement de promotion immobilière, encore que nous ayons d'autres activités. Genesis exploite les installations en vertu d'un contrat de location-bail. Elle gère aussi toute la facturation : les sommes exigibles et les remboursements, les comptes Medicare, Medicaid, ce genre de choses.

— Et comment Dow s'est-il planté ?

— C'est précisément ce que nous tentons de savoir.

— Parce que je croyais que... vous savez comme moi que, sur le plan juridique, votre société et la société d'exploitation doivent être entièrement indépendantes l'une de l'autre.

— Exact. Mais Genesis se fie aux informations qu'elle reçoit des Prairies. La société d'exploitation n'a personne sur place. Si Dow faisait suivre les données de facturation après les avoir vérifiées, Genesis le croyait sur parole.

— De sorte qu'il aurait pu leur dire ce qu'il voulait.

— Non seulement il aurait pu, mais il l'a fait.

— Comment s'est-il fait prendre ?

— Nous ne savons pas exactement. Peut-être le tuteur ou le parent d'un patient qui aura remarqué des incohérences et pris son téléphone pour le signaler.

— A vous deux ?

— A Medicare.

— Autrement dit, on a vendu la mèche. Pas de pot. Et les types de la répression des fraudes lui sont tombés dessus et ne l'ont pas lâché !

— C'est ce que nous supposons. Pour l'instant, nous ne savons pas ce qu'ils ont découvert.

— Et s'il s'avère que ce n'était pas lui ?

— De toute façon, sa réputation était fichue. Dans une petite ville comme celle-ci, une fois que la rumeur vous a sali, vous ne retrouvez pratiquement jamais plus votre crédit. Les gens sont polis, mais c'est le baiser de la mort.

— J'imagine que, du point de vue de Dow, la situation paraissait sans espoir, quelle que soit l'issue de l'affaire.

— Plus ou moins.

— Et si l'on découvre qu'il est innocent ? lui demandai-je.

— De toute façon, c'est nous qui payons les pots cassés. (Il jeta un coup d'œil à sa montre, posa son assiette et se leva.) Je vais voir où est passée ma femme. Ravi d'avoir pu bavarder avec vous, Kinsey. J'espère que nos chemins se croiseront de nouveau et dans des circonstances plus gaies.

— Je l'espère aussi, lui dis-je. (Je levai mon verre.) Et merci pour ça.

— Ravi de vous avoir été utile.

Je le suivis des yeux pendant qu'il traversait la pièce, à la recherche de Celine.

Quel baratin fétide ! Joel Glazer l'avait eu au téléphone le jour où je l'avais interrogé. Je n'avais pas encore franchi la porte de son bureau qu'il lui faisait passer le message. Ce que Broadus m'avait dit de leurs ennuis reprenait presque mot pour mot l'histoire que m'avait servie Joel.

Le téléphone sonnait lorsque j'arrivai à l'appartement. Deux sonneries. Trois. J'entrai et décrochai avant que le répondeur ne s'enclenche. Tommy Hevener. A l'instant où j'entendis sa voix, je me rendis compte que j'aurais dû filtrer mes appels.

— Hé, baby... C'est moi, me lança-t-il.

Son ton était à la fois intime et assuré, comme si j'avais passé la journée à espérer son appel. L'entendre suffit à me faire saliver comme un chien. Je m'obligeai à me rappeler que même si je ne voulais pas le voir, il pouvait néanmoins m'aider à calmer Richard.

Je décidai de ne tenir aucun compte de son jeu de séducteur.

— Bonjour ! Ça va ? lui dis-je du ton enjoué de celle qui refuse de se laisser conter fleurette.

— Qu'avez-vous fait à Richard ? Il vous en veut à mort !

Mon estomac fit un bond.

— Je sais, et j'en suis navrée. Cette histoire m'embête beaucoup.

— Que s'est-il passé ?

— « Que s'est-il passé » ? Eh bien, voilà. (Une idée, une idée, une idée, une idée, une idée ! Le mensonge jaillit enfin de mes lèvres comme un hoquet.) Lonnie souhaitait que je reste au cabinet et m'a proposé une réduction de cinquante pour cent sur le loyer.

— Pourquoi vous ne le lui avez pas dit ? Richard aurait compris.

— Il ne m'en a pas laissé le temps. Il était tellement furieux que je n'ai rien pu lui faire entendre.

— Pourquoi ne m'avoir rien dit à moi ? Nous aurions pu arranger ça. Bon Dieu ! Et, là-dessus, il découvre que vous avez fait opposition sur le chèque ! Si vous l'aviez vu ! Il hurlait de rage ! Vous ne savez pas de quoi il est capable quand il se met dans un état pareil.

Justement si, je le savais.

— Vous ne pouvez pas lui parler pour moi ? lui demandai-je.

— Justement, j'essaie. Je me suis dit que si j'entendais votre version de l'histoire, je pourrais le raisonner. Vous avez mal manœuvré.

— Vous avez raison. Je le sais, mais comme je le lui ai expliqué... j'ai cru qu'il était moins embarrassant de lui écrire un mot que de le lui dire de vive voix.

— Grosse erreur. C'est pour ça qu'il a explosé.

— J'avais déjà compris. A votre avis, que va-t-il se passer maintenant ?

— Difficile de dire avec lui, me répondit-il. Ça va peut-être s'arranger. Autant l'espérer. Bon, assez parlé de lui. Quand se voit-on ? Vous m'avez manqué.

Le ton était badin, mais c'était une légèreté de façade : ou je cédais maintenant ou il continuerait à me harceler jusqu'à obtenir gain de cause. Je sentis monter en moi une colère lente, obstinée. Je veillai à garder un ton égal, mais je savais que le message aurait du mal à passer.

— Écoutez, je ne pense pas avoir envie de poursuivre cette relation. Il est temps d'arrêter.

Il y eut un silence de mort. J'entendis sa respiration à l'autre bout du fil. Je laissai le silence s'éterniser.

— C'est votre façon de fonctionner, me dit-il enfin. Vous prenez vos distances. Vous ne laissez approcher personne.

— Peut-être. C'est de bonne guerre, je comprends que vous le pensiez.

— Je sais qu'on vous a fait du mal et j'en suis désolé, mais donnez-moi une chance. Ne me claquez pas la porte au nez. Je mérite mieux que ça.

— Tout à fait d'accord. Vous méritez mieux. Je vous souhaite sincèrement bonne chance et je regrette que ça n'ait pas marché.

— On ne peut même pas se rencontrer pour en parler ?

— Je n'en vois pas l'utilité.

— Vous n'en voyez pas l'utilité ! Vous vous foutez de moi ou quoi ?

— Je ne tiens pas à discuter. Je suis désolée de vous avoir donné l'impression fausse que...

— Vous vous prenez pour qui ? Vous croyez qu'on peut me parler comme ça ? C'est vous qui êtes venue me chercher !

— Bon, je raccroche. Au revoir.

— Hé, une minute ! Vous arnaquez mon frère, je viens vous défendre et vous croyez que vous allez pouvoir vous défiler et me servir ce genre de conneries ? Vous êtes folle ou quoi ?

— Parfait. Génial. Restons-en là.

Je raccrochai. Avec un temps de retard, mon cœur se mit à cogner comme un ballon de basket qu'on dribble. Je ne bougeai pas.

Le téléphone sonna ; j'avais beau m'y attendre, je fis un bond. Deux sonneries. Trois. Quatre. Le répondeur s'enclencha. J'entendis mon message d'accueil, sur quoi il raccrocha. Trente secondes s'écoulèrent. Nouvelle sonnerie. Je décrochai le combiné et appuyai sur l'interrupteur, interrompant la communication. Je coupai la sonnerie et, pour faire bonne mesure, débranchai l'appareil.

Je m'assis à mon bureau et fis quelques respirations profondes. Je n'allais pas me laisser impressionner par ce type. Quitte à demander à Lonnie comment obtenir une injonction du tribunal pour qu'il cesse de me harceler. En attendant, il fallait surtout que je me le sorte de la tête.

Je pris mes fiches et y notai une quantité d'informations nouvelles, remplissant des blancs. Comme pour une séance de tarots, j'étalai les cartes devant moi. Joel Glazer, Harvey Broadus et Prairies du Pacifique formaient un demi-cercle. Deux cartes supplémentaires s'y rattachaient : Penelope Delacorte, l'administratrice adjointe, et Tina Bart, la comptable qu'on avait virée. Joel Glazer et Harvey Broadus s'étaient donné beaucoup de mal pour laisser entendre que Dow portait l'entière responsabilité du scandale Medicare qui couvait. Le seul point qui ne collait pas était ma note sur les liens entre Broadus et l'accorte infirmière en chef qui lui prodiguait ses soins.

Je revins à la fiche de Tina Bart. Où était-elle passée ? Penelope Delacorte le savait sûrement, mais elle ne me le dirait pas. Sur un coup de tête, je me penchai en avant et ouvris mon tiroir du bas. J'en sortis l'annuaire de téléphone et cherchai les B. En cas de doute, comme je dis toujours, pourquoi aller chercher midi à quatorze heures ? L'annuaire recensait cinq Bart, mais pas de Tina ou de T. Il y avait un C. Bart, sans indication d'adresse, peut-être l'abréviation de Christine ou Christina. Les femmes seules recourent souvent à cette astuce pour se protéger des obsédés sexuels qui composent des numéros au hasard tout en tripotant leur braguette. Je rebranchai le téléphone et essayai le numéro de C. Bart. Au bout de deux sonneries, un répondeur s'enclencha. La voix, à l'autre bout du fil, était celle d'un de ces valets de chambre mécaniques, un robot conçu par ordinateur et qui parlait comme s'il vivait dans une boîte de conserve. « Veuillez-laisser-votre-message. » Le recours aux services de ce proto-mâle était un autre stratagème de femme seule qui veut faire croire à la présence d'un mec dans les lieux. Je m'emparai de l'Annuaire Polk et cherchai le numéro indiqué pour C. Bart. L'Annuaire Polk, également appelé le « chassé-croisé », répertorie les adresses et les numéros de téléphone de deux façons différentes. Contrairement à l'annuaire normal, qui procède par liste alphabétique des noms, le chassé-croisé établit un classement par adresses dans une section, et par numéros dans une autre. Si vous ne disposez que d'un numéro sans l'adresse de la rue, vous cherchez le numéro dans le Polk et vous trouvez la rue et le numéro d'immeuble correspondants, plus le nom de la personne qui y habite. De même, si vous n'avez qu'une adresse, vous pouvez retrouver le nom du résident, ainsi que son numéro de téléphone, du moment qu'il ne figure pas sur liste rouge. Dans le cas présent, je découvris une C. Bart dans Dave Levine

Street, non loin des Prairies du Pacifique. Pénélope Delacorte m'avait dit que Tina Bart travaillait déjà aux Prairies quand elle était arrivée. De là à penser qu'elle habitait à proximité, il n'y avait qu'un pas. Il était temps de voir ce qu'elle savait.

Avant de quitter l'appartement, je sortis mon vieux pistolet et le fourrai dans mon sac. C'est un Davis .32 semi-automatique à canon de 129 mm, chargé de Winchester Silvertips. Ces trois dernières années, je me suis entendu dire une quantité de conneries sous prétexte que j'utilisais cette arme bas de gamme et peu fiable, prétend-on — verdict qui n'a en rien changé mon affection durable pour cet objet. Il est petit et sans complications, il a un poids épatant, six cent vingt grammes, et une bonne prise en main. Je ne croyais pas que Richard ou Tommy me voulaient vraiment du mal, mais je n'en étais pas sûre non plus. Et c'était précisément sur ce détail qu'ils tablaient.

CHAPITRE 22

On approchait de 5 heures quand je pris la 101 vers le nord. La lumière de l'après-midi avait déjà disparu. Une petite bruine tournoyait comme de la vapeur à travers le flot de la circulation, les essuie-glaces traçant un éventail sale à l'endroit où la brume humide se déposait pour en être aussitôt chassée. Dave Levine étant une rue à sens unique orientée vers la ville, je fus obligée de sortir à Missile et de tourner à gauche dans Chapel. J'attrapai ainsi la rue plus haut et la redescendis. Je laissai les Prairies du Pacifique à ma droite et commençai à guetter les numéros qui rapetissaient. L'immeuble que je cherchais n'était qu'un pâté de maisons plus loin. Je trouvai une place pour me garer et partis à pied, la tête dans les épaules pour me protéger de la bruine.

L'immeuble consistait en un simple cube en stuc de quatre appartements en tout, deux en haut et deux en bas, coupé en son milieu par une cage d'escalier à ciel ouvert qui conduisait au premier étage. L'appartement 1 se trouvait à ma droite, le

2 étant situé juste en face. On avait collé le nom
Bart écrit au marqueur noir sur la boîte aux
lettres de l'appartement 3. Je reculai de dix pas et
inspectai les fenêtres du premier étage. Il y avait
de la lumière dans plusieurs pièces sur le côté
droit de la façade. Je montai l'escalier, frappai et
attendis. Derrière moi, à travers l'espace ouvert
entre les deux moitiés du bâtiment, je voyais la
pluie qui enveloppait d'une gaze l'éclairage
urbain. Un courant d'air s'engouffrait par
l'ouverture et il faisait froid.

— Qui est-ce ?

— Mademoiselle Bart ?

Je l'entendis mettre la chaîne, puis elle entrebâilla la porte.

— Oui ?

— Désolée de vous déranger chez vous. Je
m'appelle Kinsey Millhone. Je suis détective privée et je travaille pour l'ex-épouse du Dr Purcell.
Pourrais-je vous poser quelques questions ?

— Je ne sais rien. Je ne l'ai pas vu depuis des
mois.

— Vous avez dû apprendre qu'on avait retrouvé son corps au lac Brunswick.

— Je l'ai lu en effet. Que s'est-il passé ? Le
journal était plutôt vague.

— Cela changerait-il quelque chose pour
vous ?

— Disons que je ne crois pas à un suicide, si
c'est ce qu'on veut démontrer.

— Je serais assez d'accord avec vous, mais
nous ne le saurons peut-être jamais. En attendant,
j'essaie de reconstituer les éléments qui ont

entraîné sa mort. Vous rappelez-vous quand vous lui avez parlé pour la dernière fois ?

Elle ne répondit pas, mais je lus l'information dans ses yeux.

Un coup de vent m'envoya une fine brumisation de pluie sur le côté de la figure.

— Pourrais-je entrer ? lui demandai-je sur une impulsion. On commence vraiment à geler dehors.

— Qu'est-ce qui me prouve que vous êtes celle que vous prétendez être ?

Je plongeai la main dans mon sac et en sortis mon portefeuille. Je tirai ma licence du volet transparent et la lui glissai dans l'entrebâillement. Elle l'examina rapidement, puis me la rendit. Elle referma la porte, le temps de défaire la chaîne. Puis elle rouvrit.

Dès que j'eus franchi le seuil, elle répéta toute la procédure en sens inverse. J'ôtai mon ciré et l'accrochai à un porte-chapeaux près de la porte. Et jetai un coup d'œil autour de moi. L'intérieur était un curieux mélange de charme et d'inconfort vieillots : des arches et des parquets en bois dur, des fenêtres étroites à stores vénitiens en lamelles de bois jaunissant, un radiateur mural massif près de la porte de la chambre à coucher. Le séjour disposait d'une cheminée dont la grille supportait une bûche en partie calcinée sur une avalanche de cendres. Il ne faisait pas tellement plus chaud dans l'appartement que dehors, mais au moins il n'y avait pas de vent. L'arche qui s'ouvrait dans le mur du fond laissait voir le carrelage de la salle de bains, un mélange rétro marron-beige qui datait probablement de la construction. Sans même la voir, je sus que la cuisine ignorait tout du confort moderne : pas de lave-vaisselle, pas de compresseur à déchets, pas de vide-ordures. La cuisinière était sûrement d'origine, une O'Keefe and Merritt d'époque avec deux fours à porte en verre et un ensemble poivrier-salière dans un logement au-dessus. Après révision et réfection des chromes, la cuisinière vaudrait une fortune : cela dit, un des fours ne serait jamais bien réglé et la jeune créature branchée qui en aurait fait l'acquisition ne réussirait jamais à avoir du pain suffisamment cuit.

Tina m'indiqua que je pouvais m'asseoir dans un grand fauteuil tapissier gris, tandis qu'elle-même reprenait sa place sur le canapé. Elle était plus jeune que dans mon idée, disons la quarantaine, et semblait tellement atone que je la devinai sous tranquillisants. Ses cheveux avaient la couleur des vieux parquets en chêne. Elle était en survêtement : pantalon gris fermé par un lien et blouson assorti dont la fermeture Éclair à demi ouverte laissait voir un tee-shirt blanc. Elle avait enlevé ses chaussures. La poussière soulignait le modelé du pied sur les semelles de ses socquettes blanches en coton. Paraissant ne pas savoir quoi faire de ses mains, elle finit par croiser les bras en cachant ses doigts, comme pour les protéger du froid.

— Pourquoi venez-vous me voir ? me demanda-t-elle.

— Lundi dernier, je suis allée à Saint-Terry's et j'ai interrogé Penelope Delacorte. Comme elle a mentionné votre nom, j'ai pensé que vous pourriez peut-être combler quelques blancs.

Puis-je vous appeler Tina ? lui demandai-je en m'interrompant.

Elle haussa une épaule indifférente, ce que je pris pour un assentiment.

— Je sais que Mlle Delacorte et vous avez quitté les Prairies du Pacifique à peu près en même temps. Elle m'a dit que la ville offrait peu de possibilités dans le secteur des soins médicaux. Avez-vous retrouvé un emploi ?

Je voulais lui donner l'impression d'avoir eu une longue conversation amicale avec Mlle Delacorte, et non le bref entretien qu'elle avait écourté.

— Toujours pas. Je vis de mes indemnités de chômage, jusqu'au jour où je vais arriver en fin de droits.

Ses yeux étaient gris clair, sa façon d'être complètement neutre.

— Combien de temps avez-vous travaillé pour eux ?

— Quinze ans.

— Que faisiez-vous ?

— J'étais au bureau de la direction. J'ai été embauchée comme documentaliste et j'ai grimpé les échelons. Je me suis inscrite à des cours du soir et j'ai fini par obtenir mon diplôme.

— Dans quelle discipline ?

— Administration et Finances des Hôpitaux, un titre plus ronflant que ce qu'il recouvre en réalité. Comme j'ai toujours été plus attirée par la comptabilité d'entreprise que par la gestion, je me plaisais où j'étais... enfin, plus ou moins.

— Pourrais-je vous poser quelques questions sur les Prairies du Pacifique ?

— Tout à fait. Je n'y travaille plus et je n'ai rien à cacher.

— Qui était propriétaire du bâtiment avant Glazer et Broadus ?

— La société Silver Age Enterprises. Je n'ai jamais su le nom du propriétaire. Ils étaient peut-être plusieurs. Avant ça, il y en avait eu un autre, l'Endeavor Group.

Je fourrageai dans mon sac et sortis un petit carnet avec une reliure en spirale dans laquelle j'avais glissé un crayon. Je notai les deux noms.

— Pour la Silver Age, repris-je, était-ce la même personne qui possédait et exploitait l'établissement ou bien ces deux fonctions étaient-elles séparées ?

— Elles étaient séparées. Les programmes Medicare et Medicaid ont été votés dans les années soixante, et aucun ne comporte à proprement parler de dispositions sur la répression des fraudes. Les réglementations sur la liberté de propriété et d'exploitation ne sont apparues qu'à la fin des années soixante-dix, lorsque le Congrès a voté la création de Brigades de répression des fraudes... avec le succès qu'on sait. Vous n'imaginez pas la quantité d'organismes qui s'intéressent à ces individus : le Bureau de l'inspecteur général, les divisions civile et criminelle du Bureau de l'attorney des États-Unis, le FBI, les HHS, la HHFA et la BRFM... la Brigade de répression des fraudes de Medicare. Ça ne dissuade pas les fraudeurs. Les escrocs adorent les règles et les règlements. Chaque fois que vous dressez une barrière, ils inventent un moyen de la contourner. Un des nombreux défis de l'esprit d'entreprise, ajouta-t-elle d'un ton désabusé. J'ai vu les Prairies du Pacifique changer de mains à trois reprises, et chaque fois le prix a presque doublé.

J'en pris bonne note, en réfléchissant à la façon dont j'allais pouvoir vérifier ces chiffres.

— Avez-vous travaillé pour Endeavor ou Silver Age ?

— Je pense que Silver Age était, de fait, une filiale d'Endeavor. Endeavor avait à sa tête une certaine Peabody. Toutes ses dépenses personnelles passaient par nos comptes fournisseurs. Elle rénovait sa maison, disons, et l'imputait aux Prairies à la rubrique « entretien et réparations ». Ou bien elle installait de nouveaux doubles rideaux chez elle et prétendait qu'ils étaient destinés aux chambres des patients. Épicerie, factures d'équipements collectifs, voyages, sorties, tout y passait.

— Ça n'est pas illégal ?

— Pour l'essentiel, si. Il y avait quelques imputations qui tenaient, mais tout le reste avait un caractère frauduleux. J'ai soumis quelques articles à l'attention de l'administrateur, qui m'a répondu que je ferais mieux de m'occuper de mes affaires. Il m'a précisé que le comptable de la société vérifiait régulièrement les écritures et que tout était parfait. Je savais que si j'avais insisté, on m'aurait fichue à la porte séance tenante. Il m'a paru plus simple de la fermer. Quand Silver Age a fait son apparition, quelqu'un d'autre s'est occupé de la comptabilité pendant un moment. Puis on l'a renvoyé et c'est moi qui l'ai reprise. Il y avait sûrement quelques

traficotages à ce moment-là, mais je n'ai jamais
su lesquels.

— Pourquoi n'avez-vous pas démissionné et
cherché un autre emploi ?

— J'adorais mon travail.

— Vous auriez pu adorer le même travail ailleurs, non ?

— C'est exact, mais je me suis accrochée. En
croyant qu'un jour ils allaient se crasher et partir
en flammes et que je serais là pour voir ça et
même jeter de l'huile sur le feu.

— Les choses ont-elles changé avec l'arrivée
du Dr Purcell ?

— Pas pendant les deux premiers mois. Puis
j'ai remarqué une augmentation des fiches
concernant certaines prestations — le service
d'ambulances et la physiothérapie, l'équipement
radiologique portable, les fauteuils roulants. J'ai
commencé à tout noter et j'ai envoyé un mémo à
M. Harrington, le chef du département des factu-
rations chez Genesis. C'était une erreur, comme
la suite l'a prouvé, mais je m'en fichais. Il ne
m'en a jamais soufflé mot, mais je suis convaincue qu'il n'a pas apprécié cette initiative qui le
mettait dans l'embarras.

— Bref, vous semiez la pagaille.

— Je l'espère sincèrement.

— Et donc, avant le contrôle, vous les inquié-
tiez.

Elle acquiesça d'un signe de tête.

— Beaucoup. Ils ont laissé un peu de temps
s'écouler, puis ils m'ont virée. Le Dr Purcell a
essayé d'intervenir, mais il avait peu de pouvoir
et ils ont passé outre. Penelope a vu rouge et a

donné sa démission sur-le-champ, ce qui les a servis en réalité. Selon toutes les apparences, nous étions coupables de fautes professionnelles, et Genesis faisait le ménage. Et il leur restait le Dr Purcell comme coupe-feu au cas où l'enquête de la BRFM avancerait...

— Ce qu'elle a fait.

— Comme vous dites. Et elle ne les lâchera pas avant d'avoir démêlé tous les fils de la combine.

— Si je me souviens bien, Joel m'a dit que Genesis faisait partie d'un groupe appelé Millenium Health Care.

— C'est exact, mais je soupçonne certaines de ces sociétés, sinon toutes, d'être des sociétés écrans, créées pour cacher les véritables propriétaires.

— Savoir ?

— Une société A, détenue par M. Smith, achète une résidence médicalisée. Smith crée une société fictive avec une liste de responsables qui n'ont à première vue aucun lien avec lui. Sa société A vend les murs à cette deuxième société — qui lui appartient aussi — à un prix considérablement gonflé, ce qui a pour effet de convertir les bénéfices en plus-values...

— ... qui bénéficient d'un dégrèvement d'impôts, enchaînai-je.

— Tout à fait. La deuxième société peut alors utiliser la valeur fictive de l'établissement nouvellement acquis pour garantir de nouveaux emprunts. Dans l'intervalle, une troisième société bidon, la C, se présente et loue à bail les bâtiments et le terrain au « nouveau propriétaire », moyennant une augmentation substantielle des loyers.

Je levai la main.

— Un instant.

Je me repassai la chronologie en tête, en essayant de retrouver ce qui avait attiré mon attention pendant qu'elle m'expliquait le système. Ce n'était pas une chose qu'elle m'avait dite, plutôt une question que je me posais depuis que j'étais arrivée à sa porte.

— Le soir de sa disparition, le Dr Purcell a quitté les Prairies du Pacifique à neuf heures ? lui demandai-je. S'est-il, par hasard, arrêté pour vous parler ?

Elle resta si longtemps silencieuse que je ne croyais pas qu'elle me répondrait.

— Oui.

— De quoi ?

— Il m'a dit qu'il avait une réunion avec le FBI. Il pensait avoir compris le fin mot de l'histoire et savoir qui était derrière tout ça, c'est-à-dire Joel et Harvey.

— Mais ces deux-là ne couraient aucun risque, non ? A ce qu'on m'a dit, ils n'avaient rien à voir avec la gestion ordinaire des Prairies du Pacifique. La combine a été forcément montée par Genesis, puisque c'est elle qui touchait les chèques de Medicare.

— Il existe plus de collusions que vous ne le pensez. Le Dr Purcell a dû devenir gourmand, car il s'est mis à signer des imputations qu'il savait frauduleuses, notamment les radios et les services d'ambulance. Il a sans doute touché des dessous-de-table pour ces prestations. Le FBI lui

476

a mis la pression jusqu'à ce qu'il accepte de les aider.

— Dans ce cas, quel besoin avait-on de le réduire définitivement au silence ? Il y avait sûrement une quantité de gens au courant. A commencer par vous.

— Je n'ai jamais eu de pouvoir réel. Maintenant qu'il n'est plus, ils peuvent tout lui mettre sur le dos.

— A-t-il parlé à quelqu'un d'autre de ce qu'il savait ?

— S'il l'a fait, il ne l'a jamais dit.

— Mais pourquoi venir vous trouver, vous ? A ce que je comprends, vous ne le connaissiez pas si bien ?

— Il voulait que je l'aide. Il estimait ne plus rien avoir à perdre.

— Pensez-vous qu'il ait parlé à Joel et à Harvey de ce rendez-vous ?

— S'il était intelligent, sûrement pas. Je sais qu'il avait déjeuné avec Joel ce jour-là, mais il ne m'a rien dit d'autre à ce sujet.

— Je ne comprends pas. Avec tous ces organismes sur l'affaire, comment ne se sont-ils pas fait prendre ?

Elle haussa les épaules.

— Une grande partie des dossiers soumis sont corrects, et là où les chiffres sont faux, le reste paraît normal. Ils utilisent des diagnostics standards et des traitements qui le sont tout autant. Ils veillent à ne pas se faire repérer en poussant trop. C'est comme de jouer sur les volants de trésorie et les chèques non encaissés. Ils savent jusqu'où ils peuvent exploiter le système sans déclencher l'alarme.

— Mais elle s'est déclenchée. Comment l'expliquez-vous ?

— Sans doute une dénonciation par téléphone, car j'ai parlé à l'enquêteur des fraudes la semaine dernière, et la plus grande partie de ce que je lui ai révélé figurait déjà dans ses dossiers.

Les factures bidon de Klotilde faisaient sûrement partie de la combine.

— Je détiens une information qui devrait les intéresser, lui dis-je, et je ne demande pas mieux que d'effectuer une recherche de documents en début de semaine s'il en est encore temps.

— Ce serait épatant. Je dois le revoir et je peux les lui transmettre.

— Il y a encore un point que je saisis mal. Pourquoi courir le risque de facturer des articles à un patient décédé ?

— Écoutez, vous avez affaire aux instances locales, au gouvernement de l'État et à l'administration fédérale. Vous vous faites prendre. Vous la fermez et vous rendez l'argent. Vous croyez que le gouvernement irait vous poursuivre pour une « erreur » de deux cents dollars ?

— Mettons. Et qu'y a-t-il entre Harvey Broadus et l'infirmière trucmuche... Pepper Gray ?

— Il a quitté sa femme, Celine, pour elle, et j'ai appris qu'il avait réintégré le foyer.

Je l'étudiai avec attention : allait-elle répondre à la question qui venait de surgir dans mon esprit ?

— Est-ce vous qui avez tiré la sonnette d'alarme ?

— Quelqu'un d'autre s'en est chargé.

— Qui ?

— Je ne suis pas sûre, mais je la soupçonne fortement.

— Pepper ?

— Oui.

— C'est Pepper qui les couvrait ?

— Réfléchissez. Quand Harvey a rompu, elle était parfaitement placée pour les griller. J'ai remarqué que c'était son nom ou ses initiales qui apparaissaient avec le plus de régularité sur les imputations douteuses de fournitures ou de services. Elle trafiquait probablement les factures à la source. Pourquoi continuerait-elle à le protéger alors qu'il l'a plaquée ?

— Le fait est qu'ils sont plutôt coincés maintenant.

— Vraiment ? Ça m'étonne. Imaginez dans quel pétrin elle se retrouve s'il découvre le pot aux roses...

Elle laissa l'idée en suspens, avant de la ponctuer d'un sourire presque imperceptible.

En rentrant à la maison, je m'arrêtai au bureau pour prendre des fiches. J'en avais deux paquets neufs dans mon tiroir de bureau et voulais y reporter ce que j'avais réussi à noter sur mon carnet. Je descendis Dave Levine jusqu'à Capillo et tournai à gauche. En longeant State Street, je m'aperçus que la pluie avait vidé le centre-ville de Santa Teresa. Il était plus de 6 heures du soir, et la plupart des boutiques avaient fermé. Les vitrines restaient éclairées, mais l'intérieur était sombre, avec juste assez de lumière pour décourager les bandes de malfrats en maraude. Je tournai dans l'allée qui passait sous l'immeuble de Lonnie et me garai dans le petit parking juste après.

Je sortis et fermai la voiture à clé. Au-dessus du mur du fond, il y avait de la lumière dans le pavillon de l'autre côté de la ruelle. Je fus incapable de résister à l'envie de jeter un coup d'œil au local que j'avais loué une courte semaine auparavant. Le parking était vide : aucun signe du pick-up de Tommy ni de sa petite Porsche rouge. Les châssis supérieurs des persiennes de la façade de droite du pavillon étaient ouverts, mais le bas restait fermé. Une ombre coupa le rayon lumineux. Richard faisait peut-être visiter le local à un candidat.

Je m'arrachai à ma contemplation, sachant que ce beau rêve était bel et bien envolé. Le passé était le passé et il ne servait à rien d'entretenir des regrets. Encore heureux que Mariah Talbot se soit manifestée à point nommé. Sinon, j'aurais été la locataire d'un couple de tueurs dénaturés. Je traversai le bout de terrain de Lonnie et montai jusqu'au second par l'escalier. J'entrai dans le cabinet dont les bureaux étaient allumés, mais vides. Puis j'enfilai le couloir intérieur silencieux et poussai la porte de mon bureau.

Une fois installée, je tirai le tiroir du bas et y pris deux paquets de fiches vierges encore sous cellophane. J'en ouvris un et commençai à y inscrire des notes. Pendant l'heure qui suivit, je me sentis en sécurité, absorbée dans mon travail. A 7 h 15, je glissai un élastique autour de mes

480

fiches et les fourrai dans mon sac en même temps que l'autre paquet intact.

Puis je refermai mon bureau à clé et ressortis par l'escalier extérieur. Au premier tournant, je jetai un coup d'œil par l'ouverture de la cage. Ce n'est pas une fenêtre à proprement parler, juste une imposte de trente centimètres de large sur soixante de haut, destinée à l'aération. Depuis le premier étage, je distinguais clairement la ruelle derrière le pavillon des Hevener. Cette fois, la porte était grande ouverte. Dans le bureau à droite (que j'estimais toujours être le mien quand j'y pensais), on avait ouvert les persiennes. La lumière brillait, mais la fenêtre avait l'aspect neutre d'un espace inoccupé. Comme si quelque chose venait de se terminer, mais je ne savais pas quoi. Peut-être quelqu'un était-il sorti un moment, laissant la porte ouverte pour plus de commodité. En tout cas, je n'avais aucune intention d'aller vérifier.

Je finis de descendre l'escalier et traversai le petit parking jusqu'à ma voiture. Je rentrai en passant par le supermarché, où je m'arrêtai le temps de prendre du P.Q., du vin, du lait, du pain, des œufs, des Kleenex et une grande pile d'entrées surgelées. Une fois dans mon quartier, je dus me garer à un pâté et demi de maisons de chez moi, ce qui m'énerva prodigieusement. Encombrée de mon sac à bandoulière et de mes deux pochons d'épicerie, je dus me bagarrer pour franchir le portail. J'avais traversé la moitié du patio quand je devinai soudain un mouvement sur ma droite, et quelqu'un sortit de l'ombre. Je fis un bond d'un mètre, retenant de justesse un hurlement tandis que je lâchais un de mes sacs de provisions et me cramponnais à l'autre. Tommy Hevener, les mains dans ses poches de trench-coat.

— Hé...

— Bon Dieu, mais vous êtes malade ou quoi ! Qu'est-ce que vous fichez là ?

— Il faut qu'on parle.

— Je n'en ai pas envie. Et maintenant, dégagez !

Je m'accroupis pour ramasser mes clés. Un des sacs s'était déchiré. Je commençai à en jeter des articles dans l'autre sac. Le carton d'œufs s'était cassé en deux, et le pain complètement aplati à l'endroit où je l'avais rattrapé de justesse. Je ne voyais vraiment pas comment j'allais entrer dans l'appartement en me coltinant les rares articles encore intacts !

Oh, et puis zut ! me dis-je.

Je récupérai mes clés et partis vers ma porte, consciente que Tommy avait bougé pour m'intercepter. Il étendit un bras, la main à plat sur la porte, son corps collé au mien.

Je détournai le visage, essayant d'éviter son contact.

— Écartez-vous !

Je pensai à mon arme.

— Pas avant que vous me disiez ce qui se passe.

— Si vous ne me lâchez pas, je crie.

— Vous ne crierez pas, me murmura-t-il.

— HENRY !

— Chut !

— HENRY ! !

La lumière de derrière s'alluma. Le visage d'Henry apparut derrière la vitre.

— AU SECOURS !

— Sale garce ! lâcha Tommy.

Henry sortit sur le pas de sa porte, armé d'une batte de base-ball. Tommy lui jeta un regard en biais, fit demi-tour et s'éloigna sans se presser, affichant son mépris, montrant qu'il ne se laissait pas intimider. Henry traversa le patio en un temps record et brandit sa batte en l'air : jamais je ne l'avais vu aussi furieux. Le claquement des talons de Tommy sur le trottoir s'affaiblit à mesure qu'il s'éloignait.

— Qu'est-ce qu'il te voulait ? J'appelle la police ?

— Ne t'inquiète pas. Le temps qu'elle arrive, il aura filé.

— Il t'a fait du mal ?

— Non. Mais il m'a flanqué la peur de ma vie !

— Je pense que tu devrais le signaler à la police. Comme ça, elle aurait une trace dans ses dossiers s'il recommence.

— J'en parlerai à Jonah lundi.

— En parler ne suffit pas. Ce type est dangereux. Il faut que tu obtiennes une injonction contre lui.

— Ça me fera une belle jambe. Non, sans blague, ça va. Tu m'aiderais à rentrer tous ces trucs ?

— Bien entendu. Tu ouvres ta porte et dans deux secondes on aura tout ramassé.

Pendant tout le dimanche, le temps fut sinistre et il plut des hallebardes. Je passai la journée en survêtement, allongée en chaussettes sur le canapé sous un jeté de lit matelassé. Je lus un roman de poche en entier et passai au suivant. J'en avais deux autres en renfort, j'étais parée. A 5 heures, le téléphone sonna. J'écoutai le message, attendant de savoir qui m'appelait avant de décrocher. Fiona ! De soulagement je faillis avoir de la sympathie pour elle.

— Désolée, me dit-elle, je n'ai pas pu vous parler après le service hier. Blanche a eu son bébé en fin d'après-midi.

— Non ? Félicitations ! Et c'est quoi ?

— Une petite fille. Quatre kilos sept cent cinquante. Ils l'ont appelée Chloe. Blanche a commencé à avoir les premières douleurs pendant le service. Andrew et elle ont sauté la réception au country club et ont filé à Saint-Terry's. Elle n'a même pas eu le temps d'arriver à la salle de travail. Elle a accouché sur une civière dans le couloir !

— Dites-moi, il était temps ! Comment va-t-elle ?

— Très bien. Le bébé a dû rester un jour de plus à cause d'une jaunisse, mais le médecin semble estimer que tout est rentré dans l'ordre. Nous la ramenons cet après-midi. J'ai dit à Blanche que je lui garderais les enfants demain pour qu'elle se repose un peu. J'aimerais vraiment qu'elle se fasse ligaturer les trompes et arrête les frais. Elle ne peut pas continuer à pondre des marmots en série ! C'est grotesque !

— En tout cas, vous êtes sûrement soulagée que tout se soit bien passé.

— A vrai dire, je vous appelle pour autre chose. Hier soir, quand je suis allée à l'hôpital pour voir Blanche, j'ai aperçu la Volvo de Crystal garée dans l'allée d'une maison de Bay. Vous connaissez ce quartier. C'est toujours la croix et la bannière pour se garer. Comme le parking de l'hôpital était plein, j'ai dû faire le tour du pâté de maisons pour trouver une place, sinon je n'aurais pas vu la voiture. Naturellement, sa présence m'a intriguée, j'y suis repassée ce matin et elle y était encore. J'imagine que vous avez un moyen de savoir qui habite à cet endroit ?

— Certainement, je peux vous trouver ça. Si vous me donniez l'adresse ? (Je la notai pendant qu'elle me la débitait.) Pourquoi vous y intéressez-vous ? lui demandai-je.

— Je pense qu'elle se montre enfin sous son vrai jour. Vous savez les bruits qui ont couru sur sa liaison avec ce professeur de gymnastique, Clint Augustine. Ça m'était sorti de l'esprit jusqu'à ce que je repère sa voiture, et j'ai commencé à me poser des questions. Je ne sais pas ce qu'elle mijote, mais je pense que c'est une piste à suivre. Pas vous ?

— A condition que ce soit bien elle.

— La plaque disait « Crystal » grandeur nature !

— Qui vous dit que c'était elle qui conduisait ? N'importe qui aurait pu prendre le volant.

— Ça m'étonnerait. Qui, par exemple ?

— Je ne sais pas, moi. Rand, Nica, une employée.

— Melanie m'a fait la même remarque. Je ne comprends pas que vous vous abaissiez toutes les deux à la défendre ! J'ai appelé l'inspecteur Paglia et je l'ai prévenu que vous feriez votre enquête. Comme je le lui ai dit, c'est exactement le genre de choses qu'ils auraient dû faire dès le premier jour !

Je ne doutai pas que l'inspecteur Paglia apprécie sa collaboration.

Après que nous eûmes raccroché, j'appelai le club de gym et tombai sur Keith. J'entendais le bruit des appareils de musculation. Les fidèles du dimanche.

— Bonjour Keith. Kinsey Millhone à l'appareil. Quand je suis passée la semaine dernière, je vous ai parlé de Clint Augustine. Auriez-vous une adresse ou un numéro de téléphone où le joindre ? J'ai pensé que des cours particuliers me changeraient un peu.

— Voyons... Ne quittez pas. (Je l'entendis ouvrir le tiroir du bureau et feuilleter le classeur à anneaux que je lui avais vu en d'autres occasions.) Je sais que j'ai ça quelque part... Ah, voilà.

Je notai le renseignement, me faisant la remarque au passage que l'adresse qu'il me donnait ressemblait comme deux gouttes d'eau à celle des Glazer à Horton Ravine.

— Vos données datent de quand ? On m'a dit qu'il habitait près de Saint-Terry's.

— Je ne crois pas. En tout cas, je n'ai rien de plus nouveau.

— Quand lui avez-vous parlé pour la dernière fois ? Il a peut-être déménagé.

— Ça remonte à plusieurs mois. Sans doute en février-mars, dans ces eaux-là. Il venait régulièrement, huit à dix fois par semaine. A moins qu'il emmène ses clients à un autre club. Prévenez-moi s'il a lâché pour que je raie son nom de mes listes. Si vous ne mettez pas la main dessus, j'ai d'autres professeurs.

— Super. J'y songerai, merci.

Je sortis le chassé-croisé de ma bibliothèque et cherchai Bay Street. Je suivis du doigt la colonne des numéros de maisons jusqu'à ce que je tombe sur l'adresse qui correspondait. J'avais espéré que Fiona se trompait, mais la ligne de téléphone était au nom de J. Augustine, bien qu'avec un numéro différent de celui de Keith. Je composai le numéro que Keith m'avait donné et tombai sur un message m'indiquant que le numéro demandé n'était plus attribué ; sur ce point, pas de surprise. Il s'agissait sûrement du numéro de téléphone de Clint quand il louait la maison d'amis dans la propriété des Glazer. L'information de Keith était manifestement périmée. Que Crystal soit allée chez Clint le jour même de la cérémonie à la mémoire de Dow me sidérait. Je décrochai et fis le numéro.

Je tombai sur un homme qui me répondit presque grossièrement.

— Oui ?

Sa voix était agressive et l'impatience perçait dans le ton.

— Je voudrais parler à Clint.

— Il ne peut pas venir au téléphone. C'est qui ?

— Aucune importance. Je rappellerai.

La maison de Bay Street était une vieille bâtisse victorienne, sans doute construite à la fin des années 1800 : deux niveaux de bardeaux blancs et une véranda sur toute la façade avant. Dans ce quartier, de nombreux pavillons individuels avaient été reconvertis en services médicaux qui pourvoyaient aux besoins de l'hôpital, situé un demi-pâté de maisons plus loin. Il n'y avait aucune trace de la Volvo de Crystal dans l'allée. Une palissade blanche entourait le jardin, un petit lopin de terre sans un brin d'herbe mais où se pressaient des rosiers. On les avait rabattus pour l'hiver et seules subsistaient leurs tiges épineuses. En pleine floraison, il devait s'en dégager un parfum dense et douceâtre de pot-pourri. La pluie, qui tombait à présent en brume légère, avait saturé le sol.

Je longeai lentement la maison, fis demi-tour au coin de la rue et repassai en sens inverse. Je me garai de l'autre côté de la rue et m'installai pour attendre. La foule des visiteurs n'arriverait pas à Saint-Terry's avant encore une heure, de sorte que les rues étaient presque désertes. Même protégée par un voile de pluie vaporeux, je me sentais très visible, seule dans ma voiture. Il ne s'agissait pas d'une planque, mais bien plutôt d'une mission de commando dans la bataille qui opposait les deux épouses de Dow. Je ne souhaitais pas penser aux rapports désastreux que Crystal avait eus avec les hommes, mais... Elle s'était retrouvée enceinte d'un type qui l'avait apparemment laissée seule pour élever l'enfant. Elle avait ensuite eu un mari qui la battait et un autre qui semblait oh-si-respectable en surface, mais qui en réalité buvait trop et avait une sexualité tordue. Clint, le début de la quarantaine, était beau garçon, grand et bien bâti. Sans doute pas une lumière, mais il déployait des trésors de patience avec des clients dont les efforts pour se maintenir en forme étaient aussi zélés qu'éphémères. La dernière fois que je me rappelais l'avoir vu, c'était juste après le Nouvel An, lorsqu'une nouvelle escouade de convertis avait débarqué au club de gym pour se plonger dans une débauche de mortifications au lendemain des faiblesses des vacances. Il récupérait toujours une grosse clientèle, au sens propre, à cette époque de l'année. Crystal avait beaucoup trop de classe pour frayer avec des types comme lui. En revanche, elle n'avait abandonné sa vie de strip-teaseuse que juste avant son deuxième mariage et, aussi sophistiquée qu'elle parût, elle n'était probablement pas plus intelligente que lui. En amour comme ailleurs, on finit toujours par rechercher l'âme sœur à son niveau. J'ajustai mon rétroviseur, me méfiant toujours de Tommy Hevener. Ne pas le voir ne signifiait pas qu'il n'était pas dans les parages. Chaque fois que je pensais à lui, mes intérieurs se contractaient.

A 6 h 25, j'estimai que Crystal ne viendrait plus. J'avais déjà mis le contact quand une Volvo blanche tourna au coin de Missile et se dirigea vers moi. Elle était au volant.

CHAPITRE 23

Je coupai le moteur et ne bougeai pas, la regardant ralentir et s'engager dans l'allée. Je saisis mon parapluie et sortis de la voiture au moment même où elle descendait de la sienne. Dans ce genre de circonstances, la stratégie la plus évidente consiste à poser carrément la question. Je n'allais pas rôder dans les buissons ni jeter un coup d'œil furtif par-dessus le rebord des fenêtres pour chercher la vérité.

— Crystal ?

Elle avait déjà franchi le portail et se retourna pour me regarder. Elle portait une parka en tissu imperméable, des bottes de cow-boy, un jean cigarette et un épais pull-over blanc à torsades. Elle serrait contre elle une pile de chemises pliées avec soin pour les protéger de l'humidité. A peine maquillée, elle avait noué en chignon ses cheveux blonds indociles. Elle s'immobilisa, la main sur la poignée, visiblement ahurie.

— Puis-je vous dire un mot ?

C'est à peine si elle marqua l'ombre d'une hésitation.

— A quel sujet ?

— Clint. Il se trouve que nous fréquentons le même club de gym.

— Je vous écoute...

Je secouai la tête.

— Quelqu'un a vu votre voiture ici et a pensé que vous alliez peut-être revenir.

Elle ferma les yeux, puis les rouvrit.

— Fiona.

Je n'avouai pas tout de suite, mais je ne vis pas de raison de nier non plus. A quoi bon ? Elle savait que je travaillais pour Fiona et qui d'autre, franchement, l'aurait ainsi suivie à la trace ?

— Il faut que vous sachiez qu'elle en a parlé à l'inspecteur Paglia.

— Putain ! Il faut toujours qu'elle se mêle de tout, celle-là. Elle va faire quoi... surveiller le moindre de mes gestes tant que je vivrai ? Me faire suivre pour pouvoir moucharder ? Ce que je fais de mon temps ne la regarde pas !

— Dites donc, je n'y suis pour rien, moi ! Si vous n'êtes pas contente, voyez le problème avec elle !

— O.K. (Elle s'interrompit, s'efforçant de se dominer, et quand elle reprit la parole, ce fut d'un ton plus résigné qu'irrité.) Mettons-nous à l'abri. C'est idiot de rester là à se faire tremper.

Je franchis le portail à sa suite. Nous montâmes les marches de devant et nous réfugiâmes dans la véranda. Je baissai mon parapluie, prenant le temps de secouer l'eau.

— J'imagine que cela ne sert à rien de lui dire que vous ne m'avez pas vue ?

— Ça ne m'est pas plus agréable qu'à vous.

491

— Vous savez, tout le temps où j'ai été mariée avec Dow, elle a tout fait pour me rendre la vie invivable. Elle va encore m'emmerder longtemps ?

— Elle n'est pas la seule à avoir entendu les bruits qui couraient sur Clint.

— Qui lui en aurait parlé ? Dana Glazer, évidemment. Quelle salope, celle-là !

— Les gens sont à l'affût de ce genre de ragots. Tôt ou tard, on l'aurait su.

— Oh, pour l'amour du ciel ! Vous savez quoi ? Aucune loi ne m'interdit d'aller voir un ami, alors allez donc la retrouver pour lui dire qu'elle peut aller se faire foutre ! (Elle eut un geste d'agacement, s'en voulant de sa sortie.) Non, oubliez ça, me dit-elle. Inutile de jeter de l'huile sur le feu. Clint était mon professeur. Nous faisions de la remise en forme. Point final. Il n'y a jamais rien eu de sexuel entre nous. Posez-lui la question à lui si vous ne me croyez pas. Je me ferai un plaisir de vous attendre ici.

— Et ça prouverait quoi ? Il ne serait sûrement pas assez mufle pour dire le contraire.

— Vous n'avez pas d'amis hommes ? Est-ce que tout, entre un homme et une femme, doit être forcément d'ordre sexuel ?

— Je ne vous ai pas accusée de quoi que ce soit. Je vous dis simplement l'impression que les gens en ont. Les langues n'ont pas chômé. Fiona a vu votre voiture ici hier, et vous revoilà.

Elle me jeta un regard rapide, puis parut prendre une décision.

— Si vous entriez pour que je vous présente dans les formes ?

— Pourquoi le ferais-je ?

— Pourquoi pas ? Comme ça, vous ne serez pas venue pour rien. A propos... j'ai trouvé le passeport de Dow en rangeant ses vêtements. Il était resté dans la poche intérieure du manteau qu'il portait quand nous sommes allés en Europe l'automne dernier.

— Voilà au moins une question de réglée. Ce sont les siennes ? lui demandai-je en montrant les chemises.

— Autant qu'elles servent à quelqu'un !

Elle ouvrit la porte d'entrée avec une clé qui, je le remarquai, faisait partie de celles de son trousseau. Elle poussa la porte et s'écarta pour me laisser entrer. Je n'avais aucune raison de me sentir confuse, mais je l'étais.

La pièce de devant me rappela les salons d'autrefois, avec son canapé à double dosseret, ses tables gigognes et son ensemble de fauteuils Queen Ann. Pas un meuble qui n'exhibât son napperon au crochet fait main, destiné à le protéger des auréoles et des taches de gras. Il y avait une grande horloge à balancier et une foule de bibelots : verre à lait, verre à airelles, verre Steuben, photographies encadrées de membres de la famille décédés depuis longtemps. Jetant à peine un regard à la pièce, Crystal prit le couloir et traversa la cuisine pour déboucher dans une véranda vitrée. Clint était installé dans un fauteuil de repos orienté vers le jardin. Elle posa sa pile de chemises sur une petite table en bois à côté de lui, puis elle lui déposa un petit baiser rapide sur le haut du crâne.

— J'arrive avec des chemises, et aussi une

amie. Tu te souviens de Kinsey ? Elle est membre de ton club de gym.

D'abord, je me dis : non, ce n'est pas Clint, il y a erreur, c'est quelqu'un d'autre. Mais c'était lui. J'ignorais de quoi il souffrait, mais il était terriblement diminué. Les contractures lui déformaient les mains et sa faiblesse musculaire était si prononcée qu'il pouvait à peine bouger la tête. Il avait affreusement maigri. Ses orbites gonflées, rouge-violet, donnaient l'impression qu'on l'avait tabassé. J'aperçus des lésions sur son front et ses bras. Je ne fis pas attention au reste. De l'autre côté de la vitre, un homme âgé mais solidement charpenté travaillait dans le jardin, attachant des plantes grimpantes ; sans doute le père de Clint, l'homme qui m'avait répondu au téléphone.

— Nous nous sommes croisées par hasard, disait Crystal, et elle m'a demandé de tes nouvelles.

— Comment allez-vous ? lui demandai-je en me sentant complètement idiote.

Il n'allait visiblement pas bien, peut-être même n'irait-il plus jamais bien.

— Clint souffre de dermatomyosite, une maladie dégénérative du tissu conjonctif. Une forme grave en l'occurrence. Il s'agirait d'une réaction auto-immunitaire, mais personne ne sait vraiment. Les premiers symptômes sont apparus... voyons, à la fin janvier, c'est ça ? (C'était à lui qu'elle posait la question, comme pour en avoir la confirmation.) Comme les médecins espéraient une rémission, il a paru plus sage d'immobiliser Clint.

— C'est pour cette raison qu'il a loué le bungalow des Glazer?

— Oui. Je voulais l'avoir à proximité afin de ne pas le perdre de vue. Après l'expiration du bail, il a paru préférable qu'il s'installe chez ses parents pendant un moment. (Elle se pencha vers lui.) Où est ta mère? Elle est sortie?

Clint marmonna quelques mots confus, mais elle parut le comprendre, sans doute parce qu'elle avait suivi la dégradation de son élocution au cours des dix derniers mois.

— Pourquoi n'avez-vous prévenu personne?

— Clint m'avait demandé de ne pas le faire et j'ai respecté ses désirs. Pendant que vous êtes là, à fourrer votre nez dans les affaires des autres, vous avez d'autres questions?

— Je vais être obligée d'en parler à Fiona.

— Évidemment! me renvoya-t-elle. Vous êtes payée pour ça. Je suis même étonnée que vous le mentionniez!

— Elle n'est sans doute pas près de vous lâcher.

Crystal sourit à Clint, qui l'observait avec des yeux de chien fidèle.

— Ce n'est plus un secret, lui dit-elle. Tu te souviens de l'ex-femme de Dow? Elle a fini par se mettre dans la tête que nous avions une liaison torride. Kinsey nous a pris en flagrant délit.

Je me sentis devenir écarlate. Clint parut goûter la plaisanterie et j'aurais eu mauvaise grâce de protester.

— Je crois qu'il faut que j'y aille, dis-je.

— Tant mieux. Les visites le fatiguent. Je vous raccompagne.

Je la sentais vibrer d'une fureur contenue tandis qu'elle me raccompagnait. Je savais qu'elle m'en voulait de cette atteinte à sa vie privée comme à celle de Clint.

— Écoutez, lui dis-je, je suis vraiment désolée.

— Laissez tomber.

— Dow était au courant ?

— On a dû se charger de le lui dire. En tout cas, pas moi. Les gens aiment croire au pire. Rien que pour embêter le monde, me dit-elle.

Ça bouchonnait ferme sur l'autoroute ; les voitures roulaient pare-chocs contre pare-chocs, ralenties, semblait-il, par un accident survenu un peu plus haut. Je revins en empruntant les voies secondaires pour éviter l'embouteillage. Tous les lampadaires étaient allumés et, sous la pluie, les routes luisaient comme du cuir verni. Dans mon quartier, toutes les fenêtres étaient éclairées. Je dénichai une place juste devant chez Henry. Je bénis le ciel car cela m'évitait de slalomer à travers les flaques. Je franchis le portail grinçant et contournai le bâtiment pour gagner mon loft derrière. Il n'y avait pas de lumière dans la cuisine d'Henry. Il avait dû partir chez Rosie ; je l'y rejoindrais dans quelques minutes.

J'ouvris ma porte et entrai. Au moment où je la refermais derrière moi, quelqu'un en repoussa violemment le battant et m'envoya valser. Mon sac dégringola de mon épaule et frappa le sol avec un bruit mat, et je vis mes clés s'envoler et atterrir sur le tapis. Je me sentis tomber, cherchant instinctivement à me rattraper à quelque chose. Je m'étalai et roulais déjà sur moi-même lorsque Tommy Hevener me saisit par les cheveux et m'obligea à me relever en me tirant en arrière. Je trébuchai contre lui et il se retrouva assis, m'immobilisant en travers de ses genoux. Retournée sur le dos comme une tortue, je battais l'air en cherchant une prise. Son trench-coat était complètement entortillé mais le protégeait assez pour m'empêcher de lui allonger un coup.

Il appuya une main sur ma gorge tandis que ses doigts se crispaient sur ma figure, m'entrant si fort dans la mâchoire que ma bouche s'ouvrit. Il colla son visage contre le mien. Je sentis son souffle contre ma bouche.

— Henry vous a filé le nom d'un joaillier à L. A. Ce type n'existe pas. C'est quoi, cette connerie ?

De nouveau, la porte vola et vint cogner contre le mur. Je hurlai, roulant les yeux dans cette direction. Richard, en trench noir, venait de s'encadrer dans l'ouverture. Il referma la porte derrière lui, jetant un regard indifférent à Tommy qui resserrait sa prise.

— Répondez-moi !

— Je ne sais pas ! Je n'ai jamais eu affaire à lui ! C'est quelqu'un qui en aura parlé à Henry ! Il me transmettait juste le renseignement et vous étiez là, c'est tout !

— Non.

Il me tira par les cheveux et me secoua la tête.

J'agrippai sa main en essayant de détacher ses doigts. La douleur était insupportable.

— Assez, arrêtez ! C'est comme ça ! C'est tout ! Je n'ai jamais appelé ce type-là ! Je le jure !

— Dites-moi aussi que vous n'avez pas trouvé le coffre et que vous ne vous êtes pas servie ?

— Le coffre ? Quel coffre ?

— Le coffre du local, bordel ! Arrêtez de jouer à la conne. Vous savez très bien de quoi je parle. Vous avez forcé la porte. Vous nous avez volés, nous voulons récupérer la marchandise.

— Quelle marchandise ? Je ne sais même pas de quoi vous parlez !

— Remets-la debout, lui dit Richard.

Tommy ne bougea pas. Il m'agrippait si fort les cheveux qu'il allait sûrement m'arracher un morceau de cuir chevelu. Je ne pouvais plus bouger la tête. La peur me donnait envie de vomir. Qu'avait fichu Mariah ? Elle m'avait piégée ou quoi ?

— Tommy ! répéta Richard.

Tommy desserra sa prise à contrecœur. Je roulai sur le côté. Je parvins à me mettre à quatre pattes, secouant la tête et luttant pour retrouver mon souffle.

— J'ignore tout du coffre. Je ne l'ai jamais vu. (Je portai la main à ma gorge et tentai d'avaler de l'air.) Pourquoi aurais-je forcé la porte ? J'ai encore la clé. Elle est accrochée à mon trousseau.

Je cherchai mes clés à tâtons sur le tapis et les lui tendis.

— Regardez et réfléchissez un peu, nom de Dieu ! Si je l'avais fait, j'aurais refermé et vous n'auriez rien su. Pourquoi laisser ouvert et attirer l'attention ?

— Comment savez-vous que c'est resté ouvert ? me demanda Richard.

Il paraissait plus calme que Tommy, mais pas moins dangereux. Il saisit mon trousseau de clés et les passa en revue jusqu'à ce qu'il trouve celle du local, qu'il sortit du lot. Il lança les clés restantes à Tommy. J'adressai ma réponse aux deux en les regardant à tour de rôle.

— Parce que mon bureau est juste là. De l'autre côté de la ruelle. (Richard resta silencieux et je devins intarissable.) Je vous dis la vérité ! Hier soir, je me suis arrêtée au bureau. J'ai regardé de l'autre côté de la ruelle et j'ai vu que la porte était grande ouverte.

— A quelle heure ?

— A sept heures, je crois. Quelque chose comme ça.

— Pourquoi vous n'avez pas appelé les flics ? me demanda Tommy.

— J'ai cru que Richard faisait visiter.

Tommy était resté assis, les bras autour des genoux. Il secoua la tête.

— Bon Dieu ! Vous ne savez pas dans quel merdier on est. Putain, tout a disparu. Tous ces foutus...

— La ferme, Tommy ! Elle n'a pas besoin de savoir. On l'emmène avant que quelqu'un rapplique.

— Je suis désolée qu'on vous ait volé des objets de valeur, mais ce n'est pas moi. Je vous le jure !

— A d'autres ! De toute façon, on est foutus. Rétamés. Lessivés !

— Assez ! s'énerva Richard en m'obligeant à me relever. Tu la tiens, moi, je conduis.

— Non, moi. C'est mon pick-up !

— D'accord.

Richard me passa les bras autour du corps, m'empêchant de bouger. Puis il me souleva et m'entraîna vers la porte, me tirant et me portant à la fois.

Je m'agrippai au montant assez longtemps pour poser les pieds par terre. Puis je raidis les genoux, l'obligeant à s'arrêter.

— Laissez-moi prendre mon sac, lui dis-je en le lui montrant d'un geste.

Une môme en train de supplier qu'on lui laisse son ours en peluche. Tommy se pencha et le ramassa. Il le fouilla rapidement, découvrit le Davis, vérifia s'il était chargé et le fourra dans sa poche. Adieu, mes espoirs. Je jetai un regard derrière moi. Il éteignit les lumières, tira la porte et nous rejoignit dans le patio.

Son pick-up était garé à l'angle. Richard me tenait par le bras gauche ; vu la vigueur avec laquelle ses doigts s'enfonçaient dans ma chair, j'étais bonne pour des bleus. Tous deux me prirent étroitement en sandwich, marchant d'un pas militaire qui m'obligeait à trottiner pour suivre le rythme. Qu'allaient-ils me faire ? Me violer ? Me mutiler avant de me tuer ? Ça leur servirait à quoi ? S'ils m'emmenaient chez eux, je pourrais hurler à m'en faire péter la tête, personne n'entendrait !

Nous arrivâmes au pick-up. Richard ouvrit la

portière côté passager. Rabattant le siège, il me fourra dans l'espace étroit de derrière, me cognant la tête dans l'encadrement de la portière par la même occasion.

— Attention ! m'exclamai-je.

Cette dernière avanie me plongea dans une fureur noire. Je réussis à me frotter la tête tout en me tassant dans cette espèce de trou. Tommy s'installa au volant. Les deux portières claquèrent l'une après l'autre, deux détonations successives. Tommy mit le contact et le moteur vrombit. Il démarra sur les chapeaux de roues, avec un crissement qui laissa sûrement une grosse lamelle de pneu sur la chaussée. Cramponnée à l'arrière du siège, je tentai de faire le point.

Pour l'instant, j'étais en sécurité. Tommy était trop occupé à conduire pour faire attention à moi, et Richard n'avait pas assez de place pour se retourner et me faire subir de nouvelles voies de fait. La pluie cinglait le pare-brise. Tommy enclencha les essuie-glaces.

— Où aviez-vous mis le coffre ? demandai-je. Le local m'a toujours paru complètement vide.

— Dans le plancher du placard, sous la moquette, me répondit Tommy.

— Inutile de jouer les andouilles !

Richard semblait excédé.

— Combien de personnes étaient au courant, à part vous deux ?

— Personne, dit Tommy.

— C'est quoi ? Questions pour un champion ? s'énerva Richard. Vous ne voudriez pas la fermer ?

— Qui l'a ouvert en dernier ? continuai-je.

— Bon Dieu, Tommy, n'écoute pas ses conneries ! Tu ne vas tout de même pas marcher dans sa combine !

— Lui ! me répondit Tommy. Nous avions un truc à vendre. Il fait tout le trajet jusqu'à Los Angeles vendredi, et le type n'existe pas. Il a cru que je l'avais entubé et ça l'a rendu fou furieux.

— Quand est-il rentré ? Tard ?

— Non, pas tard ! lâcha Richard, exaspéré. Il était cinq heures. Je suis repassé au local et j'ai remis le coffre à sa place.

— On n'avait touché à rien ?

— Évidemment que non ! Putain, vous allez la boucler ?

— Quelqu'un a pu vous voir avec la marchandise et vous suivre. Si on a vu où vous cachiez le coffre, on a peut-être attendu que vous partiez pour tout vous prendre.

— Je vous ai dit de la fermer !

Il leva son bras gauche, pivota sur son siège et m'assena une baffe du revers de la main. Le coup n'était pas fort en soi, mais il me fit un mal de chien. Je sentis les larmes me brûler les yeux. Je me tâtai le nez en espérant qu'il ne me l'avait pas cassé. A première vue, non.

— Oh, ça va, vous deux, arrêtez ! râla Tommy.

— On t'a sonné ?

— Fous-lui la paix.

— Pourquoi ? Parce que tu la tringles ?

— Ce n'est pas vrai ! protestai-je.

Comme si on avait envie d'être accusée de

baiser avec un type qu'on ne supporte pas ! Le silence s'éternisa, puis je me lançai :

— Et d'abord, comment l'a-t-on ouvert, ce coffre ? On l'a percé ?

— Mais bordel, vous allez la boucler ?

Bonne question, toutefois je la fermai et m'écartai du siège avant pour me placer hors d'atteinte. L'espace dans lequel j'étais assise était minuscule et inconfortable, avec un tapis de sol bas de gamme qui me grattait. Je tâtonnai par terre dans l'espoir de découvrir une arme — une clé anglaise ou un tournevis — mais ne trouvai rien. Je tâtai le bord de la carrosserie et mes doigts se refermèrent sur un stylo-bille. J'en voyais mal l'utilité, mais là encore, pourquoi pas ? Je le coinçai dans mon poing en me demandant ce qui se passerait si je l'enfonçais de toutes mes forces dans l'oreille de Richard.

Le trajet jusqu'à chez eux prit sept minutes, couvert à vitesse maximale et sur les routes glissantes de pluie qui serpentaient dans Horton Ravine. Je me cramponnai au montant du siège avec l'énergie du désespoir, tandis que les virages m'envoyaient bouler dans un sens, puis dans l'autre. En remontant l'allée, Tommy saisit la télécommande des doubles portes du garage et appuya sur un des boutons. La double porte de gauche roula lentement sur ses rails et une lumière s'alluma. Il coupa le moteur, continua au point mort, s'immobilisa et releva le frein à main. La place voisine était vide. Sa Porsche rouge occupait la place suivante, jouxtant une seconde Porsche, noire et luisante, vraisemblablement celle de Richard.

Richard ouvrit la portière et descendit sans la refermer complètement. J'aperçus juste devant la porte de la cuisine les deux grosses poubelles où ils jetaient leurs ordures. Au-dessus, il y avait une rangée de boutons sur le mur. Je crus qu'il allait appuyer sur l'un d'entre eux pour refermer la porte du garage, mais non : il partit examiner le contenu de la benne du pick-up. Il ouvrit la boîte à outils et farfouilla dedans. J'évaluai la distance — elle ne me laissait pas le temps de rabattre le siège, de fermer la porte et de la ver-rouiller. Il m'aurait rejointe avant.

— Vous étiez chez moi hier soir, dis-je à Tommy. J'ai vu quelqu'un dans le local quand je me suis arrêtée à mon bureau en rentrant. Vous n'avez pas eu le temps de voler quoi que ce soit avant d'arriver chez moi.

Il se retourna pour me dévisager.

— Hein ?

— Si ce n'était pas vous, c'était donc lui. Qui connaissait la combinaison ? Juste vous deux, on est d'accord ?

Richard revint avec un rouleau de corde.

— On vous a dit de la fermer. Bon et mainte-nant, vous descendez.

— Tommy, réfléchissez. Je vous en prie !

Tommy resta un moment immobile. Puis il sortit du pick-up, en contourna l'avant et s'approcha de la portière passager.

— Richard, qu'est-ce qui nous a pris ? C'est une connerie. Il fallait la laisser où elle était. Elle ne sait rien.

Richard le regarda à peine.

— Pousse-toi. Je m'en charge.

— On t'a demandé quelque chose? Tu vas faire quoi avec ce truc?

— L'attacher et la tabasser jusqu'à ce qu'elle nous dise où elle a planqué la marchandise.

— T'es à côté de la plaque.

— On t'a demandé ton avis? Je t'avais dit de ne pas te la faire. Tout ça, c'est ta faute!

— Tiens donc, maintenant c'est ma faute, rétorqua Tommy.

Son inquiétude s'était dissipée et son expression avait changé. Il glissa la main dans la poche de son trench-coat; je savais qu'il avait mis l'arme dans une de ses poches, mais impossible de me rappeler laquelle.

— Tu sais, reprit-il, elle n'a pas tort. Je sais où j'étais hier soir et je peux le prouver à cause d'elle. Qu'est-ce qui me prouve que tu n'as pas nettoyé le coffre toi-même?

— Pourquoi l'aurais-je fait? ricana Richard. Je te rappelle que je n'avais personne à qui le fourguer!

— C'est ce que tu dis aujourd'hui. Mais tu peux très bien avoir tout emporté à L. A. quand tu y es allé vendredi. Tu peux très bien l'avoir vendu et gardé le fric, puis être revenu ici et avoir monté cette mise en scène pour faire croire à un casse. J'ai juste ta parole pour croire que tu as tout remis en place. Je n'ai jamais revu les bijoux après ton retour.

— Arrête tes conneries.

— Je vais t'en foutre, moi, des conneries! Le coffre n'était pas percé! Quelqu'un avait la combinaison, bordel! Et on n'est que deux à la connaître. Je sais que ce n'est pas moi, donc c'est toi.

— Va te faire foutre ! cria Richard.

Il posa la main sur le dossier du siège pour m'attraper. Je me penchai en avant, détendis le bras et abattis le stylo-bille sur le dessus de sa main. Richard beugla de fureur. Il essaya de me saisir, mais je me reculai vivement vers le côté du conducteur. Fou de rage, il rabattit le siège pour me tirer par les pieds. Je rassemblai mes forces et lui expédiai deux coups de pied dans la main. Le talon de ma Saucony ne lui fit pas de cadeau, lui écrasant trois doigts.

— Putain ! (Il retira sa main et jeta un regard furieux à Tommy.) Tommy, aide-moi, bon Dieu !

— Réponds à ma question.

— Ne fais pas le con. Je n'ai rien pris. Et maintenant, on la sort de là-dedans.

— Toi et moi étions les seuls à être au courant. Tu parles d'un cambriolage. C'est une invention, ton putain de cambrioleur !

Richard claqua la portière du côté passager.

— Écoute, connard ! Je te dis la vérité. Ce n'est pas moi. Pigé ? Moi, je ne te ferais pas ce coup-là, mais toi si, parce que tu l'as déjà fait ! Qu'est-ce qui me prouve que ce n'est pas toi ?

— Ce n'est pas moi qui ai ouvert le coffre, c'est toi, Richard. Tu as tenu à aller seul à L. A. Tu as liquidé les bijoux et tu...

Richard bondit et agrippa Tommy par le devant de son trench. Il le tira violemment vers lui, puis il le repoussa en arrière. Tommy chancela, mais reprit son équilibre et se précipita sur lui à son tour. Je vis le poing de Richard voler et cueillir Tommy à la mâchoire. Tommy s'effondra à la renverse contre les deux poubelles qui tombèrent comme deux quilles de bowling. Je me pliai en deux et cherchai sur le côté du siège le levier pour le rabattre. La fermeture céda. J'ouvris la portière du côté du conducteur. Je me faufilai par l'ouverture, m'accroupis et remontai le long de l'aile, toujours accroupie. J'entendis le bruit terrifiant des chairs qui se heurtaient, un grognement au moment où quelqu'un encaissa un coup. Je regardai. Tommy se relevait, essayant de sortir le Davis de sa poche de trench. Ses jambes paraissant se dérober, il s'affaissa de nouveau. Son nez pissait le sang. Il gémit et regarda son frère d'un air hébété. Richard lui expédia un autre coup de pied. Puis il se pencha en avant, lui arracha le pistolet, recula et le braqua sur son frère. D'un geste presque languissant, Tommy leva la main.

— Non, Richie, pas ça, dit-il.

Richard tira. La balle déchira la poitrine de Tommy, mais le sang n'apparut pas tout de suite.

Richard jeta un regard indifférent au corps de son frère et le bougea du bout du pied.

— C'est bien fait, connard. Tu l'as cherché.

Et il jeta l'arme qui rebondit sur le sol et ricocha sous le pick-up. Richard pressa le bouton qui commandait l'autre porte du garage. Sans manifester la moindre émotion, il contourna la Porsche rouge et monta dans la noire. Il mit le contact et passa la marche arrière. Puis, dans un vrombissement il sortit du garage et s'éloigna dans l'allée.

Tant bien que mal, je passai devant l'avant du

pick-up à quatre pattes. Je rampai jusqu'à Tommy pour lui tâter le pouls, mais il était mort. J'aperçus le pistolet. Au moment où j'allais le saisir, je retins mon geste, ma main virant brusquement comme un pilote qui rate son atterrissage. Pas question de brouiller les empreintes que Richard avait laissées sur l'arme. Je me relevai et franchis la porte de derrière, fermant au verrou avant de me diriger vers le téléphone. J'étais glacée de terreur à l'idée que Richard fasse demi-tour et vienne me régler mon compte.

Je composai le numéro de police-secours et informai la standardiste qu'un meurtre venait d'être commis. Je lui dis qui avait tiré, lui donnai son nom, lui décrivis la Porsche et lui précisai le numéro d'immatriculation, H-E-V-N-E-R-1. Je lui donnai aussi l'adresse de Horton Ravine en répétant tout deux fois. Elle me dit de rester sur les lieux en attendant la police. « Naturellement », lui répondis-je, et je raccrochai. Puis j'appelai Lonnie.

CHAPITRE 24

Il était minuit lorsque je me glissai enfin dans mon lit. Les inspecteurs Paglia et Odessa étaient arrivés chez les Hevener peu après Lonnie et avaient au moins fait semblant de compatir en m'interrogeant sur les circonstances qui avaient conduit à la mort de Tommy. Ils m'avaient traitée en témoin, pas en suspecte, ce qui avait considérablement modifié leur attitude à mon égard. Lonnie avait néanmoins veillé au grain pendant l'entretien, protégeant mes droits chaque fois qu'il estimait que ces messieurs allaient trop loin. La cérémonie des premières constatations m'avait paru interminable : relevés d'empreintes, croquis, photographies ; plus le récit en boucle, où il m'avait fallu encore et encore tout raconter avec d'insupportables détails. Ils avaient glissé le Davis dans une pochette dûment étiquetée « pièce à conviction ». Je n'allais sûrement pas revoir mon arme avant une bonne année. Richard Hevener avait été arrêté dans l'heure sur la 101, où il fonçait vers Los Angeles. Peut-être existait-il une chance infime qu'il ait pris les bijoux, mais j'en doutais. C'était Lonnie qui m'avait ramenée à la maison.

Le lundi matin, je fis l'impasse sur mon jogging et la séance au club de gym. Je me sentais percluse et endolorie, mon corps était un vrai patchwork de bleus et de contusions. Psychologiquement, j'étais tout aussi moulue. Je pris la voiture jusqu'à mon bureau et tournai autour du pâté de maisons pour enfin trouver une place à environ six rues de là. Je revins en clopinant et montai en ascenseur. En entrant dans le cabinet, je tombai sur Jeniffer assise sur son bureau et se passant une ultime couche de vernis sur les ongles. Pour une fois, Ida Ruth et Jill avaient renoncé à la harceler. Elles bavardaient ferme dans le couloir. En m'apercevant, elles se turent et m'adressèrent des regards compatissants.

— Il y a du café en train. Je t'en apporte une tasse ? me proposa Jill.

— Volontiers.

J'entrai dans mon bureau et composai le numéro de Fiona. Elle décrocha, nous échangeâmes les politesses d'usage. Sans doute n'avait-elle pas entendu parler du meurtre car elle n'y fit aucune allusion. Ou alors elle s'en contrefichait. Avec elle on ne savait jamais. J'entendais à l'arrière-plan des coups donnés contre quelque chose de métallique, comme un bruit de chaises qu'on traîne, et des grincements divers et variés : les quatre petits chenapans de Blanche passaient la journée chez leur mamie. Avec les sols en ciment nu de Fiona, on se serait cru sur une piste de rollers ou d'autos tamponneuses.

— J'ai la réponse à votre question. Vous savez ? La personne qui habite dans la maison de Bay ? lui dis-je. Il s'agit du père de Clint Augustine, et Clint habite chez lui...

— Je vous avais bien dit qu'ils avaient une liaison.

— Eh bien, non, pas exactement.

Jill fit son apparition et déposa une tasse de café sur mon bureau. Je lui envoyai un baiser et poursuivis en décrivant l'état de santé de Clint et indiquant à Fiona le nom de sa maladie. Je m'étais documentée sur la dermatomyosite dans le *Merck Manuel* qui trône sur mon bureau chez moi. Pas franchement enthousiasmant, et ses symptômes me paraissaient graves.

— A mon avis, l'an dernier il n'était absolument pas en état de s'engager dans une liaison sexuelle ni dans quoi que ce soit, d'ailleurs.

Cela me soulageait de parler d'autre chose que de ce qui s'était passé la nuit précédente.

— Je l'ai peut-être mal jugée, reconnut-elle à contrecœur.

— Difficile de savoir, lui répondis-je, ne souhaitant pas remuer le fer dans la plaie.

— Et l'argent qui a disparu ?

— La police enquête et je lui laisse le soin d'élucider la question. Je ne vous compterai pas le temps que j'ai passé pour trouver la réponse sur ce point.

Elle parut oublier sa déception.

— Parfait, je suppose que l'affaire est réglée. Si vous voulez, vous pouvez me calculer ce que je vous dois et le déduire de l'avance sur honoraires. Inutile de me faire un rapport final. Ce coup de téléphone suffira.

— Entendu. Je vous poste un chèque cet après-midi.

Il y eut un brin d'hésitation.

— Pourrais-je vous demander de m'apporter la somme en liquide ?

— Bien sûr. Pas de problème. Je vous la dépose dans l'après-midi.

Alors que je mettais de l'ordre dans mes dossiers et jetais les papiers inutiles, Jeniffer m'apporta un mot.

Kinsey,
Navrée de vous avoir mise dans cette situation, mais je n'avais pas le choix. C'est la différence entre vous et moi : vous êtes foncièrement honnête et vous avez des principes. Pas moi.

Mariah.

— Où avez-vous trouvé ça ?
— Sur mon bureau.

Prise de vertige, je décrochai le combiné et composai le 713... le préfixe géographique de Houston, Texas..., puis le 555-1212 pour avoir les Renseignements. Lorsque l'opératrice répondit, je lui demandai le numéro du bureau du shérif du comté dont dépendait Hatchet. Elle me donna le numéro, que je notai. Je le laissai en attente sur mon bureau et sortis la chemise que Mariah Talbot m'avait remise. Je feuilletai les coupures de presse en cherchant le nom du shérif qui s'était occupé du dossier Hevener. Je fis d'abord le numéro de Mariah et tombai sur le même message enregistré que précédemment : « Bonjour. Ici Mariah Talbot. Vous êtes bien aux bureaux de la Guardian Casualty Insurance à Houston, Texas... » Je raccrochai. N'importe qui peut laisser une annonce sur un répondeur. N'importe qui peut se faire imprimer un jeu de cartes de visite professionnelles.

Je composai le numéro au Texas et demandai à parler au shérif Hollis Cayo. Je déclinai mon identité en lui précisant d'où je l'appelais.

— J'aurais des questions à vous poser au sujet de deux meurtres sur lesquels vous avez enquêté en 1983, lui dis-je. Ceux de Jared et Brenda Hevener.

— Je m'en souviens, me dit-il. Des gens bien, et qui méritaient un sort meilleur. En quoi puis-je vous être utile ?

— Je pense devoir vous mettre au courant. Tommy Hevener est mort cette nuit. Son frère l'a abattu dans le feu d'une dispute.

Il y eut un silence, le temps qu'il absorbe l'information.

— Je ne peux pas dire que ça m'étonne. J'espère que vous ne m'annoncez pas l'arrivée de Richard ?

— Rassurez-vous ! La police l'a arrêté et l'a écroué à la prison du comté. A ce que je comprends, il n'a plus un sou vaillant et c'est sans doute l'assistance judiciaire qui va se charger du dossier. Je me posais une question : a-t-on fini par arrêter Casey Stonehart ?

— On n'a jamais pu mettre la main dessus ! Il

a disparu juste après les meurtres ; probable que les deux garçons y ont veillé aussi. Nous considérons qu'il est mort, mais nous ne le saurons jamais. Le Texas est grand. Il y a toute la place qu'on veut pour des tombes anonymes.

— J'ai cru comprendre que la sœur de Brenda Hevener et la Guardian Casualty Insurance avaient l'intention de porter l'affaire devant les tribunaux. Êtes-vous au courant ?

— Tout à fait. Je crois qu'ils s'occupent de réunir des informations en ce moment même. Pourquoi cette question ?

— Une enquêtrice de la compagnie est passée à mon bureau il y a une semaine, et je me demandais si vous la connaissiez. Une certaine Mariah Talbot.

J'entendis un sourire dans sa voix.

— Oh que oui ! « Mariah la paria ». Un mètre soixante-douze, soixante-dix kilos, vingt-six ans ? Yeux bleus et cheveux prématurément gris ?

— Vous me rassurez. Je commençais à croire qu'elle s'était présentée sous une fausse identité. Depuis combien de temps travaille-t-elle pour la Guardian Casualty ?

— Je n'ai jamais dit ça. En réalité, Talbot est le nom du frère aîné de Casey. Il en a un autre qui s'appelle Flynn. Il doit y en avoir encore deux autres dans la nature, mais je ne me suis occupé que de ceux-là. Tous des gibiers de potence, dans cette famille. Ils passent leur temps à faire de la prison et à en ressortir. Un ramassis de psychopathes !

J'accusai le coup.

514

— Et elle, là-dedans ?

— La femme dont vous me parlez est la sœur de Casey, Mariah Stonehart. La seule fille.

— Ah.

Quand nous eûmes raccroché, je posai ma petite tête sur mon bureau. J'aurais peut-être dû m'en douter, mais une chose était sûre : elle était maligne...

A 10 h 30, j'allai au palais de justice effectuer une recherche pour Tina Bart. Je comptais sur une petite plongée dans l'immensité insondable de la paperasserie ordinaire, où les risques de violence et de trahison se réduisaient au minimum, pour me remonter le moral. De plus, j'étais sincèrement intriguée par les activités de Glazer, en particulier par ses liens avec Genesis-Gestion financière. L'enquêteur de la BRFM concentrait certainement son attention sur les trois grosses sociétés dont on m'avait parlé : la Millennium Health Care, la Silver Age et l'Endeavor Group. Mais quelque chose me disait que l'affaire commençait à faire boule de neige et à rattraper Joel Glazer et son associé, Harvey Broadus.

Je commençai par le Bureau des contributions directes au bâtiment administratif du comté, où j'examinai les registres des déclarations d'impôts sur le capital des Prairies du Pacifique. Comme prévu, Glazer et Broadus figuraient en qualité de propriétaires. Je vérifiai les autres biens que chacun détenait et en dressai la liste. Puis j'abandonnai les contributions directes et gagnai le palais de justice, au greffe du comté. Là, les dossiers étaient classés conformément aux Fichiers des cédants et acquéreurs : ceux qui vendent et ceux qui achètent. Je passai une heure dans la jungle des ventes de biens immobiliers, actes de transferts avec garantie limitée, propriétés fiduciaires, droits de mutation, actes de transfert sans garantie et autres cessions. Tina Bart avait vu juste. Le bâtiment et le terrain des Prairies du Pacifique avaient changé trois fois de mains au cours des dix dernières années, chaque transfert se traduisant par une hausse appréciable du prix de vente. Le bien avait d'abord été vendu à Maureen Peabody en 1970, pour la somme de 485 000 dollars. Elle l'avait, elle, cédé à l'Endeavor Group en 1974 pour la coquette somme de 775 000 dollars. Le bien avait enfin été revendu en 1976 à la Silver Age pour 1,5 million de dollars, avant d'être acquis par la société de Glazer et Broadus au prix faramineux de 3 millions de dollars. En calculant les taxes de transfert, la valeur d'estimation du bien se montait à 2,7 millions de dollars.

Je traversai la rue pour me rendre à la bibliothèque et examinai les annuaires de la ville à rebours, cherchant Maureen Peabody. A force de navettes entre l'annuaire de la ville et le chassé-croisé, je découvris qu'elle était la veuve d'un certain Sanford Peabody, qui avait été membre du bureau directeur de la Banque municipale de Santa Teresa, de 1952 jusqu'à sa mort, au printemps 1969. Maureen avait sans doute utilisé sa part de la succession pour acquérir la maison de retraite.

Prise d'une intuition, je repartis au palais de justice et examinai les registres de mariages des années 1976 et 1977. En février 1977, je trouvai la trace d'un acte de mariage entre Maureen Peobody et Frederick Glazer, l'un et l'autre veufs à l'époque. Elle avait cinquante-sept ans et lui soixante-deux. De là à en déduire que Maureen était la seconde femme du père de Joel Glazer, il n'y avait qu'un pas. Je pariai que le nom de Maureen allait à nouveau figurer au comité directeur de l'Endeavor et de la Silver Age. Il restait une dernière question à élucider : qui détenait Genesis, la société d'exploitation des Prairies du Pacifique ? Je le découvris dans une liste de demandes d'enregistrement de raisons sociales. La propriétaire de la raison sociale n'était autre que Dana Jaffe, opérant sous le nom de Genesis-Gestion financière. La société était officiellement domiciliée à Santa Maria. Comme adresse personnelle, Dana Jaffe avait donné celle de la maison de Perdido où elle vivait à l'époque où je recherchais Wendell. Joel Glazer avait dû la convaincre de signer la demande de raison sociale avant leur mariage. Rien ne prouvait d'ailleurs qu'elle ait pleinement compris ce que cela signifiait. Bref, en surface, la Genesis avait l'air d'une société distincte, sans lien aucun avec les Prairies du Pacifique. En réalité, Glazer contrôlait les deux, ce qui le plaçait dans une position idéale pour récolter les bénéfices de toutes les demandes de remboursement trafiquées à Medicare. Dieu merci, je ne serais pas là le jour où Dana découvrirait qu'elle avait épousé un autre escroc. Elle était déjà assez furieuse que j'aie contribué à faire jeter son fils en prison.

Devoir en plus renoncer à sa vie à Horton Ravine...

Je quittai le palais de justice en clignant des yeux dans la lumière embrumée, avec l'impression de sortir d'une salle de cinéma obscure. Je consultai ma montre. Midi approchait, et j'étais curieuse de savoir si la police avançait dans son enquête. Je déduisis les deux heures supplémentaires pour lesquelles Fiona m'avait donné son feu vert. Après quoi je passai à la banque et retirai les neuf cent soixante-quinze dollars que je lui devais. Je traversai Anaconda et remontai Floresta jusqu'à la rue piétonne où se trouvait l'Arcade, la boutique de sandwichs. La partie vente à emporter était ouverte, mais paraissait très calme. Les tables de pique-nique et les bancs étaient encore trop mouillés pour qu'on les utilise. En passant près de la baie vitrée, j'aperçus Odessa à une des petites tables en marbre. A part lui, l'endroit était désert, alors qu'on s'entassait dans le petit café sympa de l'autre côté du passage. Je lui fis signe de la main et entrai.

— Comment va ? me demanda-t-il.

— J'ai connu pire. Je pensais qu'aujourd'hui vous auriez juste pris un truc à emporter au bureau...

— Trop déprimant. J'ai besoin de lumière. Le néon me donne des envies de suicide.

Il s'intéressa de nouveau à son hamburger entouré de frites dans son panier en plastique rouge.

— Au moins vous vous nourrissez bien !

Il me sourit. L'humidité de l'air ajoutait un halo de frisettes à ses cheveux noirs déjà indociles. N'importe quelle femme dans sa situation aurait été réduite au désespoir, alternant sprays, gels, mousses capillaires et autres défrisants. Paglia, lui, avait compris : il s'était rasé les cheveux. Odessa me montra ses frites, s'attendant manifestement à ce que je me serve.

Je secouai la tête.

— Non merci, je n'ai pas faim. Je viens de fureter dans les archives publiques. Il semblerait que les associés du Dr Purcell aient monté une fraude Medicare et aient essayé de lui faire porter le chapeau.

— Vous parlez de Glazer ?

— Et d'Harvey Broadus. Purcell avait découvert le pot aux roses et devait rencontrer le FBI. Qui sait jusqu'où ces deux-là étaient prêts à aller pour s'assurer de son silence... Que dit le médecin légiste ?

— Il a trouvé des traces de poudre sur sa tempe droite. Il n'avait pas grand-chose sur quoi travailler, mais d'après lui il s'agirait d'une blessure occasionnée non par contact direct, mais proche. Autrement dit, par un coup non pas tiré à bout portant, en pressant l'arme sur la tempe, mais à une courte distance. Purcell aurait pu se débrouiller tout seul à condition que son bras ait eu vingt centimètres de plus... Ils sont allés ratisser le terrain près du réservoir, mais jusqu'ici, pas trace de balle. Probable qu'ils vont élargir la recherche. On l'aurait descendu ailleurs et ramené avec la voiture ensuite.

— Plutôt coton, non ? Avec lui au volant ?

— Ça chiffonnait aussi Jonah. Vous le connaissez. Il fait une fixation sur la couverture que Purcell avait sur lui. En mohair, vert pâle. Il a posé la question à Crystal, qui lui a dit que c'était un cadeau qu'elle lui avait fait. Il y a un an, elle avait prévu un petit nécessaire de secours en cas de panne : de quoi manger, une torche électrique, de l'eau en bouteille, une trousse médicale de premier secours, le tout dans son coffre de voiture. La couverture en faisait partie. D'après Jonah, l'assassin pourrait l'avoir posée sur le corps et s'être assis sur ses genoux pour le conduire à l'endroit où on a retrouvé la bagnole. La couverture permettait de ne pas se tacher avec le sang de ses vêtements.

— Dites-moi, il faut quand même avoir le cœur bien accroché pour faire un truc comme ça, non ? Et le mohair n'aurait pas laissé des fibres sur le pantalon de l'assassin ?

— Si. Et aussi des traces de sang, mais il a eu tout le temps de se débarrasser des preuves.

Je lui piquai une frite, l'imbibai de ketchup, et la reposai.

— J'ai parlé à Crystal hier soir, dis-je. Elle a retrouvé son passeport dans une poche du manteau qu'il portait lors de leur dernier voyage. Et Paulie ? Son dossier ?

— Jonah m'a dit qu'il avait vérifié après que vous lui en avez parlé. Elle avait treize ans la première fois qu'elle s'est fait prendre. Sa grand-mère croyait qu'on lui avait volé sa voiture et avait appelé la police. En réalité, c'était Paulie. Elle a été épinglée une autre fois pour vagabondage, et une troisième pour dommages causés avec intention de nuire. C'est une gamine qui ne sait pas à quoi s'occuper et bien trop livrée à elle-même.

— Elle et Leila font vraiment la paire.

— Nous travaillons toujours sur cet aspect-là du problème. Nous avons envoyé quelqu'un à la pension pour voir si, par hasard, les dates de ses absences et celles des prélèvements au distributeur concordaient. Ces filles, si elles vont ailleurs que chez elles pendant le week-end, doivent présenter une autorisation d'un parent ou d'un correspondant, plus une confirmation de la personne chez qui elles vont. Il apparaît déjà qu'elle a réussi à embrouiller tout le monde. Et ce n'est pas facile. Les responsables de la pension sont rodées, mais elle est maligne. Nous avons demandé les registres de la banque et ceux du service postal où il avait gardé sa boîte. Le procureur et le responsable des mises en liberté surveillée rencontrent le juge cet après-midi. Nous espérons boucler le dossier.

— Attendez, attendez... L'autre jour, j'ai fait un saut à la maison de Horton Ravine. Leila avait quitté l'école sans autorisation. Crystal était dans tous ses états et m'a laissée fouiller sa chambre. Leila a une boîte en métal fermée à clé sous son matelas. C'est sans doute de la drogue, mais peut-être aussi l'argent qui a disparu. Paulie et elle se préparent à prendre le large. Vous auriez peut-être intérêt à ne pas les perdre de vue.

— Comptez sur nous, me dit-il.

Je regagnai le bureau à 1 h 15. La pluie avait repris et j'en avais vraiment ma dose. Un curieux abattement m'avait envahie suite à la fusillade et à la poussée d'adrénaline qui l'avait accompagnée. Ma conversation avec Odessa n'avait fait qu'accentuer cette impression de déprime. Jonah Robb, Vince Odessa, Jim Paglia... je leur enviais l'excitation de la traque. Purcell avait été assassiné, et même s'ils ne savaient toujours pas par qui, le processus était enclenché.

Je m'assis à mon bureau et me perdis dans la contemplation des feuilles de mon faux ficus. Il trônait au milieu de la pièce et, d'où j'étais, la poussière qui s'y accumulait ressemblait à une fine pellicule de talc. Il allait quand même falloir que je l'essuie un de ces jours. Pivotant dans mon fauteuil, je saisis un crayon. Et dessinai une boîte sur mon buvard.

Le reste de l'après-midi se passa à rattraper toutes les corvées que je remettais à plus tard depuis une semaine. Je tapai les informations que j'avais exhumées sur Genesis et photocopiai les factures de Klotilde, ajoutant une partie de son décompte, juste ce qui me parut raisonnable. J'espérais que personne ne se demanderait comment j'avais mis la main sur son dossier médical. Tandis que je plaçais les feuilles sur la photocopieuse et observais le va-et-vient de la barre lumineuse, je me demandai pourquoi Fiona tenait tant à avoir ses neuf cent soixante-quinze dollars en liquide. Ce ne devait pas être sorcier à expliquer. Je ne la croyais pas sérieusement inquiète que la banque refuse mon chèque, donc il y avait autre chose. Une image me revenait avec insistance : sa propriété à flanc de colline envahie par les herbes folles. Je visualisai le hall d'entrée de sa maison et son décor de bâches de protection et d'échafaudages permanents.

Mes pensées s'attardaient aussi sur la couverture verte en mohair que Crystal avait donnée à Dow, sur le fait que quelqu'un avait été capable de s'asseoir sur ses genoux après l'avoir touché mortellement. Qui aurait eu envie de faire un tel trajet ? Et surtout sur des voies publiques, où un piéton ou un conducteur dans la file voisine risquait de jeter un coup d'œil juste au mauvais moment et d'être le témoin de cette mortelle étreinte. Quitte à être l'assassin, on aurait pensé au réservoir : il était sympa que le mort et la voiture disparaissent et qu'on n'en parle plus. Jonah, lui, était parti du principe que l'assassin avait commis une regrettable erreur en calculant mal la position du rocher, qui avait empêché la voiture d'être entièrement immergée. Et si c'était le contraire qui s'était passé ? Et si l'assassin avait tenu à ce qu'on découvre la voiture ? En admettant que la mort de Dow dût faire croire à un suicide, l'enchaînement de cause à effet s'inversait. L'assassin connaissait la présence du rocher et pensait que la voiture serait visible au lever du jour. Au lieu de quoi, le véhicule avait légèrement dévié et s'était trop enfoncé pour qu'on l'aperçoive aisément.

L'après-midi touchait à sa fin lorsque j'ouvris mon tiroir du bas et en sortis l'annuaire, tournant les pages jaunes jusqu'à la section des entreprises de peinture. Il y en avait une bonne centaine, colonne après colonne, certaines accompagnées d'encarts publicitaires, d'autres de slogans racoleurs : POURQUOI ESSAYER DE PEINDRE DANS LES

COINS QUAND NOUS POUVONS LE FAIRE POUR VOUS ? CHARLIE CORNER & FILS, PEINTURE. J'eus la vision fugitive de la famille Corner assise autour de la table de cuisine, en train de s'en jeter un derrière la cravate et de chercher des slogans astucieux pour profiter au mieux de leur encart.

Je commençai par les A et parcourus les noms du bout du doigt jusqu'à ce que je trouve celui que je me rappelais avoir vu sur le piquet devant la maison de Fiona. Une seule ligne : RALPH TRIPLET, COLGATE. Pas d'adresse. Je notai le numéro de téléphone. Je voyais assez bien Fiona choisir un exécutant solitaire, quelqu'un qui avait trop besoin de travailler pour discuter. Elle avait sauté toutes les demi et pleines pages de pubs tapageuses.

Je composai le numéro de Ralph Triplet. Je cherchai un bobard quelconque à lui raconter, mais séchai.

On décrocha à la première sonnerie.

— Ralph-Triplet-peinture-en-bâtiment-j'écoute ?

— Bonjour, monsieur Triplet, lui dis-je. Je m'appelle Kinsey Millhone. Je viens d'effectuer un travail pour Fiona Purcell, au-dessus d'Old Reservoir...

— J'espère que vous avez commencé par vous faire payer !

— C'est justement la raison de mon appel. Est-elle mauvais payeur ?

— Dites plutôt qu'elle ne paie pas du tout ! Vous avez vu sa baraque ? Rien que du blanc ! On pourrait croire que c'est pas compliqué, mais nous en sommes à six essais de nuances ! Tout y est passé, du gel à l'albâtre, de la coquille d'œuf à l'huître nacrée. Impossible de satisfaire Madame ! Je lui faisais la moitié d'un mur, elle voulait autre chose. Trop vert, qu'elle disait. Ou enlevez-moi ce ton de rose. Toujours est-il que ça fait des semaines que j'attends d'être payé. L'architecte a entamé une procédure en rétention et je la menace d'en faire autant. En attendant, je me suis enquis de sa solvabilité. J'aurais dû commencer par là, mais je ne me suis pas méfié. Elle présente bien, mais elle n'arrête pas de tirer sur une carte de crédit pour payer l'autre. Vous avez dit que c'était comment, votre nom ?

— Aucune importance, lui assurai-je, et je raccrochai.

Je sortis mon paquet de fiches retenues par un élastique. Cette fois-ci, je n'y ajoutai rien. Je les repris au hasard, vérifiant les informations que j'avais notées au cours de la semaine, en particulier les détails de la dernière journée de Dow. Mme Stegler m'avait confié au passage un détail qui attira mon attention au vu de tout ce que j'avais appris depuis. Elle m'avait dit que, pendant qu'il était parti déjeuner, Fiona était passée. Elle l'avait attendu dans son bureau et avait fini par repartir en lui laissant un mot. J'étais moi-même allée dans son bureau et je n'ignorais pas qu'il lui aurait été facile d'ouvrir le tiroir et de prendre son arme.

En remontant Old Reservoir Road dans le soir qui tombait, je me sentais comme anesthésiée. Seule la vitesse un peu excessive avec laquelle j'abordais les virages compte tenu de l'état de la route — de l'eau, de l'eau, de l'eau — trahissait mon agitation. J'avais une idée, une intuition à vérifier avant d'appeler Jonah Robb. Je tournai à gauche pour prendre la route qui remontait derrière son terrain et me garai dans le parking à l'arrière de la maison.

Je fis le tour et sonnai à la porte de devant. Elle prit tout son temps pour venir m'ouvrir. Je contemplai le lac. Dans la lumière déclinante, il ressemblait à une nappe de mercure. Onze jours auparavant, je m'étais retrouvée à cet endroit précis, embrassant le même panorama. Le terrain vertical s'était transformé en une féerie d'herbes hautes qui vous arrivaient à la hauteur du genou, une profusion de queues-de-renard, de folle avoine et de seigle. Si les précipitations ne faiblissaient pas, le flanc meuble de la colline allait s'écrouler sur la route.

La porte s'ouvrit dans mon dos. Même lorsqu'elle gardait ses petits-enfants, Fiona restait sur le pied de guerre, cette fois en tailleur de lainage noir à veste amplement épaulée et cintrée. Les revers de son col et de ses poignets étaient soulignés par un imprimé de faux léopard. Un turban en imprimé léopard assorti cachait ses cheveux. Gloria Swanson pouvait aller se rhabiller. Je lui tendis l'enveloppe.

— J'ai inclus une facture pour vos archives, lui dis-je. J'espère que vous ne m'en voudrez pas si je vous demande un reçu.

— Absolument pas ! Entrez donc.

Je m'avançai dans le vestibule. Il y avait un tricycle dans le hall et par terre s'éparpillait le fouillis juvénile que j'avais vu chez Blanche : des Tinkertoys, des cubes, une socquette, des crackers en miettes, des crayons. Les enfants s'étaient construit une énorme tente avec les bâches de protection du peintre qui recouvraient maintenant tous les sièges du séjour. Je les voyais qui se bousculaient là-dessous, laissant fuser en cascade les gloussements rauques et forcés qui annoncent la bagarre en règle où tous les coups sont permis.

Fiona apposa sa signature sur le reçu. Ses ongles étaient vernis en rouge foncé. Même nuance de rouge à lèvres pour sa bouche, une trace ayant bavé sur ses deux incisives. L'effet était bizarre — on aurait dit une crise de gingivite aiguë. Je détachai la feuille du dessus et la lui redonnai.

— Comment va Blanche ? lui demandai-je.

— Bien. Au moins elle aura passé un après-midi calme et paisible. Andrew passe prendre les petits après le dîner ce soir... si nous survivons jusque-là.

— Puis-je vous demander où sont les toilettes ?

— Vous pouvez utiliser celles d'en bas, après la cuisine.

— Je reviens tout de suite.

Fiona réintégra le séjour et je l'entendis donner des instructions pour qu'on range. Les gamins parurent même disposés à coopérer. Je traversai la cuisine et ouvris la porte qui donnait sur le garage à trois places. Il faisait sombre et le large espace qui s'ouvrait devant moi avait quelque chose de sinistre. J'aperçus une BMW garée à la place la plus proche, mais les deux autres places étaient vides. Elle m'avait dit que lorsque Dow venait la voir, elle l'obligeait à entrer sa voiture dans le garage pour éviter les commérages des gens du coin. J'allumai la lumière du plafond, ce qui ne changea pas grand-chose.

Je sortis la lampe électrique de mon sac à bandoulière et gagnai le mur du fond. Je m'imaginai au volant de la Mercedes gris métallisé de Dow. Je regardai à gauche et calculai la trajectoire d'une balle tirée depuis le siège avant et traversant la tête du conducteur, puis la vitre de la portière, pour aller se ficher dans le mur. Là-bas exactement. J'aurais parié gros qu'elle ne s'était jamais souciée d'extraire la balle. Elle avait eu suffisamment de peinture blanche sous la main pour recouvrir toutes les traces de son forfait. Qui aurait même seulement eu l'idée d'aller regarder à cet endroit ? Les policiers ratisseraient le bas de la colline avec leurs détecteurs à métaux en s'arrêtant à la route.

Dans la lumière chiche de l'ampoule, le mur paraissait lisse. J'effleurai la couche de finition, m'attendant à palper une petite surface de plâtre de rebouchage légèrement granuleuse, mais non : le mur était bien lisse. Pas la moindre trace nulle part. Je tins le faisceau de ma lampe en biais en espérant faire brusquement surgir un petit bas-relief d'irrégularités. Rien. J'inspectai systématiquement le périmètre, mais sans découvrir la moindre indication que Dow y aurait été abattu avant qu'on bouge sa voiture. Pas de débris de verre, pas de taches d'huile à l'endroit où la Mercedes avait stationné. Je restai plantée là, abasourdie. J'en aurais gémi de frustration. Je ne pouvais pas me tromper ! J'en aurais mis ma main au feu !

La porte de la cuisine s'ouvrit et Fiona apparut. Elle ne bougea pas. Elle me regarda, juste ça.

— Je me demandais ce qui vous était arrivé, dit-elle.

Je lui renvoyai son regard, la bouche soudain bien sèche, incapable d'inventer une explication pour justifier ma présence dans le garage.

— L'inspecteur Paglia est passé tout à l'heure et a fait exactement la même chose, reprit-elle. Il a vérifié s'il n'y avait pas une balle dans le mur et n'en a trouvé aucune.

— Fiona, je suis désolée.

— J'imagine. (Elle resta un moment silencieuse.) Une question, je vous prie. Si j'avais vraiment tué Dow, pourquoi aurais-je eu l'idée aberrante de vous engager ?

Mes joues devinrent brûlantes, mais je savais que je lui devais la vérité.

— Je me suis dit que vous aviez besoin qu'on retrouve le corps pour toucher l'assurance. En m'engageant, vous paraissiez au-dessus de tout soupçon.

Je sentis la morsure de son regard, mais à aucun moment elle n'éleva la voix.

— Vous êtes une jeune femme très arrogante, me dit-elle. Et maintenant, sortez de chez moi.

Elle repartit, refermant sèchement la porte derrière elle.

Je sortis du garage. Je remontai dans ma voiture et commençai à descendre la pente, tellement honteuse et mortifiée que j'en avais le vertige. Que pouvais-je dire pour ma défense ? je m'étais trompée sur elle, sur Crystal et Clint Augustine, et sur Mariah qui s'était payé ma tête. A l'intersection, je tournai à gauche. J'avais dépassé le carrefour suivant lorsque j'aperçus une silhouette connue marchant à reculons sur le bord de la route. Paulie qui faisait du stop. Jean, chaussures de randonnée, le blouson de cuir noir que je lui avais déjà vu. Un cuir de qualité supérieure, au demeurant ; je me demandai si elle et Leila l'avaient payé avec une portion des trente mille dollars volés.

Je ralentis et m'immobilisai sur le bas-côté tandis qu'elle se hâtait de me rejoindre. Le temps qu'elle arrive à la voiture, je lui avais ouvert la portière côté passager.

— Montez. Vous allez chez Leila ?

— Oui. Elle est en bas, à la villa.

Elle se glissa sur le siège et claqua la portière, empestant l'herbe et le tabac. Elle avait des cheveux bruns et raides, qui auraient pu être luisants si elle les avait lavés. Des gouttes de pluie s'accrochaient à ses mèches comme des paillettes. Ce n'était pas une beauté classique, mais elle avait des yeux qu'on n'oubliait pas, immenses et marron foncé.

— Vous pouvez me lâcher en ville, reprit-elle. Je trouverai facilement quelqu'un pour le reste du trajet.

— Ça ne m'ennuie pas du tout de vous y conduire. J'ai besoin de m'aérer. (J'attendis que les voitures soient passées, puis je m'engageai sur la route.) Vous avez de la chance que je sois

passée par là. Je vais rarement dans ce secteur.
Vous venez de chez Lloyd ?

— Oui, mais il était sorti et je n'ai pas trouvé
la clé. Je n'avais pas envie de l'attendre dans le
froid. Ça ne commence pas à vous courir, cette
putain de pluie ?

Je ne relevai pas.

— Vous vous entendez bien avec lui ?

— Dans un sens... à cause de Leila.

— Comment va-t-elle prendre son départ pour
Las Vegas ? Vous croyez qu'il va lui manquer ?

— Et comment ! Ça l'a dévastée quand elle
l'a su.

— Elle est retournée à la pension ?

— Pas avant mercredi. Sa mère la conduira.

— Peut-être qu'elle ira voir Lloyd une fois
qu'il sera installé, lui dis-je. Quand part-il ? Dans
un jour ou deux si j'ai bonne mémoire.

— Quelque chose comme ça, oui. J'essaie de
le convaincre de m'emmener.

— Vous partiriez d'ici ?

— Sans hésiter ! Cette ville est à chier.

— Mais vous y avez de la famille, non ?

— Juste Mémé, et elle s'en contrefout. Elle
me laisse faire tout ce que je veux.

Je la regardai.

— Vous êtes déjà allée à Las Vegas ?

— Une fois, quand j'avais six ans. (Un léger
sourire éclaira son visage, et son expression
s'anima.) On était descendus au Flamingo. Avec
ma sœur, on avait nagé dans la piscine et on
s'était tellement gavées de coktails de crevettes
qu'elle en avait vomi dans un buisson ! Le soir,
on est allées se balader et on a fini tous les verres

que les gens avaient laissés sur les tables. On s'est vraiment éclatées. On faisait semblant d'être givrées ! On ne pouvait même plus marcher droit !

— J'ignorais que vous aviez une sœur.

— Je ne l'ai jamais revue depuis, ni ma mère non plus.

Cela m'intriguait, mais je lui avais déjà posé une tonne de questions et je ne voulais pas qu'elle croie à un interrogatoire... ce qui était le cas, bien entendu.

— J'aurais du mal à supporter la chaleur.

— Moi, j'aime. Même en été, je suis sûre qu'elle ne me gênerait pas ! Je pourrais me la couler douce là-bas. Ce serait le pied.

— Et l'argent ne vous poserait pas de problème ?

— Pas du tout. J'en ai des masses. (Je la sentis hésiter, ruminant sa gaffe. Visiblement, elle m'en avait dit plus qu'elle ne l'aurait souhaité.) Je pourrais probablement me faire du fric en garant les bagnoles dans un des grands casinos. Un truc où on récolte de bons pourboires. Un type que je connais dit qu'un voiturier peut se faire jusqu'à cent dollars par jour.

— Je croyais que vous aviez seize ans ?

— Tout le monde dit que je fais plus vieille que mon âge. J'ai un faux permis de conduire qui dit que j'en ai dix-huit. Personne ne vérifie. Du moment que vous êtes là pour le boulot, ils n'en ont rien à faire. (Elle croyait être à la coule, savoir comment le monde fonctionnait, mais ne faisait que prendre ses désirs pour des réalités.)

Vous croyez que je ne saurais pas me tirer d'affaire toute seule ?

— Absolument pas !

— Je n'ai besoin de personne. Je suis habituée, maintenant. De toute façon, je vis la moitié du temps dans la rue, alors autant que ce soit là-bas plutôt qu'ici. Peut-être que Lloyd va se trouver un appart et que je pourrais habiter avec lui.

— Vous croyez que c'est une bonne idée ?

Elle me jeta un regard ulcéré.

— Hé, je ne me l'envoie pas, ce type ! C'est juste un ami.

— Que va devenir Leila sans vous ? Je vous croyais inséparables, toutes les deux.

En réalité, je pensais à la facilité avec laquelle Lloyd pouvait fourrer les deux filles dans sa voiture pour leur faire franchir la frontière de l'État. Paulie ne partirait jamais sans Leila. Je lui jetai un regard en coin et la vis qui cherchait une réponse.

— C'est son problème. Elle trouvera bien.

Nous arrivâmes à la villa de Crystal. Je m'arrêtai dans le parking gravillonné et Paulie descendit. Crystal ne serait sûrement pas ravie de la voir, mais elle saurait se montrer polie. Je m'imaginai Leila et Paulie, les deux inséparables, se retrouvant ensemble sous les verrous dans pas longtemps. Fini Las Vegas et sa fabuleuse carrière de voiturière.

Je laissai tourner le moteur, attendant que Paulie sonne à la porte. Sur la maison voisine, un calicot indiquant VENTE IMMINENTE barrait à présent le panneau À VENDRE. Crystal vint ouvrir. Si la présence de Paulie ne l'emballait pas, elle parut garder ses sentiments pour elle. Peut-être que la compagnie de Paulie arrondissait les angles de ses rapports avec Leila. Crystal aperçut ma voiture et me fit un signe de la main. Je lui rendis son salut et sortis dans l'allée en marche arrière ; mes phares illuminant le garage ouvert, j'y aperçus la Volvo et le coupé. La place à l'extrême gauche était vide, et je devinai que c'était là que Dow garait sa voiture. J'éprouvai une minuscule décharge électrique. Je tournai dans Paloma Lane, roulai sur quelques mètres, puis je garai la Volkswagen sur le bord de la route. Je sortis et repartis à pied vers la villa. Je m'engageai dans l'allée, le bruit de mes pas sur les gravillons me faisant penser à quelqu'un en train de mastiquer une bouchée de glace pilée.

Crystal avait refermé la porte d'entrée et tout était plongé dans l'obscurité. Je respirai l'odeur de l'océan. J'entendis le battement des vagues. En dehors de ça, le silence dérivait comme un nectar dans l'air immobile de la nuit. La pluie avait laissé dans son sillage un parfum entêtant d'algues, de branches de pin et de solitude. Je vous jure que même l'obscurité avait une odeur particulière. *Ose être idiote, me dis-je. De toute façon, des gens sont persuadés que tu l'es, alors ça change quoi, tu veux me le dire ?*

Comme je l'avais fait dans la maison de Fiona, je me plaçai à un endroit qui correspondait approximativement au siège du conducteur de la Mercedes, me représentant mentalement la voiture comme Dow l'aurait garée s'il était rentré cette nuit-là. Crystal lui avait peut-être promis des gâteries sexuelles, peut-être même lui en avait-elle décliné le menu avec des détails si exquis qu'il avait omis sa visite à Fiona pour revenir dans ses foyers auprès de son épouse. Il l'imagine en train de sortir de la maison pour l'accueillir, elle est vêtue d'une chemise de nuit aérienne... quelque chose de diaphane... une soie impalpable que les vents marins retroussent avec coquinerie, dévoilant ses jambes. Crystal savait mettre son corps en valeur et en tirer parti. Elle aurait très bien pu subtiliser le Colt Python .357 un peu plus tôt. Elle avait déclaré à la police que Dow le gardait dans un tiroir de son bureau sur son lieu de travail ou dans la boîte à gants de sa voiture. Elle avait accès aux deux, en particulier quand elle emmenait Griffith à la maison de retraite. Même si elle était sortie en survêtement et chaussures de jogging, il lui aurait suffi d'ouvrir la portière, de se pencher sur le siège avant et de le tuer avec la douceur d'un baiser. Elle avait risqué gros en conduisant le corps jusqu'au réservoir, mais le danger d'être repérée sur l'autoroute lui avait sans doute paru moins important que la possibilité d'incriminer Fiona. Compte tenu de la somme d'argent que celle-ci récupérerait, la police penserait tout naturellement que c'était elle qui l'avait tué.

Je regardai à gauche et calculai la trajectoire d'une balle arrivant dans cette direction. Après tout, une balle de Colt Python ayant traversé la cabine de la voiture pour aller transpercer la tête du bon docteur aurait très bien pu continuer sa course, fracasser la vitre de l'autre portière et faire encore deux ou trois mètres avant de se loger dans un bardeau de la maison d'à côté.

Je traversai la petite bande d'herbe irrégulière qui séparait le garage de l'édifice voisin. Il s'agissait sans doute d'un ancien garage indépendant qu'on avait relié à la maison et reconverti en chambre d'amis ou en pièce commune. Je sortis ma torche électrique et l'allumai. Écartant les buissons, je promenai le faisceau lumineux sur les bardeaux grossièrement taillés et là, sur le côté de la maison, mon regard se posa sur le trou d'impact, aussi noir qu'une araignée.

Je revins sur mes pas, traversai le parking gravillonné et poussai jusqu'à la porte d'entrée. Puis je sonnai. Elle ouvrit un instant plus tard ; on aurait pu croire à son expression que je sollicitais la charité ou faisais du porte-à-porte avec quelque chose à vendre.

— Oh... Je ne m'attendais pas à vous voir. Que se passe-t-il ? me demanda-t-elle.

— J'aimerais téléphoner.

Elle parut étonnée, mais s'écarta pour me laisser passer devant elle. Elle était pieds nus et en survêtement, les cheveux remontés au-dessus de la tête.

Elle jeta un coup d'œil dehors.

— Où est votre voiture ?

— Garée sur la route. Le moteur est mort et il faut que je rentre.

— Je vous ramène, me dit-elle. Donnez-moi une minute, le temps de prendre mes clés.

— Non, je vous en prie. Je ne voudrais surtout pas vous déranger. J'ai un excellent ami qui habite pas loin d'ici et s'y connaît en mécanique. Je vais juste lui demander de venir voir. Avec un peu de chance, il va me réparer ça sur place et je pourrai repartir.

— En tout cas, si ça ne marche pas, je peux toujours vous raccompagner.

D'en haut me parvint le bruit assourdissant de la musique montée à plein volume. Je m'imaginai Paulie et Leila en train de prévoir leur fuite. J'espérais sincèrement que la police allait se manifester avant qu'elles ne « fuguent » pour de bon. Je ne savais pas exactement où était Rand. Peut-être dans la salle de bains, en train de préparer Griffith pour la nuit.

Elle me fit entrer dans le bureau et resta dans l'encadrement de la porte pendant que je m'asseyais. Je lui adressai un sourire rapide.

— Ça ne prendra pas plus d'une minute, lui assurai-je en espérant la voir s'éloigner.

Je saisis le combiné et composai le numéro de Jonah à son domicile. Si c'était Camilla qui répondait, j'étais baisée. Elle m'avait déjà fait le coup de poser le combiné sur la table et de partir ailleurs en se gardant bien de dire à Jonah que j'étais en ligne et désirais lui parler. On décrocha.

— Jonah Robb à l'appareil, dit-il.

— Oh, bonsoir. C'est moi.

— Kinsey ?

Il parut surpris, ce qui était bien normal.

— Oui, c'est moi, dis-je.

— Que se passe-t-il ?

— Je suis à la villa de Crystal. J'ai un petit problème et j'aimerais que tu viennes voir.

— D'accord, me répondit-il d'un ton prudent. Je prends. De quel genre ?

— Pas de problème, je peux attendre. Tu es sûr que ça ne te dérange pas ? Sinon, je peux essayer d'appeler Vince.

— C'est que je suis en train de faire quelque chose. C'est important ?

— Absolument. Tu as l'adresse ?

— Je connais l'endroit. Tu as des ennuis ?

— Pas encore, mais ça se pourrait. A tout de suite et... merci. C'est vraiment sympa.

Je raccrochai et, quand je relevai la tête, Anica avait rejoint Crystal dans l'encadrement de la porte. Elles se tenaient très près l'une de l'autre, Crystal devant, Anica légèrement derrière. Anica avait posé la main sur le bras de Crystal et je compris brusquement ce que je n'avais cessé d'avoir sous les yeux.

— Un problème ? me demanda Anica.

— Pas vraiment. J'attends qu'un de mes amis vienne me dépanner. J'ai des ennuis avec ma voiture. Il arrive tout de suite.

— Ah... et si vous veniez boire un verre de chardonnay avec nous en attendant ?

— Excellente idée !

Je les suivis sur la terrasse et nous restâmes là, dans la nuit, juste nous trois, à boire et à bavarder en écoutant le grondement du ressac sur la plage jusqu'à l'arrivée de Jonah.

Impression réalisée sur Presse Offset par

BRODARD & TAUPIN

GROUPE CPI

35005 – La Flèche (Sarthe), le 30-03-2006
Dépôt légal : octobre 2003
Suite du premier tirage : mars 2006

POCKET – 12, avenue d'Italie - 75627 Paris cedex 13

Imprimé en France